林慶彰　總策畫
民國時期稀見期刊彙編
第一輯

政學科研究年報②

臺北帝國大學研究年報

第十六冊

臺北帝國大學文政學部

政學科研究年報

第二輯

臺北帝國大學文政學部 政學科研究年報 第二輯

目次

臺灣に於ける秤量貨幣制と我が幣制政策
——「銀地金を流通せしむる金本位制」——……北山富久二郎……（一）
マルサスの地代論……東嘉生……（二八五）
——地代學説史の一斷章——
國際責任の根據に關する一考察……福井康雄……（三六三）
自然法思想における二の性格……秋永肇……（三九三）
——絶對主義と個人主義——

臺灣に於ける秤量貨幣制と我が幣制政策

——「銀地金を流通せしむる金本位制」——

北山富久二郎

山崎覺次郎先生に此の小論を捧ぐ

昭和四年、東京帝國大學名譽教授山崎覺次郎先生の還曆に際し、先生の敎を受けた東京帝國大國經濟學部職員が中心となり、金融篇・經濟篇の二卷より成る祝賀記念論文集「經濟研究」が先生に捧げられた。當時筆者も亦特に先生には久しく貨幣・金融問題に就て薰陶を蒙りつゝあつたので、當然此の企に參加すべきであつたのであるから、爾來先生に捧ぐるにふさはしき題目によつて、其の時果し得なかつた責をふさぎ度いと常に考へてゐたが、六年後の今日漸く先生にゆかり少からぬ題目により此の拙き小論を作して、多年の懸案をこゝに辛うじて實行することとしたのである。

北山富久二郎

總目次

はしかき……1
前篇　清國領時代末期の幣制
——秤量貨幣とその理論——……9
(一)　臺灣の貨幣史と資料……11
(二)　流通通貨の種類——雜種貨幣……17
(三)　貨幣單位と價格標準——金屬秤量制……59
(四)　總觀——補遺……101
後篇　我が領有後に於ける幣制政策
——雜種貨幣より金本位制への過渡期の諸問題——……105
(一)　幣制改革の段階と根本方針の沿革……107
(二)　「銀地金を流通せしむる金本位制」……131
(三)　「幣制改革」の改革——「金貨の流通せざる金本位制」へ……240
(四)　總觀——我が幣制政策の必然性と合理性……256

はしがき

本年は臺灣が我が領土となつて四十年、此の時に當り過去に於ける臺灣統治の跡を回顧し之に充分科學的批判を加へ、以て今後に處する方策樹立への一助とすることは、有意義なことと考へ、それへの一端を擔はうとしたのが此の[illegible]の動機の[illegible]ある。

臺灣に於ける我が幣制政策卽ち貨幣制度の根本に關する政策は、然し乍ら大體明治四十二年末を以て一應完了せるもの。臺灣自體にとつては、そこから「今後に處する」何ものを得來る必要も恐らく最早存せぬことであらう。然しながら我國全體の見地より見れば決してさうではない。滿洲事變と滿洲國獨立とによつて開始された日滿ブロック建設强化の過程は、既に第一段階を終つて、漸く日滿幣制關係の調整が他の諸々の問題と共に今や具體的に日程に上提せられ來つてゐる。しかも滿洲國幣制問題なるものは、其の發生の動因に於て、また其の改革俎上に上せらるゝ素材の性質に於て、其の解決の目的乃至指導原理に於て、實に臺灣改隷後に於ける幣制改革當時の問題とその性質を髣髴とするものが少くない。云ふまでもなく日滿經濟ブロックの具體的建設は日本と滿洲國との貨幣ブロックの結成を措いては決して充分に其の目的を達すること難きものである。日滿幣制關係の調整が、日本の金本位制復歸を前提として金爲替本位制への道をとるべきか、さしづめ現在の兌換停止狀態のまゝ、直ちに日本圓爲替本位制の實を擧ぐべき爲替管理によるべきか、其の場合日本資本の對滿進出と爲替管理との矛盾を如何にするか、何れにしても滿洲國内に於ける銀使用の舊慣習に對しては如何なる對策が講せらるべきか等々――凡そこれ等の諸問題に對して、銀秤量制を基調とする雜種貨幣の段階より貨幣法施行に至る臺灣の幣制改革史が極めて貴重な參考資料の一となるものであることは疑ない。更には近來日支關係の緩和好轉、進んで積極的日支提携が兩國のみならず東洋諸民族存立に絕對に必要な所以が次第に益々理解され始めたが、それに伴ひ、一部に早くも日滿支三國間の「圓・元・ブロック」論の傳へらるゝあり、又臺灣に於ても其の使命の一なりとして常に强調せらるゝ(領臺以來何度目かの「最近の通り言葉」たる)「南方國策」なるものは、論者により其の具體的內容、必ずしも明確でなく又必らずしも一致してゐないやうであるが、何れにしても恐らくそれを具體的に進めんとするならば、銀使用――雜種貨幣の諸民族との政治的經濟的接近に關聯して、粗密緩急の差こそあれ、「日本圓」との間に、同性質の貨幣問題を大かれ少かれ發生せしめずには置かぬものであらう。何れにせよ、臺灣に於ける我が幣制政策史の檢討は決して單なる「過去帳」の繰りひろげに終るべきではなく、現下の我が國勢の發展上緊急切實な諸問題に密接な關係をもつものである。これ此の小論を志した第二の動機であつた。（當初の豫定では最後に日滿貨幣統制論を合せて三部とする筈であつたが、資料の不足と時間の制限とでこれを他日に期したのである。）

最後に貨幣理論の檢討と建設とは具體的貨幣問題に即して之を企つることが最も生産的な方法であるとは私の確信するところである。殊に我が國の如く、嚴格な意味で貨幣理論と呼ばるべきものが、明治三十年幣制改革、即ち金本位制の實施――統一的貨幣制度の樹立――後に於て始めて生誕した國に於ては、統一的幣制の下に於ける貨幣現象の研究は外國に比して何等遜色なき高度の發達を結果してゐるが、雜種貨幣乃至秤量制の下に於ける貨幣の理論は其の檢討の機會にめぐまるゝことなかりし爲め、今日まで殆ど何人も之を體系的に追及したものがない。然しながら秤量貨幣の理論も亦正しく貨幣理論の一部であつて、決してそれは單に貨幣史又は幣制史のみの問題ではないのである。而して秤量貨幣流通の下では、大體に於て「メタリズム」の理論が成立する。

一體統一的幣制――そこでは各種の流通手段が統一體をなし、常に額面價値を以て相互に代替し、票券的・名目的に流通する――をとる國の國內に於てこそ「一圓」は直接には「一圓」以外の何物をも意味せざる「貨幣の數量單位」としても無意味ではないが、一旦國民的貨幣流通領域の外に出づれば、「一圓」は唯それが、或る「價値量」たる限りに於て意義をもつに過ぎぬことが直ちに一層明瞭となる。このことは一國がとる本位制度の如何により根本的變化は何等發生しない。金本位制が事實上保持せられてゐる場合には、價値量としての內容が、貨幣法に規定する鑄造割合によつて示されるところの一定「金量」として統一的確定的にも與へられるのに反し、現在の如き兌換停止下に於ては、「日本圓」の需要者が日本圓を需要する目的の如何によつて、其の時々に「一圓」に値する、或は綿絲の、或は生糸の、或は或種の雜貨の或る量――要するにそれで賄ひ得べき日本商品の或る量として、個別的に與へられるか、或は極めて稀な場合を想定すれば、或る種の需要者には、騰貴せる日本國內の金相場から換算せらるゝ或る重量の金として定められるだけの相異である。國內流通に際しては常に必らずしも明瞭にあらはるゝとは限らぬところの、「單位貨幣」の價値量としての內容が、こゝでは問題なしにはつきりあらはれて居り、國際金本位制の維持せらるゝ限り、個々の國民的貨幣相互は更に特定金量として國際的に「通分」の基礎を與へられてゐるだけである。これは日々貿易に關し、國際投資に關して、常に現實に行はれつゝある問題の建て方で、決して稀有のものではない。所謂「ノミナリズム」の主張は、統一的幣制の下に於ける國內流通手段の理論としては絕對に正しい。而して一般に「貨幣問題」として最も普通にあらはるゝものが、かくの如き流通手段に關聯する問題であることも事實である。そこにノミナリズムの廣汎なる實際の妥當領域が存すると同時に、其の限界も亦そこにある。

支拂手段としての異る國民的貨幣相互間の交換流通の問題も亦、現實的貨幣問題である。そこには本位を異にする貨幣との關聯、依然として雜種貨幣・秤量貨幣制の段階を脫せざる民族の貨幣との關係も問題となり來り、何を措いても先づ一國貨幣は金、銀、商品の一定量を直接の內容とする「價値量」として取扱はれる。それが價値量として取扱はれると云ふことはもとより所謂「メタリズム」をそのまゝ基礎づけるものではない。素材價値說の意味に於ける所謂「メタリズム」が統一的幣制の下で到底其の支持困難なことは云ふまでもない。だからそれは貨幣流通の高次の現象形態に適合する如く適當に修正せられねばならぬ。（その「修正」が如何なる性質のものでなければならぬか、從つて修正の結果が最早「メタリズム」の字義に合致せぬか、に就ては、こゝに觸れず別の機會に讓る。こゝでは唯この意味での「高次のメタリズム」が、結局貨幣を何よりも先づ價値量としての內實に卽して把握するもの、と規定するに止めて置く）。またこのことが別段逆に「ノミナリズム」を排除し、「修正せられたメタリズム」を以て之に置きかへる、といふ意味をもつものでないことも云ふまでもない。總じてノミナリズムも修正せられたるメタリズムも、同じ部面で相排斥する理論ではなく、世界貨幣流通の全面を覆ひ且貨幣を價値理論の基礎の上に價値理論と密接な關聯に於て取扱ふところの體系的貨幣理論にあつては、本來共にその一部を構成すべき、部分的理論である。換言すれば、二者の關係は「ノミナリズムかメタリズムか」ではなくて、正に「ノミナリズムとメタリズムと」でなければならぬ。かくの如き包括

**的貨幣理論體系の建設は、我が貨幣學界今後の目標の重要な一つであるが、臺灣幣制改革の理論的検討は、かくの如き體系樹立の必要を或る點まで示唆するのみならず、清朝時代末期幣制の分析は我が國にこれまで比較的缺けてゐた雜種秤量貨幣理論建設の爲め資料を提供することに多少とも役立つであらう。これが此の小論を企てた第三の動機である。

「歴史」と「理論」と「政策」の三者は我々の學問では常に密接に結合してゐなければならぬ。右の如き三つの動機が此の一つの小論に結びつけられてゐたと云つてもそれは勿論偶然ではない。

前篇　清國領時代末期の幣制

——秤量貨幣とその理論——

一　臺灣の貨幣史と資料……11
二　流通通貨の種類——雜種貨幣……17
　I　銀貨(17頁)——銀錠(17頁)、銀元(弗・圓銀、24頁)、
　　鈸仔銀(38頁)
　II　青銅錢(45頁)——制錢(46頁)、私錢(47頁)
　III　紙幣(56頁)
三　貨幣單位と價格標準——金屬秤量制……59
　I　兩(63頁)
　II　元(76頁)——「七二銀」(84頁)、「七錢銀」(84頁)、「六
　　八銀」(87頁)
　III　角及點(94頁)
　IV　文(98頁)
四　總觀——補遺……101

一　臺灣の貨幣史と資料

我が國が明治二十八年、日清講和條約に基き、臺灣及び澎湖島を領有することに決定した[1]當時、臺灣に於ける貨幣流通の狀態は如何であつたか。これを先づ明かにすることが先決問題である。その領有によつて我が國に課せられた臺灣幣制改革の課題なるものが、具體的に如何なる性質のものであつたかを明瞭にする點に於て。

然し遺憾ながら我々は改隷當時に於ける臺灣の貨幣流通の情況を精細に描出するに必要な資料を殆ど全く缺いて居ることを冒頭第一に述べなければならぬ。一般に領臺前の臺灣史料の乏しいことは凡ゆる方面の臺灣史研究者が一樣に託つところであるが、此の惱みは特に經濟史に關して著しく、分けても貨幣史に於て極度に甚しい。假に其の時期を短く清朝時代に限つても、貨幣流通に關する文獻のまとまつたものは絕無と云ふも過言でなく、淸人の筆になるものとしては僅かに臺灣府誌其他[2]が古泉に數行を費して居るだけに過ぎず、到底貨幣現象の科學的且歷史的檢討に堪ゆる資料はないのである。然し飜つて考ふれば、これは決して偶然ではない。蓋し清朝時代の末期に到るも、後述の如く、臺灣に於ける貨幣流通は、靑銅錢の例外を除けば全體として猶全く亂雜な私的貨幣の自然發生的流通以上には何等の秩序を持たなかつたのであるからである。もし制度 system と云ふ語を嚴密に解し、普通には何等か意識的・人爲的調整あるによつて、又自然生的な場合にも相當高き整然たる秩序の備はれるに至つて、始めて「制度」と呼び得るものとするならば、臺灣に於ける貨幣流通の發展は、清朝時代末期に到るまで、終に一度も嚴密に「貨幣制度」の名を以て稱せらるるに足る程度の高き發達を見なかつた、と云はなければならぬ。貨幣流通の普及は理論上單純商品生產の基礎の上に築かれ得べく——純粹な貨幣經濟形態の概念は論理上資本主義を豫想することとなしに構成せられ得る——、又史上に於ても歐羅巴都市社會の如き例があつたが、貨幣經濟の普及發達は、勿論現實には一般に、資本の支配的形態としての產業資本の成立を指標とする、資本主義の確立以前にに之をもとめることは出來ない。淸朝治下の臺灣に貨幣流通に關する文獻、就中官廳編纂の資料の見るべきもの全くなきは、開港場其他の都市に於ける局地的貨幣流通を他にしては、臺灣の經濟が全體として猶貨幣經濟の域にまで達してゐなかつた事實の、當然の結果に過ぎなかつたと思はれる。これは支那本國自身の幣制史を顧み、且臺灣が其の一小植民地に過ぎなかつたことを考へても、容易に肯けがはれることではある。

だが、古き事實の詮索は暫く措いて差當り領臺當時乃至その直前直後に限り、臺灣の貨幣流通に關して考察をめぐらさうと試みても、今日其の根本資料として利用し得る總督府其他我國側の調査がまた甚だ多くなく、況や其の理論的解明を企てたものに至つては一の存するものも見ないのである。單なる資料に就て見ても、例へば領臺直後即ち明治二十八年十月、臺灣兵站監督部の報告にかかる「臺灣慣用度量衡及通貨調査書」の如きを重要な部類に屬するものとし、次では明治三十年十月、官報に掲げられた貨幣の狀態に關する簡單な總督府調査なるものがある程度で[3]、遙か後に出た臺灣總督府民政部財務局の、「臺灣ノ貨幣制度ニ就キ」と題する調査書(明治三十七年十月)中に含まるゝ領臺前の貨幣狀況に關する極めて簡單な記述などさへ無視出來ぬといふ貧しき狀態である。領臺後既に五年の歲月を閲し且内地では貨幣法の施行あり、臺灣またそれに應じて後述の如き特異な形態の幣制改革を實施しつゝあつた時代になつてからの資料ではあるが、明治三十三・四年にかけて行はれた臺灣銀行員の「臺灣金融事情視察復命書」[4]中に誌されてゐる臺灣各地の流通通貨狀況に關する視察報告の如き、遡つて領臺當時の通貨狀況を推定する爲めの據り所として、之を充分重視せざるを得ないのはかゝる事情のもとに於てである。(各地に土匪の蜂起相次いだ當時の實情は到底それを許さなかつたのであらうが、此の調査がもう三・四年前に官自らの手によつてなされてゐたら、と今になつては憾まれる)。猶最近世に出でた臺南州(共榮會)編・「南部臺灣誌」[5]中の斷片的記述も、官撰府縣志の類が概して淸朝時代の初期又は中期に編まれたものであるのに、それが末期の事實を載せてゐる點、領臺當時の事情を探るに際して多少の參考にはなる。

かくの如き乏しき資料に賴つて領臺前後に於ける臺灣の通貨狀況を包括的にゑがき出すといふことは資料の缺を屢々大膽な推論で補ふことによつて始めて可能である。故に本篇の重點は勢ひ之を史實の考證に置かず、理論的描出に重きを置くの他はないのである。

(1) 我が臺灣及び澎湖島の領有がそれによつて定まつた日淸媾和條約批准書は明治二十八年五月八日に交換を終了した。試みに年表を繰れば、次で海軍大將樺山資紀が初代の臺灣總督に任ぜられたのが五月十日、總督以下の臺灣入城が六月十四日、越えて六月十七日に總督府施政式が擧行せられた、とある。

(2) 清人の筆になる領臺前の通貨關係資料としては、郁永河、裨海紀遊(康熙三十六年)。江日昇、臺灣外記(康熙四十三年)。黃叔璥、赤嵌筆談(臺海使槎錄中所收、乾隆年間刊)、六十七・范咸同輯、續修臺灣府志(乾隆十一年、初修は康熙三十三年刊、次で乾隆六年に重修刊行せられしが、共に未見)。朱景英、海東札記(乾隆三十七年)。其他相前後して刊行せられた縣廳志の類があるが、これ等の書が通貨の事を敍すや、概ね習俗、物產、金石等の項に於て偶〻之に觸るるといふ程度を出でず、全くの斷片的記述であり、價格標準及び計算單位に就ても之を賦役、田賦等の項に於ける記述から推論會得するの他なき狀態である。而して澎湖廳志が光緒十九年の刊行であるのを除けば、康熙乾隆頃に成るものが多く、領臺直前の狀況はこれ等の資料によつては殆ど全く窺ひ得ぬのである。

(3) 領臺後の資料は、猶他にも、勿論例へば、小川琢治著・「臺灣諸島誌」(明治二十九年二月)、松方正義・「明治三十年幣制改革始末概要」(明治三十二年五月)等これに觸れたものが全然存在しないではないが、前者は前揭兵站監督部の、又後者は總督府財務局の、調査を抄錄乃至轉載しただけのもので格別の資料ではなく、原二調査は倂せて、大藏省理財局編・「貨幣法制定及實施報告」(明治三十一年八月、秘本)中に收錄されてゐるから、それによるを便とする。猶、二者共に、明治財政史、第十一卷(第十三編)通貨、第二章第三節第二款第一項「臺灣の幣制中」にも採錄せられてゐるが、もともと明治財政史第十一卷の第二章第三節は第一款「明治三十年の幣制改革」を「明治三十年幣制改革始末概要」より、又第二款「臺灣の幣制」を「貨幣法制定及實施報告」中より夫々抄錄せるものに過ぎず、獨立の資料によつたものでない(比較して見ればそれは直ちに判る)から、こゝでは前書によることにした。

領臺直後相前後して刊行せられた多數の臺灣紹介書の類に到つては、何故か此の重要な貨幣流通といふ問題に關して殆ど觸るゝものなく、例へば當時可成世人に歡迎せられたと聞く、松島剛、佐藤宏共著・「臺灣事情」(明治三十年二月)の如き、三百頁前後の比較的詳細な臺灣紹介に當り、通貨に就ては終に一言・半句も言及することなく、村上玉吉氏著・「臺灣紀要」(明治三十二年二月)がこれに關して兎も角四頁足らずの記述を試みて居るのを却て奇とする程である。

臺灣銀行編・「臺灣銀行十年志」(明治四十三年六月)、同・「臺灣銀行二十年誌」(大正八年六月)、臺灣總督府財務局金融課編・「臺灣の金融」(昭和五年十月)、其他領臺後の臺灣幣制史を論じたものが、順序として皆領臺前後に於ける清朝の遺制に筆を起してゐるけれど、これ等後年に出たものの取材の源は恐く初期に於ける前記二・三の調査に係り、其の記述に多少繁簡の差はあれ、全て大同小異、殊に理論的分拆の貧しさは皆規を一にしてゐる。

(4) それは同じく臺灣茶業復命書と共に、臺灣銀行編、第一次臺灣金融事項參考書附錄(但し臺灣金融事項參考書とは別册、明治三十五年五月刊)中第八五—二八三頁に收載されてゐる。

(5) 明治二十九年夏、當時の臺南縣知事、磯貝靜藏氏が調査委員を舉げて編纂せしめた「臺南縣誌」の計畫に淵源し、この企が地方制度改正の爲めに、「臺南沿革志」(明治三十年六月刊)一卷を印行したまゝながく中絕してゐたのを、臺灣文化三百年記念會開催が機となり、州費補助の下に臺南州共榮會の事業としてこれが完成に着手し、昭和九年九月に至つて、「南部臺灣誌」として全部の刊行を見たものである。

二　流通通貨の種類――雜種貨幣

先づ改隷當時に於ける清朝遺制の通貨には如何なる種類があつたか。大別すればそれは銀貨と青銅錢となるが、二者共に極めて雜多な種類を包含してゐた。

I. 銀　貨

銀貨は官鑄・私鑄、內國鑄造・外國貨幣を含み甚だ多樣であつたが、銀錠(銀兩、その最も普通の形態に對する我が國での通稱は馬蹄銀)と銀元(一弗・一圓・一元等の洋式圓形銀貨)・小額銀貨に大別して敍べるのが便である。

銀錠(銀兩、馬蹄銀) 從來の調査類は、臺灣に於ても、銀錠が流通通貨であつたことを肯定し、銀錠にも官鑄と私鑄の別があり、官鑄のものを紋銀と呼んだと云ひ、又銀錠の重量には大小各種があつたが、但し五十兩(大體我が五百匁)の重さのもの卽ち大元寶銀(馬蹄銀)を最も普通としたことは支那本國に於けると變らなかつた[1]と云ふ。然し清朝が臺灣を領有してゐた時代の末頃、支那に於ては猶大元寶銀(馬蹄銀)の流通が必らずしも稀でなかつた[2]と云つても、臺灣に於ては其の現實の流通が一體どの程度に存したのであるか。蓋し清朝時代の中期以後に於て既に臺灣には其の流通を證すべきもの存せず、支那本國に於て猶外國銀元の氾濫があらはれなかつた咸豐開港前の時代、[3]就中官私一切の支拂に紋銀を用ひたと傳へられる康熙・雍正・乾隆年間(十七世紀後半より十八世紀末に至る約一世紀餘の期間)には、本土の影響を受け臺灣にも大元寶銀の授受が多少一部に存したことはあつたであらうが、發達程度の低かつた臺灣の流通經濟にとつて五十兩の銀錠が一般の流通手段たるには過大であつたことは明である。今主として問題とする改隷當時に於ては康熙・乾隆・時代に比して流通經濟の發達はもとより同日の談ではなかつたが、後述の如く此の時は支那本國の流通銀貨も原則として既に銀元時代に入つて居たし、殊に外國銀元を主流通貨とする貨幣流通制の確立に於て臺灣は支那本土よりも却て早かつた點(後述)より見ても、馬蹄銀流通說は之を肯定する手懸りが乏しい。結局その流通は臺灣に於て終始極めて稀有の事に屬し、殆ど流通通貨として機能してゐなかつたと見るのが適當である。

こゝに多少の疑の因となるものは、古くより臺灣に於ける政費に充てる爲め、支那本國から官鑄馬蹄銀(紋銀錠)が臺灣に齎らされた事實である。然しながら政費の重要な部分を占めた官吏や兵卒に支給する俸給に五十兩馬錠銀を使用することは出來なかつたから、それ等の馬蹄銀も比較的大なる商人や兩替商(錢莊)の手を經て支那に再び歸つたり、銀細工師によつて鑄潰されて、臺灣の流通界に其のまゝ止つてゐたのではないと推定して誤なからう。事實臺灣政府がこれ等の紋銀錠を政費支給に便利な小型の銀貨に態々改鑄して使用した例が幾度かある。所謂「六八銀元」なるものが卽ちそれであり、それには後述(銀元の項參照)の如く數種あつたが、全て皆臺灣に於て政府が兵餉其他政費發給の必要上、紋銀錠から態々改鑄した値一元の圓形銀貨であり、之が臺灣紋銀と呼ばれた[4]といふのも、大元寶銀(紋銀錠)が臺灣には稀であつたからでもあらう。一體領臺前臺灣に於ける大量的商品取引は糖・腦・煤・茶(砂糖・樟腦・石炭・製茶)の四商品の輸出と、織物・阿片・鐵器等の輸入に關して存したに止まり[5]、これ等を他にした純然たる島內取引には馬蹄銀の使用を適當とした程の大量取引は概して存在せず、諸般の情況は、唯外國貿易と直接・間接に因果關係を以てつながるゝ、比較的大量の島內取引に稀に其の使用を見たこともあつたか、と云ふ推定を許す程度であつた。東槎紀略は道光二十年(一八四〇年)前後に於ける銀流通に就て曰く「臺屬の貿易みな番餅を用ふ。官民の紋銀を收用するは、皆給を臺餉に仰ぎ、兵に給する後民間に散布す。此れを舍きては卽ち海外に紋銀斷絶す[6]」と。以てその源泉の限られてゐたのを知る。故に「馬蹄銀は金銀細工舗、綢緞舖等取引金額の大なるものの間にのみ使用せられ[7]」たと云ふ民政部財務局の調査書の斷定も果してその意は普通の流通を意味したのであらうか。恐らく金銀細工舗や綢緞舗を一方の主體とする大額取引に於ても、馬蹄銀が普通の支配手段であつたと云ふ意味ではなからうと推斷せられる。それは假令かくの如き一部の取引にせよ、常に馬蹄銀が臺灣に於て用ひられてゐたとするならば、その不斷の供給源、供給經路は如何？と云ふ疑問が直ちに生ずるが、此の疑問に積極的に答ふべき根據が存在しないからである。一體臺灣に馬蹄銀を鑄造する銀爐が抑々存在したか、銀爐の鑄た銀兩の品位に就き鑑定證明を業とする信用の度高き公估局の如きものが存在したか、それを積極的に斷定する何等の記錄なきを以て見れば、恐らく上海其他に存した此の種の銀兩流通に不可缺な供給機關と補助機關とは臺灣に存在しなかつたのであらう。では支那本國から常に輸入してゐたと云へるか、貿易統計はそれを語つてゐない。[7] 福建より臺灣道臺及び知府に紋銀が齎らされたといふのは恒常的なものでなく、又銀錠が銀匠・銀箔師等の手に歸したのは、之等銀地金の大量消費者が馬蹄銀(官鑄私鑄共に)の品位の銀元に比して高きが故に、好んで之をもとめたと云ふに過ぎず、稀に臺灣に流入した馬蹄銀は彼等の手によつて鑄潰され再び流通界にあらはれなかつたのであらう。もとより普通の意味での流通が彼等の取引に限つて存したものとは思はれぬ。結局銀兩は當時臺灣に於ては現實の流通手段であつたと云ふより、寧ろ計算單位であつたことは、其の所以こそ異るが、宛かも民國時代以後の支那各地(上海を除く)に於けると異るところがなかつたと見るべきである。[9] 臺灣に於ける最初の有力な調査書と云ふべき前紀兵站監督部の報告は流通貨幣の種類を列擧するに當つて、馬蹄銀には一言も觸れて居らぬ。

猶、支那本國に於ては勿論この種の大元寶銀(大體五十兩前後の重量)が具體的流通手段としての銀兩(即ち兩建銀塊)の最も普通の例ではあつたが、必らずしも銀兩即馬蹄銀ではなく、その他に馬蹄形に鑄られぬ銀兩も存在した。例へば錘形の中錠[10]と稱するもの(重さ大體十兩)[11]、更に小さい饅頭形の餅又は小錠と稱するもの(重さ通常五兩以下)など、其の主な例であるが[12]、重量五十兩前後の元寶銀に比して小額な之等の銀塊は、果して當時臺灣にも流通してゐたか。かゝる疑問を投げさせるものは、大元寶銀と異り、金額の大さから見て、却て此の種の銀兩なればまだしも臺灣に流通の可能性が多かつたらうといふ、云はゞ臺灣の經濟狀態からの演繹的な推論と、殊に臺灣と貿易上其他の點で甚だ密接な關係にあつた對岸の福建省福州府等に於て、領臺頃銀建の標準たりしのみならず、現實に銀塊としても存在した海關銀兩なるものは、上海其他北支那に於けるが如き五十兩前後の大元寶銀ではなく、十兩一塊(但し福州の衡器・新議秤の十兩で、庫平換算九兩七錢六分五厘六毛)の小銀塊であつた(而して福州では之を道白鏡銀又は閩錠とも云つたが、單に紋銀とも呼んだ)といふ具體的な傍證の存在することである。此の小銀兩とても福州に於て市中一般に流通してゐたわけではなく、唯稀に授受せられただけで、之を受取つた者は多く直ちに錢莊に持つて行つて其の日の相場で銀元等に兩替したと云ふ。此の種の小銀兩の流通に就て、臺灣幣制に關する右の諸調査が悉く誌すところなきは如何？　臺灣に於ける其の流通を否定するならば、況や金額の大なる馬蹄銀に於てをや、であらう。

(1)　臺灣總督府民政部財務局編・「臺灣ノ貨幣制度ニ就キ」一頁、臺灣銀行編・「臺灣銀行十年志」四五頁、同編・「臺灣銀行二十年誌」三一頁、等に於ける馬蹄銀に關する記事を參照。

(2) 支那各地に於て銀元の流通が急激に普及し、現實の支拂手段に馬蹄銀を使用することが愈〻減じて、上海以外に於て銀兩が全く流通界から其の影を沒し、專ら計算單位たることに其の機能を縮限したのは、少くとも民國三年の國幣條例が銀元を本位貨幣と規定した時を一轉換として其後特に顯著な現象となつたもので、其の以前に於ては、銀兩は一方に於て、一般的計算單位として用ひられ、從つて次第に通貨としての地位を大きくしつゝあつた洋銀其他の銀元の價値表示にも計算單位として用ひられては居たが、他方現實にも馬蹄銀其他の形で流通界に存在した。猶これに就ては、例へば井村薫雄氏著・「支那の貨幣と度量衡」六六頁、參照。

(3) 勿論外國銀元の流入そのものは支那本國に於ても咸豐三十年(一八六〇年)天津條約に基く開港よりも遙か以前であつたことは云までもない。道光九年(一八二九年)の上諭に、廣東と外國と通商を開始してより番銀夷錢の通用日に廣まれり云々、の語あり、是れ洋銀の官書に見ゆる始であると云ふ(賈士毅著・濱岡福松譯・民國財政史、下編、六九二頁)から、支那に於ける外國銀元流通が、既に道光初年頃より相當大であつたことを認めねばならぬ。こゝで云ふのは其の氾濫と馬蹄銀以下の銀塊が流通手段として用ひらるゝことの大いに減じたことが、一層後の事實であるといふことである。

(4) 伊能嘉矩著、臺灣文化志、第二卷、六六頁。

(5) 上海造冊局・「支那各港貿易年表」(Trade Reports) 一八九〇年代以前を往見。

(6) 伊能嘉矩著「臺灣文化志」下篇、六五頁。

(7) 前掲、明治三十六年十月の民政部財務局調査、「臺灣ノ貨幣制度ニ就キ」一頁。

(8) 前掲「支那各港貿易年表」

(9) 臺灣に於ける銀元の自鑄が、本國に比して極めて早かつたことも、これを立證するものと考へられる(後述本文27頁以下參照)。前掲「臺灣銀行二十年誌」は、「臺灣に於ては(馬蹄銀)は取引の標準たるに止まりし觀ありて、多くは其の質其の他の貨幣に比して良好なりしかば、銀匠の手に買收せられしと謂ふ」（三一頁）と述べ、又財務局金融課編・「臺灣の金融」も恐らくこれを踏襲したか、「馬蹄銀は官鑄私鑄共に他の貨幣に比しては良質であつたので取引の標準にはなつたが實際の取引には用ひられず多くは銀匠が之を買收して居つたのである」（一頁）と記してゐる。

(10)(11)(12) 中錠は必らずしも饅形とは限らず種々不定形のものがあつた。重さ十兩の銀塊にも馬蹄形のものあり、小銀錠・小元寶と稱した。廣畑茂氏著「支那貨幣史錢莊攷」（一〇〇頁）參照。

(13) 第二次臺灣金融事項參考書附錄（明治三十六年）として採錄せられし明治三十四年、臺灣銀行福州出張員報告、一五〇頁參照。

(14) 同書、一〇五頁。

銀元　流通銀貨の中で最も重要なものは銀元、卽ち大體庫平七錢二分（大約七匁二分）前後の、各個の重量に大差なき洋式圓形鑄造銀貨であつたが、其の太宗であつた外國銀貨そのものが既に歐米諸國、日本等の弗銀・圓銀等、品位・量目の異る種々雜多な銀貨の總體概念に他ならなかつたのであるから、銀元と云つても其の内容は相當復雜であつた。

外國弗銀及圓銀　　後にも述べる如く臺灣の經濟が改隷當時と雖も果して一義的に銀經濟であつたと云ひ得るかは全く疑問であるが、少くとも銀經濟に於ける最も中心的な流通貨幣は臺灣又は支那本國鑄造の銀元に非ずして、却て外國輸入の銀貨卽ち洋銀元であつた。それは當時までの支那本國の銀元の歷史が示すところと異るものがない。一體臺灣に於ける外國銀貨の流入は甚だ古く、その起源は遠く十七世紀蘭人占據時代に遡るが、それが貨幣流通上重要な地步を占めたのも相當に早かつたやうである。例へば臺灣府誌（康熙三十三年初修）を除けば最も早き時代に成れる資料であるところの裨海紀遊（康熙三十六年郁永河著）に當時の臺灣の通貨を述べて、「市中の用財は獨り番錢を尙ぶ。番錢とは紅毛人の鑄る所の銀幣也。圓長一式ならず、上に番花を印す。實は卽ち九三色。臺人此れに非れば用ゐず。庫帑を以て之に與ふるあるも每に壓額して顧みず。習見する所に非るを以てのみ」[1]と誌して居り、又赤嵌筆談（康熙六十一年の巡臺御史、黃叔璥著す所）にも臺地の交易には紅毛所鑄の銀幣卽番錢が最も好ばれたとある[2]。續修臺灣府誌によれば、當時流通外國銀貨には、劍錢（重さ九錢）、圓錢（一名花欄錢、重さ七錢二分、小なるものに、二當一、四當一あり）、方錢（俗に番餅と稱す、重さ圓錢と同じ）、中錢（重さ三錢六分）、茇（菱、重さ一錢八分、九分、四分五厘）の類があつたと云ふ[3]。しかもこれらの番錢は最も流通が圓滑で支那內地より運來の銀兩よりも却て尙ばれたと云ふのであるから[4]、以て臺灣に於ける洋銀元の流通場裡に於ける征覇の沿革古きを知るべきである。康熙・乾隆時代のこれ等紅毛錢は、劍錢が單に西洋より來るとあるのを除けば、他は全て爪哇(咬𠺕吧)比立賓(呂宋)から傳來せるものであると誌されてゐるから、[5]和蘭及び西班牙の銀貨であつたに違ない。[6]其後外國銀元界に於ける勢力の消長は墨西哥銀の壓倒的進出によつて決定され、其の殆ど完全な優越的地步の確立を以て終つたこと、これまた大體南支那市場に於ける外國銀元の歴史と異るところがなかつた。

即ち改隷當時に於ける臺灣流通の主たる外國銀元の種類は、墨西哥銀(純分三七七グレーン〇九三)、香港圓銀(純分三七四グレーン四)、西班牙銀、米國貿易銀、佛領安南貿易銀貨(純分二四グラム四九三五)、日本一圓銀貨(純分三七四グレーン四)、日本貿易銀(純分三七八グレーン)等であつたが、其の中最も多量の流通を見たのは墨西哥銀であつた。[7]それは其の豐富な供給と一七七二年以來一貫して品位九百二、全重量四一六グレーンを維持したことによつてその前より流通してゐた西班牙弗の地位を奪ひ、乾隆・嘉慶以後(大體十八世紀末以降)、殊に上海より南支那一帶にかけて壓倒的勢力をもつた銀貨であつたから、臺灣に於ても一般に愛好せられてゐたのである。而して本島人はその面上鷹の圖をあらはせる墨西哥銀を支那本國に於て鷹洋と呼んだのと同じやうに、之を鷹銀(イエンクン)又は鳥銀(チヤウグン)と稱し、その無傷のもの(鏨(キリ)印を施さざるもの)を特に白鳥(ペーチヤウ)と呼びならはしてゐた。然し流通量の大であつたのは鏨印を施せる"Chopped dollar"即ち本島人の所謂「粗銀」であつた。[8]

西班牙銀元は、カロルス四世(古くは同三世)の像をあらはした"Carolus dollar"、支那に於ける通稱本洋で、臺灣に於ては人頭を圖せるの意にて佛頭銀又は番頭銀と呼ばれたが、改隸當時は其の流通量少く、古い貨幣のこととて全てが粗銀となつてゐた。香港圓銀は、支那で通稱人洋又は香洋と云ひ(臺灣では西班牙弗と同様人像の模様に基き佛銀と呼んだのであらう)、光緒十三年(明治二十年)頃までは臺灣と香港との密接な貿易關係に基き、臺灣に於ては墨西哥銀に匹敵する程の流通を見てゐたと云ふが、南支那市場に於けるその相場が比較的安く墨西哥銀に比し清國の自鑄銀元(光緒元寶)や馬蹄銀の材料に使用して有利であつた關係から、漸次その爲めに改鑄されたのと、同治八年(明治二年)より光緒二十年(明治二十七年)まで其の鑄造が行はれなかつた爲めとで、領臺當時は南部地方を除き其の流通量を大いに減じてゐた。[9] 日本圓銀及貿易銀は、南支那から間接に流入した他、直接の貿易關係と明治七年の征臺の役によつても流入して居たが、就中前者は領臺直後多額に齎らされたもので、本島人は裏面の龍紋によつて龍銀と呼び、比較的新しく美麗である爲めに他の粗銀に比して喜ばれたが、領臺前に於ける其の流通量は餘り多くなかつたやうである。安南、米國(貿易銀)等の銀元は其の流通量僅かで、其他印度、祕露、葡萄牙、暹羅等の銀元も交つて居たが、更にそれ等は稀少であつたと云ふ[10]。

之等の外國銀貨は全て一枚一元と呼ばれたけれど、勿論等價値に通用したものではなく、原則として個々の品位、重量に應じた價値で流通したわけであるが、實際には、又それほど嚴密に品位重量を一々鑑定し其の含有銀量に應じて一分一釐をもいやしくせざる底の、地金價値通用が行はれたわけでも(又その筈もなく、そこはよろしく永い間の經驗と民間慣行の不正確極る衡器[11](所謂商秤)とを假り、銀貨の種類と鏨印の程度など觀察して、大體の地金價値を算定し以て用を足してゐたものである。

支那及び臺灣鑄造銀元　支那自鑄の銀元と云ふのは、例の西藏に於て鑄造した「乾隆寶藏」(乾隆五十七年)を除けば、近代支那に於ける最初の銀貨と云ふべき、光緒十四年[12](明治二十一年)廣東省に於て外國銀元を模して始めて鑄造した光緒元寶[13](庫平七錢二分)であつた。これも日本圓銀と同樣、裏面の龍紋によつて、本島人は龍銀と呼んだが、領臺當時は猶初鑄以來間もなくのことであり、其の流通は甚だ稀であつた[14]。これ以外に改隸當時までに支那自鑄の銀元なるものは現れず[15]、從つて臺灣に於ける支那銀元は自然廣東銀が其の唯一の例であつた。反之、臺灣鑄造銀元の歷史は却て本國のそれよりも古く、少くとも咸豐三年(嘉永六年、一八五三年)に遡ることが出來る。卽ち前に一言した臺灣紋銀といふ洋式圓形銀貨で六八銀(元)と總稱せられたものである。

六八銀元には三種があつたやうで、老公仔銀(一名壽星銀)、劍秤銀、如意銀(雙如意銀)が卽ちそれである。此等の三者は夫々銀貨面上の模樣(老公仔銀は「老公仔」卽ち老爺の像を、又劍秤銀は交叉せる二個の劍と二個の秤とを、如意銀もまた交叉せる二個の如意を、夫々面上にあらはす)[16]によつて其の俗稱を得たものであるが、皆庫平六錢八分の重量を有し、「府庫六八足重」又は「足紋通行」等の文字をもつたものもあつた。此れ等三種の洋式銀貨、六八銀元は時を異にして鑄造せられたものと思はれるが[17]、其の鑄造年が明確に知られてゐる如意銀に卽して云つても、それは前記の如く咸豐三年に遡り、廣東銀の初鑄より三十五年前の事であつた。然らば何故眇たる邊陬の一小島臺灣に於て、かくの如く本國に遙か先んじた銀元の自鑄が行ばれたのであらうか。これは何人にも當然起る疑問でなければならぬ。今咸豐銀元鑄造のいはれは、咸豐三年、臺灣に土匪の擾亂(林洪、吳槎、林汶英の亂)あり、然るに支那本國に於ても丁度長髮賊の亂(咸豐元年、一八五一年)があり、財政窮乏甚だしく、此の臺灣の非常時に際して軍費(兵餉)を送ることが出來なかつた。そこで不得止臺灣政府は臺南府庫内の貯藏紋銀(馬蹄銀)を出して之を六八銀元に鑄造し、以て自ら兵餉を支給したといふのである[18]。これは然し結局咸豐銀元鑄造の直接的動機に過ぎない。問題は馬蹄銀を何故銀元に改鑄したかにある。それは主として政府の支給する兵餉が銀元で支拂はれることを必要としたからに他ならぬ。卽ち連雅堂撰、臺灣通志もこの時の事を敍して「府庫に元寶數十萬を存するも滯重行ひ易からず、卽ち權宜の策を爲し、匠を召して鼓鑄す」[19]とある。臺灣政府の要したものは兵士の給料に限つたわけではないから、咸豐銀元の鑄造が給料の支拂だけを唯一の目的にしたものとは思はれず、旁々それは臺灣に於て馬蹄銀が政府の支拂に於てさへ流通手段としては過大にして不適當であつたことを立證してゐるものと考へられる。かくて臺灣に於ける銀元鑄造の極めて早かつたといふ事實はそれ自體としてのみならず、其の說明に關聯して臺灣の經濟が大元寶銀よりは小額の銀元を流通手段として要求してゐたことをも、傍證するものであらうと云ふ點で、殊に興味をひかれるのである。

それは兎も角、これ等の臺灣自鑄の銀元は領臺當時には既に殆ど其の姿を流通場裡から沒してゐた[21]から、之をこゝで流通通貨の例に算へることは適當でない。それはそれ等の銀元が重量庫平六錢八分で、當時一般に流通してゐた最も主要な外國銀元の墨西哥銀が重量七錢二分であつたに比し、一見惡貨の如くであるが、純良な紋銀より直ちに改鑄した關係から其の品位が極めて高く九八〇位であつた爲め(墨銀の實純分は九〇二%であつたが、正確な分析が行はれたわけでないから本島人は九百位と考へてゐたであらう)、六八銀元一枚の含有銀量は六錢六分六釐四毛墨銀一枚のそれは六錢四分九釐四毛餘、結局六・八銀元の方が一枚當り一分七釐方墨銀よりも良貨であつたわけであるが、流通場裡に於ては其の輕重の故に墨西哥銀以上の價値を認められなかつたから、却て自らグレシアム法則の作用を受けて盛に鑄潰された爲めに他ならぬ。

要するに領臺前後に於ける臺灣の流通銀元は主として墨銀其他雜多な外國の Chopped dollar であつた。其の流通は原則として秤量制に從つたことは云ふまでもないが、其れも上述の如く嚴格なものではなかつたのである。

(1) 裨海記遊の原本は未見。昭代叢書、第五六册及び小方壺齋、輿地叢鈔、第四六册所收のものが普通に引用されるが、こゝでは同書譯註「二百歲前之臺灣」(明治四十二年九月刊、一九丁)によつた。明治四十一年五月、臺灣に於て諸田光(號維光)なる人が南瀛遺珠と題し、清國時代の官撰府縣志其他臺灣關係書の譯註叢書刊行を志し、第一―三輯及び別册(枝輯)一を出し一年余にして中止したが、其の時の別册が卽ち郁永河、裨海記遊の譯註書で「二百歲前之臺灣」と假題されたものである。

(2) 續修臺灣府誌、卷十七金石、附考に赤嵌筆談を引用して曰、「臺地交易最尙番錢紅毛所鑄銀幣也長斜無式上印番字銀色低潮以內地雜金與之反多滯難用」と。

(3) 續修臺灣府誌、同上本文。劍錢に就ては「西洋より來る」とあるのみで、何れの國の銀貨であるか明でないが、蘭・西何れかの銀貨と考へるのが自然であらう。「二當一」、「四當一」とは云ふまでもなく、二枚乃至四枚を以て大錢一枚に當るの意であるから、前者は重量三錢六分、後者は一錢八分、換言すれば夫々五角及び二角五尖に當る小銀貨であつたわけである。

(4) 前揭、赤嵌筆談の他に、猶、南部臺灣誌所載の、租稅に關する古碑文中にも、「臺地紋銀稀少民間行用俱係番錢」(三三七頁)とある。

(5) 續修臺灣府誌、前揭。

(6) 重量七錢二分の圓錢(花欄錢)と云ふのが卽ち銀元であるが、それは西班牙カロルス弗に重量も一致する如くである。

(7) 臺灣銀行二十年誌、三二頁。

(8) 臺灣兵站監督部調査が、墨銀の種類に、重量庫平五錢八分、六錢、六錢四分の三種あるかに記し、しかも墨西哥弗の規定重量七錢二分（四一六グレーンは大體それに當る）を擧げてゐないのは、當時市中に流通してゐた墨西哥弗を假にとつて檢量せる結果に違ない。それは卽ち流通してゐた墨銀が、一般に磨損の甚だしかつた粗銀であつたことを示すものであらう。猶領臺當時の流通銀元が、主として墨銀の粗銀となれるものであつたことは、明治三十年十月、官報所載、總督府調査（貨幣法制定及實施報告、六二六頁）、明治三十七年十月、總督府民政部財務局編、「臺灣ノ貨幣制度ニ就キ」（一二頁）、臺灣銀行二十年誌（三二頁）、等を參照。

(9) 貨幣法制定及實施報告、六二六頁。

猶此の香港圓銀（又は弗銀）は表面にヴィクトリア女王の像を印したことは格別問題ないが、裏面に周邊の“One dollar”の英語と共に、漢字で中央四瓣の花模様の各花瓣に、「香港壹圓」の四字を現はした點が大いに興味がある。それは「圓」で價値があらはされた支那の貨幣の最初の例であり（後には孫逸仙、黎元洪、袁世凱、三氏の記念貨幣に「壹圓」の文字をあらはしたものがあらはれてゐる）それよりも我が貨幣單位「圓」の起源に關係があるのである。明治三年始めて鑄造（四年より發行）せる我が二十圓、十圓、五圓、二圓、の四種の金貨（一圓金貨は明治四年始めて鑄造し五年より發行）と、貿易用に同じく明治三年始めて鑄造（發行は四年より）せられた一圓銀貨とが「圓」を以てその通用價値を表示せられた我が貨幣の最初であり、明治四年五月の大政官布告、貨幣條例（新貨條例）が、（新）貨幣例目に「（新）貨幣ノ稱呼ハ圓ヲ以テ起票トシ其多寡ヲ論セス都テ圓ノ原稱ニ數字ヲ加ヘテ之ヲ計算スヘシ但一圓以下ハ錢（一圓ノ百分一）ト厘（一錢ノ十分一）トヲ以テ少數ノ計算ニ用フヘシ」（大藏省編、貨幣法規、三頁。山崎覺次郎博士著、貨幣讀本、附錄一、法規、五頁）と規定して以來、我が國の「廢兩改圓」が遂行せられたのであるが、この「圓」といふ新しい貨幣單位の起源に就て、山崎博士は早くより注意を向けられ、舊來の小判型又は矩形の金銀貨から圓形の新貨幣に移つた爲めに「兩」、「分」等の稱呼を廢して「圓」の名稱を用ふるに至つたといふやうな通行の說に滿足せられず、次の如く想定されたのである。卽ち新貨條例に規定せる我が國最初の圓形銀貨の鑄造は、明治元年まで香港に於て香港圓銀の鑄造に用ひてゐた造幣機械を我國が購入し、（尤も明治元年四月價格六萬弗にて購入した此の機械は、大阪に造幣所を建設中明治二年十一月失火の爲め燒失、再び東洋銀行に委託して、英國より機械を改めて購入し、新貨幣の鑄造に當つたのであるが——明治財政史、第十一卷、三一九—二〇頁）、又造幣技師及び職工も同じく東洋銀行に依賴して英人を招聘（技師はウイリアム・キンドルと稱し、明治三年二月我が政府により造幣工業首長に任ぜられた——明治財政史、第十一卷、三二二頁）して之を開始し得たのであるから、香港圓銀と我が國の貨幣單位「圓」とは必らずや密接な關係あるに相違なく、恐らくは、當時の香港銀貨が「圓」を以て貨幣單位としてゐたのを我が新貨が襲用せるものであらう、と云ふのが、山崎博士の推定であつた。

而して筆者は博士の右推定の根據たる「一圓」の文字を表面に印した香港所鑄銀貨の蒐集を先生に約して三年になるが、一八九五年以降のもの（印度造幣局鑄造）は臺灣にも多數に存在するも、問題のものは未だに之を入手し得ない。蓋し所謂香港圓銀が實際香港に於て鑄造せられたのは、慶應二年（一八六六年）より前記造幣機械を我國に讓り渡した明治元年（一八六八年）までの三年間であり、而して其後明治二十七年（一八九四年）までは全然鑄造なく、二十八年（一八九五年）以降再び（但し一九〇一年エドワード七世の卽位後は、表面の畫像がそれに應じて改められたが、依然「壹圓」の稱呼は之を存して）印度造幣局に於て鑄造せられたもので（廣畑茂著、前揭書、四七頁）、香港造幣局は僅かに三年間之を鑄造しただけであつたから其の鑄造高も多くなく、殊に本文に述べたやうな事情から、後に廣東省造光緒元寶其他の改鑄用に支那で盛に鑄潰された爲め、今日其の殘存は極めて稀となつてゐるのであらう。

然しながら、我が國の廢兩改圓前に鑄造せられたものを未だ手にしないとは云へ、香港造幣局が額面壹圓の銀貨を鑄造したことは事實であり(其の寫眞は、例へば、歷史公論、第三卷第十三號、特輯、「錢」一八七頁を參照)、而して我が明治新貨幣鑄造の經緯は右の如くであるのであるから、「圓」の起源が香港銀貨にあるとの山崎博士の推定は正しきものと斷定して差支ない。而して香港銀貨が何故「圓」の稱呼を用ひたかと云へば、それは支那に外國銀元が流入して「元」が銀貨の數量單位となつて以來屢々「圓」を「元」と同じに用ひてゐた爲めである。更に「圓」が「元」の別名として支那で併用された動機を問へば、馬蹄銀其他不定形の銀塊に對し、新來の西班牙、墨西哥等の銀元が圓形銀貨であつたことにあることは何等の疑がない。それは洋式圓形銀貨をあらはす爲めに、支那人が「銀元」と共に「圓銀」の語を屢々用ひてゐるのでも判る(一例、註12引用の賈士毅著、民國財政史、下論、六九三頁)。かくて山崎博士の「圓」が「銀行なる名辭の起源」と共に、和製に非ず支那製の輸入に基くものであると云ふ說が成立すると共に、「圓」の名稱が貨幣の形より出でたといふ俗說もまたそれと兩立することになる。但しそれは大隈伯の創意としてではなく、支那に於ける起源とする限りに於て。

猶、北京官話では「元」と「圓」とは發音全く異り、同音による併用を推定する謂れがないが、廣東語では「元」は "Nyan" 「圓」は "Yan" で二者の發音上の差が甚だ微小であるから、香港銀貨の主たる流通地域たる南支就中廣東省地方では、「元」の代りに「圓」の字を用ひた發音上の動機は充分ある。これは確かに「圓」といふ單位名が北支に於てでなしに、香港に於て、實際通貨面上に、先づあらはれた有力な理由であらう。何れにしても「圓」は「元」の子(又は弟)であり、其の生誕の地は南支、香港である。猶これは最近の「圓・

元ブロック」論に援用せらるべき因縁説として、恐らく誂向のものではないか。

(10) 臺灣銀行二十年誌、三二頁。

(11) 臺灣の衡器の亂雜振りに就ては後に價格標準の項に於て詳しく述べる。

(12) (13) 支那自鑄の銀元として最初の、廣東省造光緒元寶は、光緒十三年二月、粤督（兩廣總督）、張之洞が、「廣東は全省を通じて皆洋元を用ひ、遂に廣西に波及し、又福建、浙江、安徽、湖北の有ゆる通商港、及湖南、四川、前藏後藏に至り通用せざるなく、其不利底止するところを知らざらんとす。故に廣東省に於て洋元に模して圓銀を試造すべし。現在の洋元は重量漕平七錢三分なるが故に、之に每元一分五釐を加へ、圓銀上面に光緒元寶の四字を鑄し、周圍に廣東省造庫平七錢三分の十字を鑄し、並に漢字の洋譯を付し、以て外國との交易に便し、各種俸給諸拂等の官金及稅金の徵收、並に廣東省海關に於て從來洋元を徵收せるものは、均しく洋元と一樣に此新鑄貨幣を使用せしむべし」と上奏し、許されてこれを鑄造したものである（賈士毅著、民國財政史、下編六九二―三頁）。

然し其の初鑄の年を或は光緒十三年（卽ち張之洞が上奏文を奉つた年）の如く述ぶるあり（例へば廣畑茂著、支那貨幣史錢莊攷、二三頁）、翌十四年となすあり（例へば伊能嘉矩著、臺灣文化志、下卷、六六頁）、又光緒十七年と斷ずるものもあり（例へば井村薫雄著、支那の金融と通貨、四二三頁）。今其の何れが正しきか之を確かむる暇なきを以て、上奏文奉呈の翌年說、卽ち、光緒十四年（明治二十一年）初鑄として論を進むることとした。

(14) 貨幣法制定及實施報告、六二六頁。

(15) 其の後光緒元寶は各地に於て鑄造せれれることになつたが、廣東省の次に始めて之を行つたのは湖北省であり、それは光緒二十二年（明治二十九年）のことで既に改隷後に屬した。次に江南に銀元鑄造の目的で造幣局が設けられたのは光緒二十三年（明治三十年）、山東省がこれを許可せられたのは更に其の翌年であつた（廣畑茂著、支那貨幣史錢莊攷、三三頁）から、これ等は今關係がない。

(16) 伊能嘉矩著、臺灣文化志、下卷、六四—五頁間に、これ等の臺灣自鑄銀貨の寫眞が載つてゐるから、參照せられ度い。

(17) 筆者の知る限りでは、鑄造の時が明瞭に知られてゐる六八銀元は、咸豐三年に如意銀が鑄造せられたことで、老公仔銀と劍秤銀の二種は鑄造年が明瞭でない。伊能嘉矩氏は前掲書に於て、三者間の鑄造年の早晩に格別觸れて居られず、三者が同時に鑄造されたものであると前提してゐられる如くである（同書六六頁）が、一時に態々三様の六八銀元を鑄造したといふことには疑をもち得るのみならず、後に價格標準の項に於て述べる如く、又同氏が自ら述べてもゐられる如く、銀庫平六錢八分を計算單位に用ふる慣習は、道光二十三年政府が錢糧（地租正稅）を穀納制から銀納制に改めた時粟一石を六八銀二元に換算して徵收した（臨時臺灣土地調査局編、臺灣土地慣行一斑、第二編、三十八頁）のを見ても、咸豐三年の如意銀鑄造の時よりも古いのであるから、老公仔銀、劍秤銀の何れか又は双方共咸豐以前に鑄造せられたものと見た方が、價格標準六八銀の成立の說明がし易くなる。尤もかく云ふとも計算單位に庫平銀六錢八分を用ふる例が必らず現貨の流通通貨六八銀元の鑄造と同時であつたと斷定するものではなく、計算單位の成立は鑄貨の出現以前であつたとし、その說明は別に試みるものであるが、それに就ては後に價格標準の項で述べる。

猶如意銀以外の六八銀を咸豐以前の鑄造と見ることに、例へば南部臺灣誌の左の記述は贊するものと解釋出來るのではあるまいか。「臺灣淸國の版圖に歸して以來、本島の政費として福建藩司より運來せる紋銀錠は銀量或は十貫匁、五貫匁、一貫匁等の銀塊にして、更に臺南に於て銀貨を鑄造し、以て諸般の政費を使用せり。其鑄造せし銀貨を老公仔銀と稱し、銀面に一の壽星像あり、重さ六錢八分、等しく紋銀を以て鑄造せり。……咸豐三年土匪の擾亂あり、……臺南府庫内の留存紋銀を以て如意銀を鎔鑄し、以て兵餉を給せり。亦六錢八分なり」(三九三―四頁)

(18) 南部臺灣誌、三九四頁。
(19) 伊能嘉矩著、前掲、六六頁より引用。
(20) 貨幣法制定及實施報告、六三六頁。
(21) 南部臺灣誌三九四頁。

小額銀貨(鈑仔銀)　小額銀貨にも亦鑄造地を異にする各種の銀貨が存在したが、領臺當時に於ては香港・廣東省・臺灣の鑄造にかゝる、二角(二十仙)一角(十仙)、五點(五仙)の各三種、合計九種であつた。就中流通量の大であつたのは香港、廣東の二者で、臺灣自鑄の小額銀貨は、光緒十八・九年頃[1](明治二十五・六年頃)臺北の機器局[2]で始めて鑄造したもの。上述の如く二角、一角、五點の三種であつたが其の歷史甚だ淺く、日清戰爭によつて幾何もなく廢止したので其の鑄造量も多くなかつたから、其の流通も稀であつた[1]。一體支那本國に於ける小額銀貨自鑄の歷史も古いものでなく、廣角卽ち廣東省の小銀貨は、廣東銀が銀元としてさうであつたやうに、支那最初の歐米流小銀貨であつたが、抑もその鑄造たる、銀元の初鑄に後るゝ二年、即ち光緒十六年(明治二十三年)に始まつたもので、臺灣の銀角に先立つこと兩三年に過ぎなかつた。唯臺灣銀角が銀質鑄造粗惡なりしに比べ、比較的良質であつたことと、前述の如く臺灣銀角の供給量乏しかつたこととと相應じて、廣東銀角の臺灣に於ける流通量は急速に增加したものである。從つて三者の中で最も早くから流通してゐたのは香港銀貨であつたといふことになる。其の他には新嘉坡、比立賓等の外國小銀貨が稀に存した程度に過ぎぬ。

これ等小額銀貨が今日普通に所謂補助貨の觀念を以て律し得べからざるものであつたことは特に注意するまでもあるまい。銀元と銀角とは夫々獨立の貨幣で、二角銀貨五枚が必らずしも一元銀貨一枚と等價値であつたのではなく、其の間の兩替割合は各地に於て異り、又時によつて變動したことは、銀元自體が原則上秤量貨幣であつた狀態の下に於て當然の事であつた。今日所謂嚴密な意味での補助貨幣とは、本位の確立と通貨全體の票券的流通の確立(額面を以てする各種貨幣間の完全な代替性、所謂名目的貨幣流通の確立——それは勿論通常國定貨幣によつて實現せられる)を前提して始めて存在するもので、統一的貨幣制度の存在せぬところに嚴密な意味での補助貨幣があり得ぬことは云ふまでもないからである。此の意味での補助銀貨の成立は支那本國に於てさへ清朝時代には終に之を見ずして終り、民國三年國幣條例の發布、十進一位の法による新銀貨の鑄造に至つて始めて其の緒に就いたが、猶其後も廣東・福建等に於ける舊銀角の鑄造が續けられた爲めに小銀貨二重制の不徹底を脱し得ず、民國十四年上海市場に於ける舊銀角(輕質銀角)の授受停止、華威・中華滙業銀行の銀角票(十進一位)の發行等によつて、漸く之を成就し得たに過ぎぬ[4]。

從つて當時臺灣では各種小銀貨相互間の價値關係も當然亦原則として秤量制に從つた。唯小額貨幣と銀元、及び小額貨幣相互間に於ける秤量制なるものは、既に銀元自體の流通に於てさうであつた如く、否それよりも一層、現實にはルーズなもので、極めて大雜把な地金價値への考慮を以て、其の價値關係は大體習慣的に定められて居たと云ひ得る。例へば廣東及び臺灣の小銀貨は大體同價値、香港銀貨は二十仙、十仙、五仙の三種共廣東・臺灣の二角、一角、五點に比し大體一割下げとして通用した[5]。又銀元との交換割合に關する慣行が如何なるものであつたかは、次の如き對岸福州に於ける領臺數年後の實例から略々推測せられやう。

「小銀貨は圓銀(筆者註、福州に於ては當時銀元中日本圓銀が最も流通多き銀貨であつた)に對し補助貨となる場合もあり、又然らざるときもあり一定せず。例へば當地郵便局電報局又は外國商舗の或者は、收入金並に小賣の時にも當地外國銀行及商行にて唱ふる墨銀又は龍銀勘定を用ふるを以て、端數を小銀貨にて仕拂ふときは、十錢に付六厘を附加するを常とす。假令ば電報料一元九十錢を仕拂ふ場合に、銀貨二圓を持參すれば十錢の剩錢を渡す(筆者注、卽ち此の場合十錢銀貨は補助貨として額面通りに用ひらる)と雖も、銀貨一圓と九十錢の小銀貨を持參すれば、別に五錢四厘を徴收せらる(筆者註、卽ち小銀貨は十錢に付六厘の割引にて受取らる。郵便局外國商店等は小銀貨を自らの支拂には額面を以て相手方に渡すが、反對に自らが受領する際には銀元との間に打歩を要求するわけ)。又土人(筆者註、支那人)市中小賣商に在ては、圓以下の端數仕拂には打歩を要せず、單に補助貨と見做して受授するもあり、區々一定せず。受授に法定額なく、日々需要供給に依り相場の建つを見れば、補助貨に非ずして一種獨立の貨幣なるを知るべし」[6]と。

かくの如く嚴密の意味での補助貨でなかつたことは先づ問題ないが、では單に小額貨幣として流通に於ては銀元に對し補助的地位にあつたと云ひ得るか。一見此の意味でなら小額銀貨は之を補助貨であつたと云つて差支ないかに考へられる。然しながらこの問題は實は決して輕々に斷じ得ぬ難問である。それは直接には銀元と小額銀貨との流通量の比較に關聯し、又間接に領臺前後の臺灣に於ける貨幣經濟の現實の發達程度、經濟生活の一般的水準如何、に關係する問題であるからである。單に銀元に比較し其の金額が小であつたといふ理由で簡單にその流通界に於ける地位が補助的性質のものであつたと速斷することは出來ない。ところで、其の流通數量を示す數字は云ふまでもなく存在しないから、第一點は正確に斷定する方法がないが、大體觀としては、二・三の資料がないではない。例へば前記明治三十三年十二月より三十四年六月にかけての事實に關する臺灣銀行員の視察復命書は、臺南に於ける流通通貨の種類を、「一般的に流通するもの」と「稀に散見するもの」との二つに分ち、銀元を前の部類に入れてゐるが反之、香港・支那(此の時代には既に廣東のみならず江南・福建等に於ても小銀貨の鑄造行はれて居り、それ等が臺灣にも流入してゐた)臺灣鑄造の小銀貨は何れも之を後の部類に入れてゐる。[7] 然し乍ら同じく臺灣銀行の、直接領臺當時の情況を述べた他の調査では、「本島に於て最も多く使用せられしは『鈑仔銀』(十錢二十錢の兩種あり)と稱するものにして云々」[8]と銀元よりも小額銀貨の方が流通量大なりしを說いてゐる。(肝心の兵站監督部、民政部財務局等の、領臺後比較的早く出た調査は此の點には全く觸れて居らぬ)。

かくの如く此の二つの調査は一見矛盾してゐる如くであるが、第二點から推測すれば、開港場や比較的大なる都市に於て、銀元が一般的流通手段であつたこと、茶其他の特產物の出廻期に、農村への銀元流入が相當に多かつたことは疑なく、又地租其他の租稅の納期に際し、一時的に地方農村に銀元に對する大きな需要が起つたことも事實であつたが、臺灣全體としては銀元が銀貨中日常最も一般的に使用せられたものとは、當時の一般經濟生活の發達程度より見て、到底考へられぬ。地方農村に於ける日常の流通手段は猶後述の青銅錢(穴明錢)に賴つてゐた程なので、銀貨は寧ろ銀元よりも小額銀貨の方が更に廣い用途をもつた重要な流通手段であつたらう。此の意味で前揭書の云ふ如く、鈑仔銀が最も多く使用せられたと云ふのが假に過言としても、其の流通は領臺當時相當に巨額のものであつたと見るが正しく、前記視察復命書の記述は、既に領臺後五六年を閲し、日銀兌換券、圓銀、臺灣銀行券、のみならず、殊に日本の補助銀貨が臺灣の流通界に巨額に流入した後の時期に於て、しかも當時の大商業都市臺南に於ける視察の結果であること、現に此の復明書は舊來の小銀貨こそ稀に散見するものの部類に掲げてゐるが、新移入の我が補助銀貨は勿論一般に流通する通貨の部類に掲げてゐることなどを見れば、これは格別の反證ではなく、單に領臺後日本補助銀貨によつて舊小額銀貨が置き換へられたことを示すものに他ならず、と考へられる。結局領臺當時に於ける小額銀貨の流通上の地位は單に端數の支拂に用ひられる補助的のものであつたとのみ見るべからず、銀元流通に對し或る點までの獨立性を優に保持してゐたものであると推斷して誤なしと思はれる。

(1)(2)(3)　臺灣鈑仔銀（小額銀貨）の鑄造の年、場所、種類に就て故伊能嘉矩氏の前掲書は、本文の記述と異つてゐる。卽ち同書は、鑄造された時期に就ては「其期間は光緒十六七年の頃なるべく」と云ひ、鑄造地に關しては「專ら之を廣東省の造幣廠に託して鑄造せしめしなりといふ」と述べ、其の種類を「臺灣省に於ても亦一角銀貨卽ち（卽ち十錢銀貨）を鑄造し之を通用す」と、唯一角銀貨のみに就て語つてゐる。筆者は此の小額銀貨は未見であるが、臺灣總督府の明治二十八年及び三十年の兩調査（前者は兵站部調査、後者は官報所載）共に、庫平一錢四分四厘銀（卽ち二角銀貨）、七分二厘銀（一角銀貨）、三分六厘銀（半角卽五點銀貨）の三種が存在したことを明言して居り、其の鑄造及び時期に就ても、總督府調査（後の分）は、「光緒十八九年、今を去る四五年前……臺北に於ける器機局に於て……製造」せることを明かに述べて居る（貨幣法制定及實施報告、六二七頁）のでそれに從つた。

(4) 廣畑茂著、支那貨幣史錢莊攷、五八頁以下參照。
(5) 貨幣法制定及實施報告、六二三頁。
(6) 明治三十四年、臺灣銀行福州出張員報告（第二次臺灣金融事項參考書附錄、一〇七頁）
(7) 臺灣金融事情視察復命書（第一次臺灣金融事項參考書附錄、一四八頁）
(8) 臺灣銀行二十年誌、三一頁。

II. 靑銅錢

支那自鑄の銀元があらはるゝまで（卽ち光緒十四年、明治二十一年に至るまで）、由來支那の國定貨幣が、周・前漢の昔より、極めて少許の例外（時に錢の私鑄を公許したことや、反對に銀貨、紙幣が國定貨幣とせられたことなど）を除けば、終始常に一文錢であつたことは、周知の如くである。臺灣に於ても、官鑄の馬蹄銀は暫く措き、上述の如く銀元に臺南鑄造の六八銀元の如き例もあつたが、其の流通は局地的且一時的であつて、結局國定貨幣と云へば靑銅錢[1]であつたことに變りはなかつた。從つて青銅錢は臺灣に於ても形式的には寧ろ唯一の本位貨幣であつたわけである。領臺前後に流通して居た孔方錢の種類には、支那本土に於ける歷朝錢、就中清朝時代各省鑄造のものを最とし、少量の臺灣政府自鑄錢の他、安南錢、琉球錢、日本錢(主として寬永通寶と文久錢)、朝鮮錢(常平錢、朝鮮通寶)に至るまで、種々雜多のものを含み、宛かも古錢の展覽會を其のまゝ現出してゐた。[2] 清朝時代のものは分つて制錢と私錢となす。

制錢　中央政府の樣錢(戶部に於て鑄造せる銅分高く重量重き模範錢にして、平素は官の庫中に藏め市場に流通せず)に模して支那各省政府及び臺灣政府が鑄造發行せる正規(但し樣錢よりは純分量日低き[3]が常)の青銅錢を制錢と云ひ、租稅、海關稅、釐金稅等の公納に用ひらるゝ良貨であつたから、本島人は之を好錢(ホーチン)と呼んだが、形大にして銅質良好のものは大體順治、康熙、雍正、乾隆時代(但し乾隆錢は既に大小相半せり)のものに限られ、其後は嘉慶、道光、咸豐、同治と漸次清朝の國威衰退、財政窮乏の傾向をそのまゝ錢の姿に如實にあらはして粗惡輕少となり、咸豐・同治頃のものは私錢と選ぶなきに至つたから、本島人は私錢と同樣之を歹錢(パイチン)又は呆錢(制錢にして磨損の度特に甚だしきものをも含む)と呼んで區別した。臺灣に於ける制錢の鑄造がどの程度に行はれたかは不明であるが、背文に「臺」字を表はし臺灣鑄造の明白なるものは、筆者の知る限りでは、康熙通寶[4]あるのみで、恐らく歴代鑄造を行つたものでなく、稀にしか鑄造を見なかつたのであらう。咸豐年間に財政窮乏の結果鑄造せられた咸豐大錢中、咸豐通寶當五十、及び當百は、臺灣の嘉義地方に於て鑄造したと云ふ[5]。咸豐大錢中には更に大なる本國鑄造の咸豐元寶當五百、支那歴朝銅錢正品中最大にして衡器の分銅の如き感ある當千があつたが、財政窮乏の際に大錢を鑄たのは額面價値と金屬價値との差を利せんが爲めで、昔より支那政府が度々慣用せる方法、もとより咸豐錢に限つたわけではなく、其の流通も政府が金屬價値を超えて勝手に定めた額面價値(當五十、百、五百、千の各々は殆ど其の重量に大差はなかつた)を否定し、現實の金屬價値に於て行はれたに過ぎぬこと、それにしても殊に當五十以上の大錢が形過大に失して授授に不便であつたから其の流通が凝滯したこと等、全て大錢鑄造の前史が示す轍をそのまゝ踏襲せるものであつた。從つて改隸當時の通貨としては咸豐錢中精々當十のみを擧ぐべきであらう。

私錢 支那と雖も、前漢の半兩錢其他少許且短期間の例外を除けば、決して私人の青銅錢鑄造を公然許したわけではなかつたが、堂々たる地方官を始め禁を破つて私鑄を企つる者跡を絶たず、政府は公納に私錢を拒否する原則の勵行につとめたが、地方政府は必らずしも之が徹底に努力せず、屢々或る程度までの私錢の混用は之を認めざるを得なかつた程であるから、況や一般の流通には私錢は半公然と横行し、支那全土を通じて歴代私錢になさまされたのであるが、臺灣に於ては殊にその流通多く、宛かも臺灣は私錢の淵叢たるかの感があつた。それは支那本土に於ける私錢禁止の餘波を受け(禁止の效は上述の如く決して絶對的でなかつたが、多少の效はあり、また私錢の價値低落には相當效があつたので)、臺灣が支那私錢の好適な「移住植民地」として利用された爲めである。例へば清朝時代最後に出た官撰府縣志である光緒十九年明治二十六年刊澎湖廳志、卷之九、風俗服習の項には、「惟々行用の現錢は呆錢を以て内に濫挿し、屢々示禁を經るも數月ならずして濫用故の如し。蓋し奸徒内地より買ひ來り、利をとる甚だ厚ければなり。而して窮民累を受け流弊亦甚だ劇し。是れ法を設け永く禁せざるべからざる也[6]」と述べてゐるのはそれで、「呆錢を以て内に濫挿す」とは、後述の如く、臺灣には青銅錢の授受に際し惡貨を一定の割合を限度として混用することを認むる慣習があつたのであるが、此の限度を越えて惡貨を混じ、受領者の氣付かざるやうそれを内にひそめて渡した、といふ意味である。故に此の書の刊行前三年卽ち光緒十六年（明治二十三年）に、臺灣政府が私錢横行の餘りに甚だしきを見て其の通用を絶對に禁止する、嚴令を發したことも、餘り大きな效果のなかつたことがわかる。故に明治三十年十月の總督府調査が此の禁令の效果を極めて過大視し、その結果臺灣の私錢が「漸次其の蹟を歛めて、公行するもの絶無に至り、當時市場に通用するものは概ね官錢のみ」[7]と述べてゐるのは肯定し兼ねる說である。臺灣に於ける私錢慣行の勢たる到底一片の禁令のよく止むるところではなく、後年に於ける流通界の實情記錄に見ても、禁令の效果は一時的に止り、領臺當時流通青銅貨の半は私錢であつた[8]と見るのが妥當のやうで、後に民政部財務局の調査も領臺前の情況を述べて、「支那政府も私鑄を默許したるものにはあらず、政府の收入には私錢を拒絶し、且時々諭達を出だして之れが通用を禁止したるも、一時限りにして、忽ち多額の流通を見るに至れり。此の劣惡なる私錢を混入することの巧拙は臺灣に於ける錢舖の損益に大なる關係を有したるものとす」[9]と述べて、禁令にも拘らず其の流通が盛であつたことを肯定してゐる。かくの如く私錢の禁絕が困難であつたことは、政府の權威や民族性もではあるが、それよりも寧ろ、政府自らが輕量微小の臺灣鑄造康熙通寶や咸豐、同治通寶の如きものを鑄造して其の通用を命じてゐたのみならず、當時の銀貨流通が前述の如く猶殆ど全く外國鑄造貨幣に依賴してゐた事實、換言すれば銀元にせよ小額銀貨にせよ、其の全部が私錢であつた事實を一度顧みるならば、其の極めて當然の事理に屬したことを直ちに了解するであらう。即ち私錢の流通は當時銀銅兩貨を通じての共通的現象であり、却て銀貨に於て(外國銀元が流通銀貨の主流をなしてゐたことを見れば)一層甚だしき傳統的事實であつた。にも拘らず私鑄錢の禁止は銀貨に就ては之を問はず、唯青銅錢のみに限つて達成し得べしとするいはれの甚だあり得べからざるものであつたことはもとよりと云はねばならぬ。

之等私鑄青銅錢の中には清錢のみならず、明朝或は其れ以前の私錢も含まれ、更には景興錢、景盛錢、光中錢等の安南錢も交り、銅分の粗惡なるものはまだしも、鐵錢純然たる鉛錢さへ少からず、其の形の小にして輕微なる、それ等が當時、「沙殼」、「風皮」、「魚眼」、「灰板」等の名譽ある俗稱を得てゐた[10]ことによつても容易に推察し得べく、又「浮水」と呼んで、「之を水面に置いて能く浮上り、甚だしきは其水上に浮べる私錢の上に玄米二粒を載積するに堪ゆるものあり」(!?)と傳へてゐる。[11]

かゝる極端に輕小なるものは暫く措き、抑も一般に私錢の流通が良質の制錢を流通場裡より或點まで驅逐したことは疑ないが、それにしても、制錢と私錢、好錢（ホーチン）と歹錢（パイチン）とが、或る程度まで兎も角竝んで、比較的圓滑に流通し得た理由は如何。勿論その最大の理由は、青銅貨の流通も亦臺灣に於ては支那本國に於けると同樣、原則上秤量制に遵ひ其の地金價値に基いて行はれたからに他ならぬ。卽ち青銅錢と銀元との間の換算率は、一元千二・三十文より千五百文前後の間に於て、好錢歹錢の程度の如何に應じて建てられ、又計算單位點(錢)は好錢ならば十文(十枚)、歹錢は十二文乃至十五文を以て一點と慣習上定まつてゐた[12]のである。制錢そのものの中にも事實良貨と惡貨の差著しきものがあつたことは上述の如くであるから、我々は當時の臺灣の官鑄青銅貨に於て(支那も勿論同樣)、國定貨幣にして其の流通が事實上秤量制に從ふもの、卽ち「國定秤量貨幣」の實例を見るわけである。其の秤量制が嚴密なものでないことはこの點からも明であり、既に銀元、小銀貨に於て見たよりも一層ルーズなものであつたことは青銅貨其のものの價値が本來低きことに顧みても當然のことで、極端に輕小なるものを除き、一般に支拂に際して、私錢乃至歹錢は、制錢其他[13]の好錢(ホーチン)中に或る限度を守つて混用し、其の惡貨たることを取引者相互が不問に附する慣習が、臺灣に於て實際成立してゐたことの如き、洵に興味淺からぬものがある。

　卽ち問題なしに「惡貨混用差支なし」と認められた慣習上の率は、通常一割まで卽ち百文中十文までで、之を「一九錢」と云つたが其の他二八錢(良貨八惡貨二の割)、三七錢、四六錢より、甚しきに至つて「對開錢」卽ち良惡貨五割宛の割で混用することを認むる慣習まであつた[14]。これ等の混用率は一部分地方的慣習の差異に基くものであつたと同時に、一部分は支拂の種類によつて異る割合が認められてゐたもので、例へば、日本と異り一年を通じて頻繁に行はれる種々の祭に際し、よく農家が招く田舍芝居(人形芝居が多いが必らずしもそれとは限らぬ)の役者に對しては、五割まで惡貨を混ずると云ふ慣習[15]は後の例である。かくの如き良貨惡貨混用の受領慣習が、青銅貨に關する秤量制の極めてのどかなものであつたことを示すと同時に、それ自體亦、好錢(ホーチン)歹錢(バイチン)竝び存し、しかもグレシアム法則の嚴密な作用が起らなかつた、今一つの理由になつてもゐたであらう。

これ等多種の靑銅錢は當時全く一般島民の日常生活に緊切な需要でつながれた貨幣であつた。それは領臺後六年を經た明治三十四年に臺銀の島內金融事情視察員が、當時の靑銅錢引揚論に關聯し、現地視察の結果として、「本島土人(漢民族の意)は未だ我新銅貨及白銅貨のみにて支拂を辨ずる迄には發達し居らず。故に今日に於て臺灣錢(靑銅錢の意)全部を引揚ぐるときは、全島二百萬の細民は忽ち非常の困難を感ずるに至らん。何となれば、地方村落に於ては生活の程度甚だ低きが爲め、錢以下の取引多きに居り、錢以下の小錢を要すること多く、而して我一厘銅貨は小形に失し取扱上不便なるを以て、之が代用品たらしむるに足らざればなり」[16]と論じて居るのを見ても明であり、否かゝる古き例を引用するまでもなく、試みに今日三十歲前後の本島農村出身者に問へば、皆其の幼兒穴明錢使用の豐富な經驗あるを語つてゐる[16]から、地方農村に於ける靑銅錢の流通は、我が政府の手による幣制改革後も猶二十年近く其の餘命を保つた程根强きものであつたことを知る。

(1) 勿論こゝに青銅錢と云つても一文錢中に屢存した眞鑄錢や鐵錢などを除外する意味ではなく、孔方錢一般を指すものに過ぎぬ。

(2) 昨年秋、試みに筆者が臺北市大稻埕の古物商の店頭を漁つて穴明錢の蒐集を企てたところ、遠くは漢の五銖錢（數種の異品共）や王莽の貨泉を始め、唐、北宋、南宋、明、の歷代錢中特に稀有を以て稱せらるゝものを除く殆ど全部、金、元時代のもの二三、清朝錢の全部其他、安南錢多數、朝鮮、日本錢各數種等、要するに泉書が普通品として掲げる古錢の殆ど全部が極めて無雜作に集り、領臺當時臺灣に流通してゐた青銅錢の種類が如何に廣汎雜多な種類に亙つてゐたかを想像して餘りありと感じたことである。

これは清朝が始め令を發して前代舊錢の通用を禁止したにも拘らず、諸羅知縣、季麒光、建議して曰く「臺灣は民番雜處し、家に百金の產なく、各社番人は銀等を識らず、其賣買する所、尺布、升粟、斤肉に過ぎず。若し舊錢を將て驟に禁ずれば、勢必らず野に肩挑を絕ち、市に收販なく、煢々たる小民定に堪え難き所ならん。竊に思ふに、功令は遵はざるを得ず、而して民情は卹まざるべからず。漳泉等の處を査するに、尙老錢金錢あり、未だ盡く革除せず。況や臺灣は重洋を兩隔し、實に內地に比すべきに非ず。……若し一旦禁革すれば、特り分釐出入し輕重平にし難きのみならず、且從前の錢をして、竟に無用に歸せしめ、民番益〻貧にして困しまん。敢て俯して輿情に遵ひ暫く通用を行はんことを請ふ」と稟請したのがもとで、「閩は嶺外に處り、民の舊錢を兼用することを聽すを便とす」といふことになつて、舊錢使用を特に認むる政策をとつた爲であらう（連雅堂撰、臺灣通史、上卷、二四三—四頁）

(3) 清朝樣錢は百個の重さ約一斤に當り、品位銅六鉛四の割であつたが、制錢の正規は重量樣錢の四分ノ三、品位銅五十四鉛四十六とせられてゐたと云ふ。總督府調査（貨幣法制定及實施報告、六二五頁）。

(4) 臺灣鑄造の康熙通寶に就ては、連雅堂撰、臺灣通志に、「康熙二十七年、福建巡撫奏して臺灣の地に就き錢を鑄んと請ふ。部錢模を頒ち、文を康熙通寶と日ひ、陰に臺の字を畫し以て別を爲す。是時に當り、天下殷富、各省多く山に卽き錢を鑄る。唯臺錢略ゝ小く每貫六斤に及ばず。故に内地に行はれず、商旅錢を得れば必ず價を降し銀に易へて歸り、鑄ること日に多くして錢日に賤しく、銀一兩は錢三四千に値するに至る。而して、兵餉を給するは、定例銀七錢三なれば兵民皆便とせず、市上の貿易每に事を生ず。總兵、殷化行、屢ゝ停鑄を請へども當事者從はず、襄陽に調鎭するに及び、入覲して臺鑄の害を力言す。旨を福建督撫に下して奏せしめ、三十一年始めて鑄を停む」（前掲、二四四頁）とあり。鑄造期間康熙二十七年より四年間、其の重量輕小の爲め本國に流通せず、臺灣に於ても一元一千文の定例に比すれば、約半分以下の價しか認められなかつたこと、其結果兵民共に之を不便としたことなどを述べてゐる。

(5) 平田康郎・「臺灣の古錢について」（臺灣時報、第百八十二號）。猶咸豐大錢當五十、當百の支那本國鑄造のものは泉書の揭ぐるところ皆重寶（當五十）又は元寶（當百）とあるが、臺灣で蒐集する當五十、當百は殆ど通寶に限られてゐる。これ等が臺灣自鑄のものと見得る一點でもあらうか。咸豐大錢には其他當十、當二十があつたが、これらの中にも通寶と重寶とあり殊に臺灣には今日通寶の方が多數に殘存してゐるが、泉譜は主として重寶を舉げてゐるのを見れば、これ等の比較的小額大錢も亦臺灣で鑄造されたことがあるのではないか？

(6) 臺灣全誌本、澎湖廳志、四九八頁。

(7) 貨幣法制定及實施報告書、六二六頁。

(8) 明治三十三・四年の臺銀視察員の復命書に、例へば「臺灣錢（青銅錢）の流通高は統計不備の爲め其の精數を知るに由なきも、概算によれば六十萬圓乃至九十萬圓の間にあり、其の内私錢は幾何なるや知るべからずと雖も、其の半數と見るも四十萬圓を出でず」云々、（第一次臺灣金融事項參考書附錄、一七〇頁）とあり、此れは領臺後六年、我が國の幣制改革が始まつて既に三年を經た時の推定であることを考へても、改隷當時私錢の多かつたことは略ゝ察し得べく、(序ながら視察員の推定たる、青銅錢六十萬圓乃至九十萬圓―內私錢四十萬圓足らず、といふのは、假に一圓一元、一元千五百文の割で換算すれば、青銅錢總數概算九億枚乃至十三億五千萬枚、內私錢六億枚足らず、といふ勘定になる)、更に筆者が本島人より直接聽取したる追憶談により、又は筆者自らが最近古物商のストックを往見せる經驗に徵するも、私錢制錢相半ばせるものとの推定は大過なきを信ずるものである。

(9) 民政部財務局編・「臺灣ノ貨幣制度ニ就キ」、二頁。
(10) 貨幣法制定及實施報告、六三六頁。
(11) 第一次金融事項參考書附錄、一七二頁。
(12) 一本島人の直話。
(13) 「其他」と云ふのは、我が寛永通寶の如き、又例へば清朝の叛臣吳三桂、吳世璠二代の鑄た利用通寶、昭武通寶、洪化通寶の如き、所謂制錢に非ずして比較的良質の青銅錢も存在したから、好錢卽制錢とは云ひ難い故である。
(14) 伊能嘉矩著、臺灣文化志、下卷、七〇頁。
(15) 第一次臺灣金融事項參考書附錄、一六九頁。
(16) 同上、一六九―一七〇頁。
(17) 出身地方を異にする數人の本島人に筆者が親しく問ふて得た答が皆かく一致してゐた。

III. 紙幣

元來臺灣には政府紙幣發行のことなく、又その流通もなかつた。彼の明の寶鈔(洪武年間の大明通行寶鈔)は時代から云つても臺灣に流通のことなかりしは勿論、清の官銀票、即ち咸豐三年財政の急を救ふ爲めに發行せられた戸部官票の如きも、支那本土に於てさへ殆ど流通せず、間もなく單なる紙片に歸したのであるから、臺灣までは流入しなかつたものと見て大過ない。尤も清朝時代官衙間の流通に供せられた銀單[1]なるものがあつたが、これは單なる手形と見るべきもの。唯明治二十八年五月下關條約の締結により臺灣の我が領有定るや、唐景崧(臺灣巡撫)、劉永福(臺灣防務帮辦)等相謀り、五月初旬臺灣民主國を作つて獨立を宣したが、其の時臺南に官銀錢票總局を設け、臺南官銀票なるものを發行した[2]のを其の唯一の事例と見るべく、但し日本軍の上陸後數日ならずして先づ唐景崧逃亡し、十月我が軍の攻擊迫るや劉永福も亦對岸に逃れ去つたので、民主國の計畫は畫餅に歸し、清朝治下臺灣貨幣史の最後を記念すべき臺灣最初の不換紙幣(寧ろ軍票と見るべきであらう)も極めて短期且局地的流通を以て消滅した。

又銀行券も對岸と異り、改隸に至るまで臺灣には外國銀行支店の設けらるゝことがなかつたから、島内には其の流通を見なかつた。唯彼の「ゴールド・スミス・ノート」にも比すべき、銀行券の一つの始源的形態たる錢莊(兩替業者)發行の「銀票」

及び「錢票」は市中に多少の流通を見た。殊に領臺直前澎湖に於ては、青銅錢の不足を補ふ爲め特殊の「錢票」の流通が甚だ盛であつたと云ふ。[3]

(1) 「臺灣銀行二十年誌」三二―三頁。

(2) 伊能嘉矩著・「臺灣志」卷貳、一四四―五頁。

(3) 澎湖廳志に、「市中現錢甚だ少し。故に亦錢票を行用す。其の票は都門省垣の式と逈に別にして、大抵は隨時取給し、或は期を限つて支取す。輾轉流通し、唯圖章を視て憑と爲し、票を認めて人を認めざるも、敢て僞造する者罕なり。亦其の俗の近厚なるを見る可き也」(臺灣全誌本、四九八頁) とある。

以上順次述べたところにより、臺灣に於て領臺前後流通界に存した通貨の種類は甚だ複雜多岐であつたこと、而して就中最も流通量多くして主要な地位を占めたものは、墨西哥銀其他の外國銀元、香港・廣東・其他の移入銀角と稀に臺灣自鑄の銀角、それに清朝歴代制錢と私鑄青銅錢、であつたことが明瞭となつた。では夫々の説明に際して多少既に觸るゝところあつたが、銀元、銀角、青銅錢三者の價値關係如何? それは價格標準の問題を検討して始めて全面的に照明せらるる問題であり、それを明かにして清朝末期幣制の實體も始めて總觀し得るのである。以上は結局それをなす爲めの準備に過ぎなかつた。

三　貨幣單位と價格標準——金屬秤量制

銀錠、銀元、小額銀貨、青銅錢が夫々、兩、元、角、點、文等の單位名によつて呼ばれたことは既に闡說したところである。これ等の貨幣單位(Geldeinheit)はそれで諸々の價格が表現された點から云へば價格單位であり、地金秤量制の原則上、これ等の單位であらはされた貨幣量は當然金屬の一定量を意味し、その一定量はまた直接には諸商品の價格の標準であり、それが體現する價値量としては價値の尺度であつた。然しかゝる諸概念を漫然羅列しても意味はない。それが價格標準であり、價値尺度であつたといふことは、當時の臺灣に於ける、直接には貨幣流通の、又究極的には商品生產の、具體的發達程度によつて嚴密に規定された特殊の仕方に於てさうであつたのであつて、これ等の諸概念乃至命題がもつた特殊の內包乃至意味を正しく理解するには多少の說明が必要である。而して領臺後に於ける我が幣制改革の課題が如何なる性質のものであつたかを具體的に明かにする爲めには、歷史的に規定せられたその特殊の態樣を正しく理解することから始められねばならぬ。

先づ、當時の臺灣の通貨流通が則つて居た金屬秤量制が貨幣の統一的單位なるものと當然兩立すべからざるものであつたといふことは云ふまでもない。然らば其の秤量制は如何にして發生したか。金屬秤量制は統一的幣制の前史としては云はゞ普遍的段階であるから、敢て其の成因に就ては呶々を要せず、結局するところ、支那本國の國家統一が後れ、本國自身私錢就中外國銀貨を驅逐するに必要な經濟的政治的條件乃至實力を具備する迄に至つてゐなかつたことに歸せらるべきものであるが、臺灣の特殊事情に就て一・二の附言を必要とするものがないではない。

もともと臺灣は小面積の植民地であつたから、臺灣經濟社會は始めから自足完了的社會として發足したものでなく、交換流通は極めて早くより植民者の母國乃至根據地等との間に、比較的頻繁に續けられ、それに應じて臺灣經濟の局部的貨幣化が、それ自らの內的必然性とは何等無關係に、即ち他律的に進められ來つたものである(今臺灣の支那及外國交涉史實に關說することは餘りに本來の課題から逸する嫌があるから之を避ける)。而して其の時と、其の經濟的政治的因由とを異にして臺灣に隨時流入した、各種外國銀元、銀錠、各種青銅錢等は、自ら既に見た如き錯雜を極めた種類に亘つたのであるが、しかもそれ等は其の時々の因由に應じた特定の通路を經て島内に散布された。例へばほんの一例を貿易關係に基く貨幣流入にとれば、南部の砂糖、中北部の樟腦、北部の製茶等、其の主産地と仕向地と輸出業者の種類(民族的)を異にするに從つて、或る點まで其の集散地や輸出港を、安平・打狗・鹿港・淡水・基隆といふ風に異にしたが、かくの如き輸出貿易を通じて流入した各種貨幣は、各特産物の集散地と取引徑路の異るに從つて多少其の流通を地域的に異にしたのみならず、各種の通貨が自ら相集る都市に於ても、或は人、或は支拂がなさるゝ取引の種類や用途の如何によつて、或點までその流通範圍を異にしてゐたのであつて、これ等通貨流通の本則は、上は銀錠より下は青銅錢まで、所と人と取引種類を問はず混然と金額に應じて支拂に用ひらるゝといふ點にあつたのではない。それは上は五十兩の銀塊より下は一文錢に至る各個片のあらはす價値の大さより見ても既に明かなことである。かくの如くして各種貨幣は夫々各自特定の流通領域をもつた。各種通貨の流通は本來獨立的のものであつた。それ等が互に交換せられ、其の間に比價の成立を見るのは、寧ろ其の性質上偶然のこと、それは即ち「兩替」であり、換算率は卽ち「兩替相場」であつたに過ぎぬ。統一的貨幣制度の下に於ける各種貨幣間の代替性と秤量制下に於ける各種貨幣間の兩替とが其の性質を本來異にするものであることは、もとより臺灣の事實に於てもよく現れてゐたのである。

かくの如く、通貨が猶統一的一體をなさず、銀及銅の純分重量を夫々異にする雜多な通貨が、原則として銀銅比價と個々の含有金屬量に應じて比價を定められ又相互に交換せられる、といふ段階に於ては、金屬秤量制なるものが現實には少くとも銀と銅との二元的秤量制となり、更に等しく銀又は銅にしても其の間に何等か相互代替性を制限する有力な條件が作用するならば、銀貨流通又は銅貨流通自身が更にいくつかの相對的に獨立な貨幣流通の亞種に再分裂せらるるのは蓋し自然である。淸朝時代末期乃至我が領臺當時に於ける臺灣の經濟は之を全體的に達觀するとき、銀經濟とも銅經濟とも斷定することと困難な狀態で、此の二つの經濟形態は極く大まかには四個の開港場及び其他數個の比較的大であつた都市と、それ以外の農(漁)村との對立に於て、地域的にも分れてゐたと云ひ得るのみならず、寧ろ一層嚴密には銀貨流通が更に或程度まで銀錠(その流通は上述の如く稀有)と銀元と銀角の各流通に分裂し、青銅錢また制錢(好錢)と私錢(歹錢)の二大範疇に分れてゐたと云はねばならぬのであるから、かくの如き多元的貨幣流通が、舊臺灣に於て統一的貨幣單位の成立を生むかはりに、多元的貨幣單位の併行を支援したことも、これまた全く當然であつた。而して多元的・分立的・貨幣單位は、雜種貨幣流通と共に、結局當時の臺灣の封建的・分散的・政治經濟に相應せる、その姿の正確な、表現でしかなかつたのである。故に貨幣單位及び價格標準の檢討は自ら先づ各個のそれの個性に向けられざるを得ない。

I. 兩

「兩」の名稱が貨幣單位に用ひられたのは支那本國に於ては重量單位名稱としての「兩」の起源と共に極めて古く、錢面にそれをあらはしたものとしても古く彼の秦の始皇帝の有名な「半兩錢」があり、其他にも秦初のものとせられる「重一兩十二銖錢」「重一兩十四銖錢」の如き古圜法錢がある。其の重量は當時の衡器にて一鎰二十兩、或は一斤十六兩、一兩二十四銖とせられたので、始皇の半兩・錢は卽ち十二銖に當る。漢代に入つても高祖より景帝に至るまで各々半兩錢の鑄造あり、但し其の實重量は八銖、四銖と相次で減少した(殊に高祖の時に出た私鑄錢は名目價値は半兩であつたが其の實は一銖に當つたかさへ疑問のものまで出で、楡莢錢と呼ばれた)。彼の唐の開元通寶に至つては重さ二銖四絫、即ち十分ノ一兩であつたから、唐代三世紀を通じて鑄造せられた開元錢の普遍的流通とそれによる泉法の統一とは、自ら一兩の十ノの一を「錢」と呼ぶ慣習を發生せしめ、宋以後、「錢」は一個の重量單位となり、「一兩即ち十錢」の衡法が成立したのである。[1] これは青銅錢の例であるが、兩及錢が金屬貨幣の重量單位從つて貨幣數量單位たる地位を確立した以後に於ては、それが銀秤量貨幣にも用ひられたことは勿論である。錠(又は鋌)、餅其他の形に於ける銀地金が支那で貨幣として用ひられた起源は明かでないが、それが貨幣として比較的重要な意義をもつやうになつたのは(其の價値の高き點より見て)一般經濟生活の程度が相當に高くなつてから——具體的には少くとも唐代以後、就中宋以降に於てであり、其の使用が一般的と云ひ得る程度に達したのは明代よりも以前の事ではなかつたらう。即ち「銀兩」が實際に價格標準として自らの分野を確立したのは、租稅の銀納を認めた明の英宗の正統年間[2](十五世紀前半)以後の事と考へられる。清朝に入つては、後に西班牙弗に次で流入した墨西哥銀の勢力によつて宛然外國銀元時代を現出するまで、銀塊は其の價値の大さより來る制約を免れなかつたとは云へ、兎も角流通手段としても重要な地位を占め、主として五十兩馬蹄形の元寶銀が最も多く用ひられたが、清朝時代末期以後に於ては、次第に外國銀元に流通手段機能を讓り、自らは漸次單なる價格標準乃至計算單位となり終つたものである。

以上は支那本國に於ける「兩」の沿革であるが、臺灣に於ては、蘭人占據時代既に銀元の盛なる流通あり、銀兩の單なる計算單位への轉化は從つて極めて早くより（と云ふよりは臺灣に正確な歴史ありて以來常にさうであつたと云ふ方が却て適切であらう）略々完全に行はれた。而して外國銀元の流通と共にその貨幣數量單位たる「元」以下の新たな價格標準も亦當然に行はれるやうになつたので、元と兩との二重計算制の基礎は既に十七世紀中に其の根を植え付けられたわけであつた。當時蘭人は、其の銀貨の重量に基き銀量庫平七錢二分を以て「一元」としたと云ふ[3]から、銀一兩（十錢）は大體一元三八八強[4]に當つたわけである。鄭氏以後租稅其他政府の收支計算は兩建によつたが、取引界に於ける外國銀元の現實の流通と前代に植ゑ付けられた慣習とは、到底民間の經濟から元建計算を抹殺すべくもなかつたから、結局大ざつぱに云へば、政府財政は「兩、錢、分、釐」、民間取引は「元、角、尖、辦」(後には「元、角、點、文」)の各十進一位の法に夫々たよつたので、臺灣住民は兩建で定められた租税を元建に換算[5]し、外國銀元以下の貨幣を以て(或は外國銀元以下の元建貨幣を兩建に換算して)納付したのである。かくの如き銀元を現實の流通手段とする、兩建と元建との複式計算制は、其後改隷當時に至るまで根本的には變化がなかつた。唯清朝時代末期に於ては政府自らも租税其他の收入と俸給其他の支出に、兩建元建を混用するやうになつたこと、例へば地租(糧錢)は兩建、契税は元建[6]。又、高級の役人は其の俸給を兩を以て定められたが、下級役人のそれは元によつて規定された[7]如き。外國銀貨の種類の增加、自鑄銀貨の發生等によつて、「元」そのものの內容が後述の如く複雜をきはむるやうになつた爲め、二元計算が事實上多元計算と化したこと、等が、其の主なる變化であつた。

以上の如く、元建計算の發生、其の重要性增加の結果、銀秤量制は複雜となつたが、「元」が本來直接重量單位名に基かず、値一弗の大型洋式鑄造銀貨一枚をあらはすものとして、即ち純然たる貨幣數量單位(貨幣單位名)として起つたのに比し、兩(錢)は一般重量單位名として終始し、貨幣の單位としても銀地金のある重量を直接的にあらはす秤量名であつたことは、二者相竝んで銀貨單位、銀價格標準であつたとは云へ、異る點であつた。從つて、秤量貨幣制下に於ては兩が其の性質上元よりもより根元的、より究極的單位であつたと云ひ得るであらう。然しながら、現實には兩も決して一義的に明かな客觀的重量單位の實を一向そなへてゐなかつた。と云ふのは周知の如く支那に於ける衡器の不統一の故に、臺灣に於ても「一兩」の現實の重量が必らずしも一定しなかつたからである。

臺灣慣行の衡器(天秤)には、其の分銅の差異により、大體、庫平、商平、海關平、湘平等があつたが、夫々多少の相異があり、庫平兩は政府の使用する標準兩であつたこと支那本國に於けると異らず、商平はそれよりやゝ輕量な民間の一般慣用秤。庫平一兩は大體商平一・〇〇〇一六兩に、從つて商平一兩は略々庫平〇・九九八四兩に該當したと云ふ。[8] 海關秤は海關に於て使用するところの庫平と同じ(筈の)秤であつたが、海關一兩は後述實測によれば庫平一兩に必らずしも一致してゐたわけでもなかつた。湘平兩なるものは政府が軍屬に對し給料を支給する際に使用する爲めの特別輕量の一兩で、銀元の重さ庫平七錢二分は湘平で測れば七錢六分に當つてゐたから、「七六秤」とも呼ばれたと云ふ。[9] 庫平と比較し五・五五％方不足の、云はゞ公然たる官の不正衡器で、其の起りは地方政府乃至軍長が兵餉の「頭を刎ね」て其の差を利したに出づるのであらう。このことは後述「六八銀」なる價格標準の起源に關する私見に密接な關係あるものなれば、注意して置いてほしい。

猶清朝時代末の租税制度には「補水」[10]及び「平餘」[11]なる獨特の慣行あり、地租(本税及び附加税共)海關税等皆此の名に於て、國定税率の他更に幾何かを加算徴收せられ、その附加部分は主として地方官の收入となつたものであるが、其の中「平餘銀」とは、民間所用の衡器商平と官府使用の庫平とに輕重の差あるを理由として徴收せられたもので、[12]古くは正税の二％とせられた[13]から、前記商平の庫平に對する〇・一六％前後の實差に比して二％はその十倍以上に當り、既に理由とするところを著しく越えてゐたのであるが、光緒十四年以降に於ては「平餘」として正税の一割五分を徴收したので、[14]衡器實差の正に百倍近くの加徴となり、其の實は決して其の名に合致したものではなかつた。然しかくの如き口實を政府に與へ、平餘銀なる特殊の慣行を租税徴收に關して發生せしめた源が、ともかく衡器の不統一にあつたことは事實である。

然も衡器亂雜の實は秤の種類が此くの如く數種あつたといふこと以上に出でてゐた。それは庫平が標準秤であつたと云つても、分銅中の黄銅の合金割合の相異、其他當時の幼稚な技術の結果として、旣に庫平そのものに種々の差異があつて、嚴密に云へば秤毎に一兩の實重に差異があつたので、殊に戶部式標準規定の庫平と領臺後總督府にて現實に測定せる商秤附屬の通行庫平との間には一例として大體一分二厘方の開き(通行のもの輕量)があつたと云ひ、庫平一兩が我が衡器の幾何に當るかを算定せんと試みた際にも、康熙帝の制定せし規定に從つて換算すれば、庫平一兩は一〇・一七一匁の計算となるが、參謀本部の實測によればそれよりやゝ輕く一〇・〇八匁となつて居り、明治三十一年、庫平と本來變りなかるべき海關秤を舊時淡水稅關にて使用して居たものに就き民政部が實測したところでは、一層それよりも輕量の一〇・〇五四匁といふ結果を得、猶日清馬關條約に於ける償金換算率にあつては、彼我の間に庫平一兩は卽ち我が九・九五匁と、何を根據としたのか非常に輕く協定された例もあり、到底我が幾何匁に當るとするが正しきか、其の決定に少からず惱んだやうである。[15] 又領臺當時日本圓銀の通用價値に關しては、或る地方では其の銀量七錢二分(七二銀)として取扱ひ、又他の地方では七錢三分(七三銀)或は七錢二分五厘とせられたが、通貨の重量は原則として庫平によつたのであるから、これは各地の庫平が區々であつたことを物語るものであつたと思はれる。[16]

かゝる次第であるから、貨幣金屬の重量單位「兩」(及び其の十分の一たりし「錢」)の實體は必らずしも一義的に確定してゐたのではなく、實際には衡器の種類を併せ稱し「庫平一兩」とか「商平一兩」と表現することによつて用を辨じてゐたのであるが、それにしても、この爲め事實上「兩」の種類に少くとも數種ある結果となり、「元」の多元性と大なる差異がなかつたのであつて、今日貨幣の額面價値流通になれた者が純分量目を異にする種々の銀元を以て、例へば兩建の海關稅を納むる場合(海關秤により、且補水銀の名目による附加稅一割を加算)を假に想像して見るならば、其の煩雜さは多分理解に困難であるまい。

(1) 加藤繁・「支那貨幣史」(山崎覺次郎監修、橋爪明男編輯、金融大辭典、第二卷、八六三頁)參照。
(2) 同上書、八六四頁。
(3) 南部臺灣誌、二六八頁。
(4) 當時の元寶銀錠(馬蹄銀)の品位は勿論正確に一定してゐなかつたが、西班牙銀貨より常に相當高位であつたことは疑ない。それを不問に附しての換算に過ぎぬ。

(5) 例へば匀丁銀、又は別名、地丁銀(鄭氏以來の人頭税たる丁銀が、乾隆十三年の改正により、康熙五十年の人口數に對するその徵收額を各縣の有租地面積に配布して、地租附加税に轉化せるもの。光緒十四年、巡撫劉銘傳の税制改革により廢止)に例をとれば、上則田、每畝、四分壹厘八毛六絲(〇、〇四一八六兩)といふのは、假に六八銀(庫平銀六錢八分を一元と建てる)によつて元建に換算すると、〇・〇六一七七元に當る。卽ち例へば、上則田十甲步(一〇〇畝)に就ては、六元一角七點七文として、銀元以下の各種貨幣にて徵せられたのである(臨時臺灣土地調査局編、臺灣土地慣行一斑、第二編、七五頁所掲税率と、臺灣税務史、上卷、二〇頁所載のそれとの間には、一桁の相違があるが、暫く臺灣税務史所載の税率によつて述べた。猶當時の地租は註(6)及(10)に述ぶる如く、實際の徵收に當つては、規定税率に本税は一割、匀丁銀は九分に當る一種の附加税を加算して徵收したから、前記の例に於ける六元一點七文の匀丁銀に對し、實際人民が支拂つた額は六元七角三點三文であつたわけである)。

(6) 臺灣の地租は勿論古くより、例へば上則田每一甲步徵粟(籾)八石八斗(淸朝治臺當初に發布せられた、通臺賦役規則の税率――臺灣土地慣行一斑、第二編、四一頁―因みに臺灣の一石は大約我が五斗二升七合に當る)といふ風に、原則上　穀(石)建制をとつてゐたが、乾隆以降新墾の田畑には例へば、上則田每一畝徵銀八分五厘三毛四絲、及び徵米(籾)六合九抄五撮(雍正七年以後の新墾田に對する乾隆九年改正税率――前掲書、四二頁)といふ風に、銀建地租を主としつゝ一部分を穀建によることゝし、次第に銀納の慣行を生んだが、道光二十三年(一八四三年)には銀納制度を一般化して舊田に於ける石建地租にも擴張したが、税率は舊石建のまゝに放任し、籾一石を六八銀二元と定めた(前掲書、三八頁――卽ち一石の換銀量庫平一兩三錢六分とせるわけ)ので、米價の變動と共に穀銀換算率に關し官民間に爭を生ずる端を開き、終に光緒十四年(明治二十一年、一八八八年）巡撫劉銘傳の土地調査、地租大改正（淸賦丈量——此の時前述の如く地租附加税を整理して錢糧一本制に改めたのである）の際に、全島一律の銀建地租制度が確立せられたのである。

但し制度統一の前後共、銀建には「兩」が用ひられ乍ら、實際の地租納入には元建外國銀貨が主として用ひられたのであるから、兩元換算の煩を免るゝことが出來なかつた。例へば前記光緒十四年改正銀建地租に於ける、上則田毎一甲、二兩四錢六分八厘四毫九絲は、六八銀を以て換算すれば、三元六角三點餘に當る。但し六八銀元の流通は當時既に稀有となつてゐたから（前述三一頁參照）、現實には墨西哥銀其他の外國銀元を以て之を徴收したので、その際更にそれ等の雜多な銀貨の銀量を秤量して、六八銀建に換算しなければならかつたのである。況や穀建税率の下で銀元を以て地租を徴收した場合には、これ等の計算の前に先づ穀建を銀兩建に換算しなければならなかつたので、現實の外國銀貨徴收額の決定までには、全部で三重の換算を要したわけである。

右は兩建制をとつた租税の例であるが、次に契税に於ては然らず。契税とは「税契」なる固有の公證制度、卽ち不動産賣買及び十年以上の期間に亙る出典に際し、納税を行つて官より「契尾」卽ち一種の印紙の下附を受け、契約書（契字）の本尾に之を貼付して始めて有效と認めらるゝの慣行あり、この際徴收せらるゝ一種の流通税（又は契尾下附手數料卽ち公證手數料とも解せらる）が卽ち所謂契税である。その起源は古く、乾隆年間より原則として實行せられて居たと云はれるが（臺灣税務史、上卷二七五頁）、其れが一般に實行せらるゝやうになつたのは劉銘傳の前記地租大改正（光緒十四年）以後で、其の時には元建によつて税率を規定せられた。それは一般に民間の契約が元建を用ひてゐたので、契約金額に對する比例税として税率を定むるにはそれによるの他なかつたからであらう。卽ち契約高百元に付契税六元五角」（税率六分五厘）といふ具合に定められたのである。但し其の收入は、清朝時代一流の、地方官の「津貼」なる慣行により、殆ど政府の手に入らず、知縣以下地方廳の役人が公然その大部分を自らの收入とする慣習であつた（南部臺灣誌、三二五頁）。

(7) 一例。同治九年（一八七〇年）、臺南の道臺衙門（即ち當時の臺灣政府）に設置せられた通商總局（貿易に關する事務を掌る管廳）の官制には、

主政官	一員	無俸
提調官	一員	四十兩
繙譯官	一員	四十兩
管案員	一員	二十元
差遣員	一員	二十元
清書	一員	八元
局勇	二名	四元（下略）

と規定されてゐた（南部臺灣誌三八七―八頁）。

(8) 明治三十二年、總督府民政部殖産課度量衡調査所の調査、臺灣度量衡調査書、五九頁。

(9) 同書、同上頁。

(10)、(11)、(12)、(13)、(14) 「補水銀」なるものの性質を明かにするには、遡つて其の前身とも見るべき「耗羨」制度より述べねばならぬ。蓋し光緒十四年、劉銘傳の税制改革以前に於ては、古くよりの「耗羨銀」及び「平餘銀」なる名目による租税加徵の慣行が存した。

例へば、續修臺灣縣志（嘉慶十二年刊、初修は康熙六十年、重修は乾隆十七年各刊）卷二、政志、耗羨記、の項に、「勻丁銀一兩に付、耗銀七分と平餘銀二分、併せて九分を徵す。……雜種税（雜餉銀）は銀一兩毎に、耗

銀一錢と平餘銀二分、併せて一錢二分を徵す。是くの如きを附加税（羨）の舊額となす（乾隆十七年、魯志）」（意譯）とあり。平餘の舊率は卽ち銀一兩に付二分、卽ち二%であつた。劉明傳の改正によつて「耗羨」の稱は廢せられ、「正耗」、「補水」、「平餘」の三名目が新たに法定せられたが、事實上穀納租税が其後行はれなかつたので、三者の中正耗銀の徵收は其の性質上當然あり得ず、結局正税の一割と定められた「補水銀」が從前の「耗羨」に代り、新たに正税の一割五分に引上げられた「平餘銀」との二者が、臺灣縣志に所謂「耗羨」、卽ち「耗銀と平餘」とを合せたものに置き換へられた（從つて全體としては税率を引上げられた）と同じ結果に歸した。これが「補水銀」の性質を正しく理解するには遡つて「耗羨」に至らねばならぬとする理由である。

では「耗羨」の意義及徵收理由如何。それは前揭、臺灣縣志、耗羨記によれば、「賦法に銀と穀と皆耗（減量）あり。銀にあつては爐の耗を云ひ、穀にあつては鼠雀の耗を云ふ。其の耗を徵せざれば、則ち典守出內者（倉稟を預り會計を司る者）が病まん。耗は必らず羨（補足）あり。從つて之を徵す」（臺灣全誌本、一五八頁）といふのであつた。卽ち穀納租税（例へば地租正税）に於ては鼠雀の害（！）を理由として、粟一石當り一斗（！）卽ち一割を、銀量庫平五分（一兩の二十分ノ一）に換算して徵收し、銀納租税（例へば人頭税又は地租附加税に轉化せる匀丁銀や、雜種税など）にあつては、徵收銀元を銀錠に改鑄して府庫に納むるを以て、其の改鑄の際に於ける減量を名として、銀一兩に付七分又は一錢、卽ち七%乃至一割を徵收した。これが卽ち「正耗銀」の意義であり、又徵收理由として說明せられたところであつた。然しながら、その眞實の理由がこれを地方官の收入たらしむるにあつたことは、その大部分がそれに充用せられたことからも、又耗損補塡の爲めには餘りに過大な徵率より見ても明である。

次に「平餘銀」の理由とせられたところは、本文にも述べた如く、劉銘傳の改租諭旨には、それを說明して、

「平餘なるものを査すに、官は庫秤を用ひ、民は商秤を用ゆ。然るに商秤は輕く庫平は重し。故に銀一兩毎に一錢五分を加ふ」(臺灣稅務史、上卷、一一頁)と云つてゐる。單に「商平は輕く庫平は重し」とのみで、輕重の差幾何なるかに觸れず、卒然「故に一割五分を附加徵收す」と述べた邊りは、本文に述べた如く、二者の實差僅かに〇・一六%前後であつたのに對し、一五%の課稅を企てた爲めで、それは卽ち「平餘」を名として實質上新しき課稅を實行せんとしたものであることを示す。但し劉氏の改正後は、原則として、それは補水銀と共に府庫に送附すべきものとし、一部分のみを地方に於ける官吏の加俸其の他の公用に使用したと云ふ(臺灣稅務史、前揭)。猶「平餘」の起源は穀納制時代の官斗と民斗との大小の差ありしに基き、其の差民斗一石に一斗五升を、補足徵收せるに始まるとも云ふ(南部臺灣誌、一一七三頁)。

「補水銀」の慣行は早くから存したものと云ふが、中央政府の租稅として徵收せられるやうになつたのは、清賦丈量の時から。其の理由は前述「兩元二重計算制」に關聯せしめて說明せられたものである。卽ち契稅を除く他全て租稅は「兩建」で稅率を規定せられてゐたが、兩建の租稅は本來「紋銀」(官鑄銀錠)を以て徵收すべきものであるから、稅法に所謂「一兩」とは純銀一兩である(紋銀の品位は實際には大體九百八十位前後であつたが、支那人は常に純銀と稱してゐた)。故に官が便宜上外國銀元を以てする納稅を認めるに際しては、當然純分の差を附加徵收しなければならぬ。それが補水銀であると(臺灣土地慣行一斑、第二篇、四一頁)。當時最も普通に流通してゐた墨西哥銀其他の洋銀が、九百二位又は九百位であつたことからすれば、「補水銀」一割加徵の計算は大體合つてゐる。然し「補水銀」の制度が法定せられたのは光緒十三年(十四年より實施)であり、その前ながい間、一部の例外を除けば、これに言及することなくして同樣「兩建銀元納」制をつゞけてゐたのでもあるから、矢張りこれは名目であつたと見てよろしい。寧ろこの時から實施した地租正供の銀建銀納制統一によつて、それまで徴收してゐた「耗羨銀」が、「鼠雀の害」を理由として徴收することが出來なくなり、さりとて「爐火の耗」として一割の附加税をつゞけることの無理は明であつたから、穀納地租時代の耗羨銀一割附加に置き代へる何等かの附加税設定が必要であり、この目的に純分の差を援用することを思ひついたものと見て間違なからう。然し「補水銀」なるものが右の如き理由を附して設けられた以上、「兩建元納」の租税は地租に限らず全てにこれが附加せられ、海關税の如きも其の選にもれぬこととなつたのである。

(15) 臺灣度量衡調査書、五八―九頁。

(16) 臺灣兵站監督部調査を始め、領臺當時の多くの書は、圓銀を「七二銀」としてゐるが、店仔口、鹽水港等の地方では「七三銀」と認められ又嘉義打狗地方では「七錢二分五厘」と稱したと云ふ（第一次臺灣金融事項參考書附錄、一五九頁）。

II　元

重量大體庫平七錢二分前後の洋式銀貨一枚を「元」といふこと、卽ち銀鑄造貨幣數量單位としての「元」の起源が、臺灣に於ては十七世紀蘭人占據時代に遡る極めて古きものなるのみならず、「元建」の一般慣習、卽ち民間の取引に價格標準（一定銀重量）として「元」が牢固たる地位を確立したのが、流通場裡に於ける外國銀元の制覇と共に、臺灣は支那本國より却て早かつたことは共に既に述べた如くである。此の意味に於ける「元」なる用語に竝んで、極く稀には「圓」の語も同義語として用ひられたことがあるやうである[1]。それは馬蹄銀其他の銀塊貨幣に對し、洋式鑄造銀貨(但し小額銀貨を除き)を其の形から「圓銀」と稱することがあつた(普通には勿論「番銀」、「洋銀」、「銀元」等の語が用ひられたが)爲めと「元」・「圓」の廣東音の類似から來たものであらうとは、既に述べた如くであるが(三二―三頁參照)、その用例の一般化は主として事實「壹圓」なる額面價値表記をもつ香港銀貨同治五年卽ち一八六六年以降)や日本の一圓銀貨(明治四年卽ち一八七一年以降)が臺灣に流通するやうになつて以來起つたことに違ないから、領臺當時に於ても主として用ひられたのは「元」であつた。

ところで、價格標準としての「元」を前述の「兩」と比較すれば、「兩」が臺灣に於ては既述の如く主として單なる價格標準としての機能的存在、乃至計算單位名であつたのに比べ、「元」は先づ第一に現實に流通する銀貨の數量單位であり、又流通銀貨によつて直接具象されてゐたところの、換言すれば原則上換算を待たず、直ちにある銀貨の一片として、定型化せられてゐた銀量を意味したところの、價格標準であつた。この點は「元」が「兩」と異るところであつたが、實際には「元」が換算を要せず、實存の鑄貨によつて具象された銀價格標準であつたと云ふことは無條件に主張し得るわけのものではなかつた。蓋し臺灣で流通してゐた銀元がもし一種類であつたならば、「元」は流通銀元貨幣卽ち弗銀貨の數量單位であり、また無條件に(勿論流通弗銀貨の磨損を暫く措いての話であるが)個々の鑄貨弗銀一枚によつて其の大さを具象せらるゝ、銀重量(價格標準)であり、價値量(價値尺度)であつたらう。これは「元」建成立の初期(蘭人鄭氏時代)には大體實際に然りしところであつた。然るに其後各國の銀貨相次で流入せるにより、旣述の如く流通外國銀貨(銀元)には種々品位量目を(本來的に)異にするものが竝び存することとなつたので、貨幣數量單位としては「元」が「番銀一枚」を意味することには終始變りがなかつたのであるが、「一元」は價値(銀量)に於て常に必らずしも他の「一元」と同じからず、そこで多くの銀貨の間から何等かの理由で支配的地位を占めた特定銀貨の含有銀量が、自ら選ばれて、「標準」として機能することを委ねられ、此の「標準銀量」が現實には一般商品の價格や契約債務の金額の表示に用ひられ、又それ以外の銀貨の價値(銀量)を測る(換算する)單位となつたのである。しかもかくの如くその含有銀量が排他的に價格標準として確定された原銀貨そのものは、必らずしも通貨として其の後ながく流通をつゞけたとは限らず、否實際には通貨としての流通を絕つた場合も少くなかつたから、一方に於てこのことが後述の如き幾つかの異る「元」價格標準併立の端となり、また「兩」に就て見たと同樣、或る點まで「元」も「抽象的」乃至「觀念的」計算單位に轉化してゐたと云はねばならぬ結果を生じたのである。

このことはまた銀貨數量單位たる「元」と、銀價格標準たる「元」との、分化を意味するものでもあつた。一體通貨自らがそれによつて計算せられるところの單位たる貨幣數量單位(貨幣單位)と、諸商品の價値をそれによつて等質の比較し得べき量、卽ち價格としてあらはす、一般的等價商品(銀)の一定量としての價格標準とは、勿論概念上別個のものである。而して馬蹄銀と異り、洋式銀貨の如く、一應鑄造貨幣として定型化せられながら、しかも其の種類が複雜多岐であつた爲め、現實には銀量の秤量を俟つて始めて其の流通價値が定められた、淸國治下の臺灣に於けるが如き雜種秤量貨幣の段階に於ては、個々の鑄造銀貨は銀としては一般的等價商品であり、その或る重量を保有するに違ないが、夫々の異る銀量がそのまま價格標準となることは全く不可能で、必らずや、それとは別に銀の一定量が價格標準として確定せらるゝことを要するは云ふを俟たざるところである。而して其の場合固有の重量單位をそのまゝ用ゐることが最も素朴な方法であり、「兩、錢、分、釐」等の價格標準は正しくそれであり、政府は鑄造銀貨流通の下にもながくこれに頼つてゐたことは上述の如くであるが、流通通貨の實が純然たる銀塊と云ふも大差なかりし銀錠から、兎も角進歩せる鑄造貨幣の弗銀に移つた以上、衡の單位をそのまゝ價格標準となすことから一歩をすすめ、最も流通量多き、又は特に公納への使用を認めらるゝ或る鑄造銀貨の含有銀量を借り來つて、例へば庫平七錢二分とか六錢八分とかを、價格標準として確定することは、實際取引の決濟、通貨授受の際に於ける便宜より見ても、全く自然の勢と云ふことが出來やう。かくの如くにして個々の銀元一枚の含有銀量とは異つた價格標準「元」が成立したのである。其の結果、「元」を以て呼ばるゝところのものには、流通手段としての機能を果す銀鑄貨の、單純な數量單位、卽ち、一樣に「銀元」と呼ばるゝ、略々重量庫平七錢二分前後の大さに定型化せられた圓形銀貨一枚の意味に於ける一「元」と、一般商品の價格標準、從つてまた品位重量を異にする雜多な銀貨の銀量がそれによつて測らるゝ(換算せらるゝ)標準銀量の意味に於ける一「元」とは、事實上分化することとなつたのである。

も少しこの點を詳しく述べて置かう。前項に見た清國政府時代の臺灣(勿論支那本國に於ても大體當時の事實は大差なかつた)の場合の如く、例へば庫平五錢八分といふやうな非常に輕いもの(明治二十九年に總督府が流通界に存した粗銀をとつて實測した際の重量)から、七錢二分四厘餘(墨西哥銀の規定銀量)といふ重いものまで、又西班牙弗銀、香港圓銀、の如き九百位のものから、如意銀の如き九百八十位といふ高い品位のものに至るまで、等しく一枚一元と算へられながらもその實種々雜多の銀貨が、相竝んで流通してゐる場合には、是非共其の中何れかの銀貨、假に例へば西班牙銀貨の庫平七錢二分を選び、その含有銀量を以て價格を表現するの他なく、しかも其の際他の「單位名」が別に創り出されれば問題なく明瞭になつたのであるが、(蓋然的にも、また臺灣の事實に於て然りし如く)、依然として價格を「元」建であらはした場合にあつては、弗銀一般の數量單位たる「元」と價格標準たる「元」とは、この選ばれた西班牙銀貨(その一枚の銀量はとりもなほさず七錢二分)に於てこそ一致してゐたが、それ以外の弗銀に於ては、一枚は依然一「元」と呼ばれながらも、夫々が現實に含有する、より輕き又はより重き銀重量は、最早何等價格の表現に「標準單位量」として用ひらるゝことなく、それどころか、却て自らの含有銀量をば、この「選ばれた銀貨」(この例で云へば西班牙弗)の含有銀量によつて換算せられた上でなければ、流通手段即ち通貨としての機能を果すことが出來ない結果になる。かゝる換算の結果として、それ等の銀貨の價格は「元建」の表現を與へられ、同じく「元建」で價格表示を受くる一般商品の等價(對價)としてそれを授受することが可能となるからである。この場合西班牙銀貨が流通界から次第に消失しても、「銀七錢二分」を以て價格を表示する慣習は、少くとも暫らくは存續するから、其の存續する限りに於ては、價格標準「元」を身を以て體現する通貨が存在しないといふ意味で、「兩」に於けると同樣、價格標準「元」の觀念化が生ずる。もとよりこの意味での「元」の觀念化は、貨幣數量單位としての「元」(銀元一枚の意)が、銀貨種類の雜多の爲めに、銀量として「內容不定」、「名目的」となること、即ち銀貨數量單位としての「元」の名目化それ自體、とは全く別物である。それはともかく、かくの如き「元」の抽象化は、臺灣に於ける貨幣流通の實際に於てあらはれたことであるが、其の際貨幣數量單位と價格標準との概念上の獨立性は、現實に於ける獨立性となつて最も明瞭に顯現し、從つて、此の二つの概念が本來一を以て他を覆ふに足らざる性質のものであることが何人にも否定し得ざる明瞭さで照明されたのである。

今一つこれに關聯して附加して置かなければならぬ。それは臺灣に於て、「元」の觀念化、卽ち銀貨數量單位よりの獨立化を結果したところの、價格表示の標準單位「元」の成立が、一種に止らず、其の間にいくつかの亞種を生じたことは、價格標準「元」をして一義性を失はしめ、「元」が「兩」に對して價格標準としてもつた前述の一元的であるといふ特色は、この點で全く相對的なものに過ぎなからしめてゐたこと、卽ち「元」も亦「兩」と程度の差こそあれ、同じく「多元的」計算單位と化してゐたこと、これである。これは流通界に於ける主流銀貨に消長があつたこと、卽ち、その銀分が「價格標準」に任せられたところの「選ばれた」銀貨の流通がやむで、他の銀貨がこれに代つたといふ、銀貨の間の盛衰が主たる原因であり、從つて「價格標準」元の觀念化と相表裏したものであるが、或場合には始めから、現實の通貨によつて具體化せらるゝことなき「觀念的銀量」を價格標準に用ひた例もあつて、其の複雜さを加へたものである。

卽ち領臺當時に行はれてゐた價格標準「元」には、大體七錢三分(七三銀)、七錢二分五厘、七錢二分(七二銀)、七錢、六錢八分(六八銀)の五種類があつた。然しながら此の中には明かに衡器の差異に基く外見上の異種も含まれてゐたやうで、明かに「元」價格標準の異種と認められるのは、北部地方(臺北·新竹)の庫平七錢二分(七二銀)と、中部地方(臺中·苗栗·彰化)及び宜蘭地方の庫平七錢と、南部地方(臺南·打狗)の庫平六錢八分(六八銀)であつた、と云つて大過なしと信ぜられる。[2)]

七二銀　銀量庫平七錢二分を以て一元とするの慣習は、最も起源の古いもので、十七世紀蘭人占據時代の銀貨、卽ち臺灣府誌に所謂、「圓錢」、一名「花欄錢」(重さ七錢二分)に淵源し、當時七錢二分を以て一元としたことは既に述べたところである(二五頁參照)。其後鄭氏時代を經て淸朝治下となつても、臺灣流通銀元の主流は其の重量が大體七錢二分と餘りかけ離れなかつた西班牙弗、墨西哥銀であつたから、全島的に「一元卽七錢二分」の制が維持せられ、唯南部に於ては後に「六八銀」の新慣習によつて置きかへられたが、重量六錢八分の銀貨は南部地方に流通したほど北部にはその流通が及ばなかつたので、新竹以北には舊習が根强く殘存し、最後に廣東銀元及び領臺後流入した日本圓銀も標準銀量は庫平七錢二分四厘であり、磨損鏨印等の關係で實量は大體七錢二分とするに大差なかつたらうから、終始此の慣行が維持せられたものと考へられる。

七錢銀　標準銀量庫平七錢に當る銀元は何れの時代にも存在しなかつた筈で

あるから、中部及び宜蘭地方の慣行であつた「一元・七錢制」の起源を、これに該當する銀貨によつて基礎づけることは不可能である。尤も一書に、臺灣に於て「往時用ひしところの銀は番劒銀と稱し銀量七錢七匁を以て壹圓とす。蘭鄭据臺の當時多く之を用ゆ」とある。[3] 然し蘭人及鄭氏時代の臺灣にあつた外國傳來の劒銀とは、臺灣府誌に「劒錢は銀を以て鑄成す、重さ九錢。西洋より來る」と見えてゐるもの、前に如何なる鑄貨か未詳と述べて置いたものであつて、重さ七錢の劒銀なるものがこの他にあつたといふ記錄はないから、右書の説は信じ難い。從つて其れは比較的多量に流通してゐた粗銀卽ち chopped dollar の平均的な重量を基礎として生じた慣行と考へる他に說明の方法はない。實際領臺當時臺灣に主として流通してゐた銀元の大部分は鏨印、剝蝕によつて重量の著しく減少せる粗銀であつた。[4] 中部地方及び宜蘭地方は粗銀の流通が殊に多かつたので、七二銀を一元とすることが現實の通貨の實重量と餘りに距離があつた爲めに、計算の便宜上粗銀の略々平均的な重量から「七錢・一元制」の慣習が生れたものであらう。これはもとより臆斷ではあるが、例へば明治三十三—四年の、宜蘭地方に於ける通貨狀況に關する臺銀の視察復命書に、「宜蘭地方は臺北と異り、七匁(七錢)の實量を有する粗銀一枚を以て一元とし、之を物價の標準とす」[5]とあるのはかゝる推斷に根據を提供するものではないかと思はれる。もし果して然らば、此の「七錢・一元制」に於ては「元」の抽象的計算單位化が一層進んでゐたものと云ひ得るであらう。恐らく重量が丁度七錢に磨滅した粗銀など、實際にはざらにあるものでなかつたらうから、始めから平均的なもの、即ち觀念的なものとして、價格標準が成立したものと見られるからである。同書はこれに次で更に曰く、「若し粗銀にして六匁(錢)九分に過ぎざるときは之を六匁(錢)八分……と見做し、其の不足の二分を他の通貨……を以て補充すべきものとす。又之に反し若し七匁(錢)一分なるときは、之を七錢……として行使せり。蓋し七匁(錢)の上下一分迄は授受の際之を計算せざるを以て土人(漢民族の意―筆者)間の慣例とすればなり。然れども粗銀にして刻印(鏨印の意―筆者)少なく、表面の文字鑑別し易きものにあつては、秤量を要せずして(直ちに七錢として、の意ならん―筆者)便宜流通せり」[6]と。これによつて宜蘭地方に於ては、七錢一元制が或る點まで秤量制を事實上所謂名目通用制の方向に修正してゐたことさへも窺ふことが出來る。それは既に述べた青銅錢に於ける大ざつぱな秤量制の例と共に、繁雜な雜種貨幣の狀態が自ら人を驅つて赴かしめたところの、自然發生的名目貨幣通用の極めて端初的段階の具體的實例としても、我々に興味あるものであるが、當面の問題たる、「七錢・一元制」が流通粗銀の概量に基礎を置いたとの推定は、これによつて恐らく確證せられるものであらう。然し臺中其他中部地方の同じ慣習に就ては援用すべき資料を缺くので、こゝでは右の實例からの類推以上の斷定は之をさし控へて置くの他はない。唯恐らく臺中彰化地方は臺南にも近く、昔の「七二銀」に次では「六八銀」の慣行が相當行はれてゐたであらうから、「七錢銀」の慣習は比較的新しきものと推定して誤ないと考へる。

六八銀　「六錢八分・一元」の制は、改隷當時まで臺南を中心とする南部地方に殘存してゐた價格標準「元」の例であり、淸朝時代臺灣政府の計算にも用ひられたことがあつて、重要な種類の「元」であつたし、支那本國にその例なき臺灣特有のものでもあつたが、それが如何にして起つたかは明瞭に說明したものを見ない。一體それは重量庫平六錢八分の銀貨が先づ存在し、それに伴つて「六八銀元建」が發生したのか、それとも二者の關係は逆であつたのではないか、が明瞭にされて居ないので、理論的にもこれはいさゝか興味ある問題を含んでゐる如くである。

既に見た如く重量六錢八分の銀貨は臺灣に於て鑄造せられたもので、それに三種(老公仔銀、劍秤銀、如意銀)あつたが、其の中咸豐三年に始めて鑄造されたことが知られてゐるものは一種卽ち如意銀で、其の以後六八銀元の鑄造は行はれなかつた如くであるから、他の二者はそれ以前の鑄造に屬するものと推定せられる。而して、「六八銀元建」の慣習は咸豐三年より相當に古く、道光二十三年の穀建地租銀納令に於て穀銀換算率を粿一石に付六八銀二元(卽ち銀一兩三錢八分)とした例(前述三七頁參照)でも道光年間に政府がこれを用ひて居たのはもとより明な如く、それ以前からも一部分政府の慣行として存したものである。此のことから、一方に於て、臺灣政府の六八銀貨鑄造が古くから存し、それに基いてこの特殊な價格標準が起つた、といふ假說が生ずる。[7] 反之六八銀貨は三種共全て咸豐三年に鑄造せられたものであるとするならば、臺灣に於ける銀貨鑄造以前既に、銀六錢八分を價格標準に用ふる慣行が臺灣自鑄銀貨とは獨立に存在したのである、との說が生ずる。咸豐以前に六八銀貨の鑄造があつたことを認めても、「六八銀元建」の起源を更にそれ以前に歸する場合にも同じ結論になる。

然しながらその何れに於ても臺灣自鑄の六八銀貨以前に六八銀元建の計算制が存したとするに於ては、是非共それが何に基いて起つたかを説明しなければならぬ。それは支那本國にその例を見ざる半端な銀量であるから、かゝるものが臺灣自鑄の六八銀貨を離れて價格標準に用ひられたといふことは、當然その何故なるかの説明を要求されるからである。

この問題に就て、六八銀貨の鑄造は咸豐年間の一回となし、しかもそれ以前から六八銀元建の制が存したことは明であるから、それを外國流入銀貨の重量から説明せんとする説として、故伊能嘉矩氏の説がある。即ち同氏の「臺灣文化志」によれば、臺灣に於て舊時「流通する各種の貨幣は、一も本位貨幣たるの品質を有するなく、從前の慣行上、主ら其銀貨の秤量六錢八分を以て一元となすの例にして、之を呼びて六八銀と云ひ、即ち其の基本重量に擬せられたるものとす。蓋し是れもと臺灣に流通する各種銀貨の中、其の最も多く具廣く行はれし番銀の重量を採りて、爾かく標準となし、意に之を以て自然の公定とするに至りしなるべく」、「尋で臺灣にありて、特に臺灣紋銀と稱せられし銀貨三種を鑄造」したが、それ等は全て此の公定に基き、重さ六錢八分とせられた、と説明されてゐる。[8]

然しこの説には筆者は全然賛成出來ないものである。何故なら、重量がもと「六錢八分」の番銀なるものが、右三種の臺灣自鑄銀貨以前に臺灣に存在したことを聞かず、況やそれが「最も多く且最も廣く行はれし番銀」であつたなどといふことに全く架空のことに過ぎぬからである。また假にかゝるものが流通してゐたとしたら(それは絶對に事實に反する想定であるが)、何故「六八銀元建」が先づ民間の取引に發生しなかつたのであらう。事實は、この價格標準は先づ臺灣政府が之を用ひ、其の後臺灣政府自ら重量六錢八分に當る銀貨を鑄造流通せしめて以來、主としてその流通領域であつた南部地方の民間取引が之に追隨したのである。故に右説の誤れるは全く疑ふ餘地がない。筆者の正しと信ずる説明は次の如くである。

如意銀以外の六八銀元が咸豐三年鑄造かそれ以前の鑄造かは、未だ筆者は明かにしてゐないが、何れにしても「六八銀元建」の制度はそれ等の鑄造よりも前に、臺灣政府が兵餉支給に際し、蘭鄭時代より西班牙銀貨の銀量に基き當時既に臺灣に於て一般的に用ひらるゝ價格標準となつてゐた「七錢二分・一元」の慣行を敢て破り、「一元」の銀量を誤間化して渡したことを唯一の動機として發生したものに他ならぬ。先に臺灣に於ける天秤の種類に湘秤なる特殊の秤があつたことを述べた。一體支那政府の官用秤は庫平であり、勿論臺灣でも租税の徴收其他一般に政府の收支には庫平を用ひたのであるが、特に軍隊に給料を支給する場合だけ、態々「斤量不足」の不正秤を公然作製してそれを使用した。それが湘秤であり、其の一兩が湘平兩である。庫平の七錢二分は湘平で測れば七錢六分となり、その爲めに此の秤は「七六秤」の名を貰つてゐたのであるから、それは既述の如く、庫平に比し五・五五％だけ輕量であつた。本來「一元」は清國政府始政當時より「七錢二分」であつたから、兵員の給料も頭から一元を六錢八分とせられたのではなく、この不正秤によつて名目上は確かに「七錢二分」を一元として支給されたのである。湘平の七錢二分は、右の率で庫平に換算すれば正しく六錢八分にあたる[9]。

要するに「六八銀」なる價格標準は、本來「七二銀」を父とし、之に配するに湘平秤を以てした結果生れた、價格標準「七二銀」の亞種以外の何物でもなかつた。從つてそれは伊能氏がゐがいた架空の「六八番銀」なるものを借りることなく、他ならぬ重量七錢二分の銀貨が、「最も多く且最も廣く行はれ」る貨幣であつた時代に於て、優に成立し得たのである。後に六八銀貨を臺灣に於て態々鑄造した動機も、前述の如く兵餉發給の爲めであつた。而して政府が具體的に六錢八分の重量をもつた銀貨を鑄造し、それが一般に流通するに至つて、始めて民間が此れを價格標準に採用したのである。寡聞にして何人も之を說くものあるを知らぬが、右は、恐らく「六八銀元建」の起源に關する唯一の正しき說明と信ずる。湘平の起りが何時に遡るか、如意銀以外の銀貨の鑄造は實際何年であつたか。それ等のことは暫らく專門の歷史家の考證に委ねて置いて差支ない。

「六八銀」が一般の價格標準として確立したのは何れにしても六八銀貨の流通後であるが、これ等の貨幣の鑄造高は恐らく多くなく、且品位が九八〇位といふやうな高いものであつた爲め、早くも外國銀元に驅逐されたから、其の流通は短期間臺南及び其の近傍に限られて存したに過ぎぬが、それにも拘らず、銀量庫平六錢八分を一元とする慣行が、咸豐年間より略々領臺前まで、當該銀貨の消失後約四十年間近く持續されたのは、當時の臺灣政府が、既に具象的支柱を失つて觀念化せる、六八銀の計算單位を其後も繼續使用した爲めに他ならぬ。政府がそれを敢て繼續使用したのは、元建が元來政府の收入よりも支出に多く用ひられた爲め(租税の大部分は兩建)、それによつて下級役人の給料(高級役人の俸給は前述の如く通常兩建であつた)を輕減し得た爲めでもあつたらう。領臺前後から臺南に於ても「六八銀制」が次第に廢れて、一般には銀量庫平七錢三分を以て一元とするの慣行を生じたといふが[13]、それは主として貿易關係に基き廣東及び對岸より流入した新鑄の廣東銀元(既出參照、光緒十四年、墨銀に摸して鑄造せるもの)か日本圓銀か何れかの含有銀量(二者の標準重量は共に、大體庫平七錢二分四厘、その重量には差なし)によつたものであらう。尤もこれ等の銀貨の標準銀量は七錢三分には滿たぬから、之を七錢三分としたのは、衡器の偏差によると見て大過あるまいか。(之に對して打狗、嘉義地方に於ける七錢二分五厘制は明かに廣東銀又は圓銀の重量によつたものであらう)。

以上七錢二分、七錢、六錢八厘等の各種價格標準は、六八銀を除き、何れも流通界に於ける或る時代の主流をなす銀貨の含有銀量(又はその平均)に基き、他の比較的稀有の銀元にぬきんでて、價格標準となつたものであり、其後當該銀貨の流通を失つた場合にも、傳統的慣習の力と政府が之を計算單位として用ひたことなどによつて、抽象的計算單位名として維持せられたものである。

(1) 伊能嘉矩著、臺灣文化志、下卷、六七頁。
(2) 第一次臺灣金融事項參考書附錄、五一八―九頁、二三四頁、二四四頁、二八一頁。臺灣總督府民政部財務局調査「臺灣ノ貨幣制度ニ就キ」、一頁。大藏省理財局編、貨幣法制定及實施報告、六二一頁。
(3) 南部臺灣誌、三九三頁。
(4) 「臺灣ノ貨幣制度に就キ」一―二頁。
(5)、(6) 第一次臺灣金融事項參考書附錄、二八一頁。
(7) 南部臺灣誌、三九三―四頁の記述はその說の例か。
(8) 伊能氏、前揭、六五―六頁。
(9) 7錢2分×(1−0.055)=22×0.9445=6錢8分1厘
(10) 第一次臺灣金融事項參考書附錄、一五九頁。

III. 角及び點

洋式銀貨の數量單位としては「元」よりも小さい「角」があつた。名目上十角一元、即ち「角」は「元」の十分ノ一に當る下位の單位とせられたから、獨立のものでなかつたと考へられるが、又二角、一角等、「角」單位を以て表現された小額銀貨は銀元に對し前記の如く補助貨の地位に立つものではなかつたので、この點からは「角」と「元」とは各々獨立の單位であつたとも考へられる。價格標準としての「角」は其の何れに解するのが臺灣の實際に當つてゐたのか。

先づ臺灣に於ける「角」の起源も亦「元」と時を同じくし、鄭氏時代には既に「元」の十分ノ一として銀量庫平七分二釐の「角」單位が行はれてゐたから、恐らく蘭人時代の小銀貨の現實の銀量に大體もとづいたものであることは疑ない。銀價格標準「元」と「角」とに於ける十進一位の法は蘭人の齎らせる大小銀鑄貨の實際重量に基いたものであらう。假に始源的には價格標準としての一角(銀量)と、流通銀角一枚の現實の銀量とが常に一致してゐたとしやう[1]。然し其後、香港、廣東、臺灣(臺北機器局造)等の鑄造にかゝる品位量目の異る二角又は一角の小額銀貨(銀貨の面上に「角」建の價値表記をもつたのは其の中廣東、臺灣の二つだけであつたが、鑄造地の貨幣單位にて記された他の外國小額銀貨も臺灣では同樣二角又は一角と呼ばれた)が流通するやうになつては、七二角、卽ち庫平七分二釐の銀量としての「角」の觀念化乃至抽象的計算單位化、それと流通小銀貨一枚の現實に含有する銀量としての一角との背離、換言すれば小額銀貨の數量單位(貨幣單位)としての「角」と價格標準としての「角」との分化、從つて一角と呼ばれ又記された銀貨が價値に於ては一角に非る場合を生じたこと、等があらはれたことは、「元」に就て既に見たところと變りはなかつた。

唯「角」の場合には、「元」に於けるが如く、地方的な角それ自體としての亞種を生ます、常に「元」(その標準銀量は如何やうに規定されたにせよ)の十分ノ一たることを變改しなかつた點が異るだけである。卽ち、流通銀角に種々の種類あり、又流通銀元に銀量を異にする多くのものがあつたのであるから、一角を以て呼ばれる小銀貨十枚が常に必らずしも銀元一枚と等價でなかつたことは云ふまでもないが、價格標準としての「角」は常に「元」の十分ノ一とせられたのであつて、其の限りに於て「角」は補助的單位名として終始したと云ひ得る。然しそれとて決して價格標準「角」の內容が一定であつたことを意味したものではない。それは既述の如く價格標準「元」それ自身が七二銀の他に七錢銀、六八銀其他の異種を分化したからである。其の結果「角」の內容たる銀量も或は庫平七分を意味し、或は六分八釐(七分三釐、七分二釐五毫等)であつたわけで、必らずしも時と處とを問はず七分二厘を意味したわけではなかつた。唯かゝる異る「角」の內容が「角」自體によつてではなく、「元」の多元性の間接的結果であつたことは注意せねばならぬ。

猶小銀貨には五點銀貨があつたことは前述の如くであり、「點」も五點に關する限り亦銀を以てする價格標準の一であつたが、この場合「點」そのものに就ては、「角」に就て述べた全てが(十分ノ一のスケールに於て)其のまゝ妥當したと云ふ他に、格別問題は存しない(2)。

要するに銀價格標準としての「元」、「角」、「點」の三者は早くから十進一位の法で統一されてゐた。それにも拘らず、通貨としての銀元、銀角、銀點(五點銀貨)三者間に於ける現實の交換比率は決して確定せるものではなく、それは原則として夫々の通貨が現實にもつ品位量目と、更に夫々に對する市場の需給關係とに基いて、其の時々に定まる兩替相場によつて示されたところの、それとは自ら別個の數量的關係であつた。唯價値の比較的大な銀元に於てさへ既に嚴密な秤量價値制は行はれず、更に小銀貨に於ても、例へば臺灣・廣東二銀貨は略々等價として通用し、香港鑄造のもののみ大體一割下げとせられたといふやうに、一般に洋式鑄造銀貨の流通は少くとも領臺頃に於ては既に可成大まかな地金價値制となつて居たから、夫々の通貨種類の内部に於けるかゝる名目的通用制への一歩前進と共に、銀元、銀角、銀點、三者間の兩替相場なるものと各價格標準間の數量關係との距離も亦、實際にはそれだけ縮められてゐたわけである。

(1) 蘭人時代の臺灣に於ける小額銀貨の種類、重量をこゝに明にしないので、其の點の斷定は避けねばならぬ。

(2) 鄭氏時代にも既に十分ノ一角として「點」に當る「尖」といふ單位があつたが、それは蘭人時代から五尖（五仙）の小銀貨が實際存在したのに基いた銀價格標準であると考へて間違なからう。

IV　文

以上は全て銀を以てする價格標準であるが、最後に孔明青銅錢の單位と青銅價格標準に就ても一言しなければならぬ。開元通寶以來、重さ庫平「十分ノ一兩」即ち重さ一錢（庫平）の青銅が、支那に於て現實に青銅錢一枚の實質的內容として、銅を以てする價格の標準となり、此の青銅錢一枚に對し「文」といふ貨幣名が與へられたのであるが、其後青銅貨の實含有銅量は必らずしも常に庫平一錢の例に遵つたのではなく、殊に惡質輕量の私鑄錢の跋扈によつて、ここでも亦貨幣數量單位「文」(名目的)と價格標準「文」(青銅重量)との分化が始まつた。この價値の小さい通貨に於ても秤量制を超越しなかつたからで、臺灣でも好錢十枚の十文と歹錢十枚の十文とが價値を等しくしなかつたのはその現れ。更に嚴密に云へば私錢の使用を拒否した場合の公納に於けると、或る程度までの歹錢混用を認めた民間の一般流通に於けるとでは、價格標準「文」は同じくなかつたと云はなければならず、同じ論旨よりすれば、前述の如き歹錢混用割合に關する數種の異る慣習の併存を考慮に入れる時、現實の價格標準「文」も亦臺灣には數種あつたと云ひ得る筈である。貨幣單位としては一千文は卽ち一元、從つて十文は一點であつたが、實際靑銅錢一千枚（一吊）は銀元一枚に、又その五十枚は五點銀貨一枚に値せず、兩貨幣夫々の側に於ける各個片のの良惡と其の時の相場次第で、千二・三百枚乃至千五百枚が銀元一枚と等價とせられ、甚だしきに至つては、前掲臺灣鑄造の康熙通寶の如く、二千枚より三千枚を以て漸く銀一元と交換し得たといはれるものもあつたのであるから、靑銅であらはした價格と銀ではかつた價格とは一應獨立のものであり、價格標準としては「文」と「元」（以下「角」、「點」）との間に確定された關係は存しなかつたと云はなければならぬ。

之を要するに、「元」「角」「點」「文」の四者は名目的には十進一位の整然たる貨幣數量單位の體系をなしてゐたが、例へば「一元三角五點四文」と云ふ價格は決して「一・二五四元」乃至「一二五四文」又は其他同種の如何なる一元的な價格であつたのでもなく、正確には「一元と二角と五點と四文とを相結合せるところの價格」であつた。

もし假に元、角、點(五點)、文、の各價格標準にそのまゝ一致せる銀量及び銅量をもつ鑄貨が存在したところで、猶且それは「銀元一枚と一角銀貨二枚(又は二角銀貨一枚)と五點銀貨一枚と更に一文錢四枚だけの價格」でしかなかつた。實際の流通通貨は必らずしも標準銀量又は銅量をもたなかつたので、それから直ちに各種銀銅貨の枚數が指示せられるものでなかつたことは上來の説明で既に明であると思ふ。かくの如き複合的表現の價格を究極的に一元化するには、現實に之を衡量して重量の一般的單位たる兩・錢に換算するの他なく、少くとも銀に於てはそれが實際にも或點まで行はれてゐた。然しかゝる最も原始的な重量による直接表現も、各種通貨の品位の差と、更に衡器そのものの不統一の故に、實際にはしかく究極的表現としての意義をもち得ず、又「銀兩」の如きも一般取引に際しては價格標準として現實に用ひられることが既に次第に減じて領臺當時に至つてゐた、といふのが其の要約である。

四　總觀――補遺

以上順次に見て來たやうに、領臺前後に於ける臺灣の幣制はまことに複雜極るものであつた。その全貌は普通貨幣理論に於て用ひられる種々の範疇、概念によつて、之に簡單にしてしかも適切な表現を與へるなどといふこと全く不可能な種類のものであつた。

先づ流通貨幣は銀地金(馬蹄銀)こそ殆ど行はれなかつたが、品位量目を異にする外國及び自國鑄造の銀元と小銀貨青銅錢が竝び存し、銀貨の殆ど全部は外國鑄造のものであつたから私鑄銀貨と異るなく、青銅錢も官鑄私錢相半するといふ狀態。殊に銀元には贋造が甚だ多く、[1]其の眞贋を證明し萬一贋造であることが判明した場合の責任を明かにする爲めに、鏨印、[2]卽ち銀貨の表面に行使者の略號、を刻む慣習が一般に盛となり、更には眞贋を檢むる爲めに鑄貨の一部を削去し、それを名として剝竊また頻りに行はれた[3]から、流通銀貨は殆ど其の大部分が所謂 chopped dollar 粗銀となつて、或は原鑄字文の判讀不可能のものや、「其形狀は瀾燒の酒杯の如く、甚しき小孔を穿ち原形を存せざるもの[4]」さへもあつたと云ふ。鑄貨と雖も其の實は地金と選ぶなきこの種のものさへ混じてゐたのであるから、銀貨が原來鑄造貨幣であつたにもかゝはらず、秤量制によつて始めて流通したことに何等の不思議はなかつたし、原則上(法規上)國定貨幣であつた青銅錢も亦其の多元性の故に、實際には秤量制に從ふの他なかつた。

では領臺前の幣制を雜種貨幣、秤量貨幣制と呼ぶべきか。もとよりそれに相異はなかつたのであるが、青銅錢と銀貨とは臺灣全體を一個の流通領域として混然相併んで流通してゐたと云ふよりも、其の間に多少流通界を分ち、從つて銅錢經濟と銀貨經濟との分化の存したと見るべき事情もあり、又銀元、銀角、銀點、青銅錢相互、及夫々の範疇內に於ける個々の通貨相互、の間に於ける價値の割合乃至換算率も、決して文字通り嚴格に品位及重量の較量を俟ち其の現實金屬量に正確に遵據して定められたといふほどのものでなく、それには自ら或程度の慣習的標準率とも云ふべきものが成立して居り、それに應じ概して大まかな換算がなされた、と云ふ狀態であつて、到底單純に雜種貨幣の段階とか秤量貨幣制とかの語のみを以てしては覆ひきれぬものがあつた。貨幣單位名の重量單位名からの、又貨幣單位そのものと價格標準との、背離と、貨幣の票劵化傾向も、或る點まであらはれて居つたし、價格標準の多元性にも自ら限界あり、二・三の「標準的價格標準」に統合せられやうとしても居た。結局それは、銀銅二元より銀一元への、外國鑄貨より自國鑄貨への、複合的價格標準より「總合的價格標準」への、過渡期にあつたものと見るべく、それは換言すれば、其の力猶微弱であつたとは云へ、そこには金屬主義流通より名目的・票券的流通への推移傾向の作用を認むべく、雜種貨幣秤量制より單一の本位による國定統一貨幣制への一歩は、既に暗默の中に(自然發生的に)踏み出されて居たものと見るのが適當であつたらう。これが大體明治二十八年我國が清朝よりその土地・人民と共に委ねられ讓渡せられた臺灣の通貨狀態であつた。ではこれを我國は如何に變改したか。後篇はそれを詳細に示すであらう。

(1) 試みに昨年臺北市の古物商で、贋造銀元をあつめて見たが、最も多いのは矢張り墨西哥銀の贋造で、西班牙弗に摸したものもあり、それらが皆而上正錢なりと保證する爲めの鏨印を多數に刻されて居り、中には極印で何銀貨の贋造か字文の見えなくなつたものまであつた。材料金屬は銅を用ゐたものが多く、眞鍮を用ひたのも相當あつた。猶臺灣に於て近年五十錢銀貨の贋造者が比較的頻繁に檢擧せられる爲もあらうが、極めて熱心に五十錢銀貨の眞贋の鑑別を試みつゝある本島人を、乘合自動車中又は店頭に於て發見することが、つい先頃までめづらしくなかつた　筆者など支拂つた許りの銀貨を、眼前で店員に檢査せられて——と云つても經驗のない内地在住の人々には判り難いと思ふが、それは銀貨をいきなり混砂土の上などに落して見て其の音色を聽く、と云ふやうな甚だ簡單な、そして亂暴な方法なのであるが——始めの中はいさゝか驚かされたことである。兎も角漢民族の贋錢に對する關心と鑑別力には、確かに多年の苦い體驗にもとづいたらしい異常な鋭敏さがあるやうである。

(2) 鏨(キリ)印は、これも今日殘存のものを古物商の店で調べたところでは、アルファベツド又は漢字一字、其他簡單な記號などをサインとして定め、之を小さく貨幣の面上に打刻したものが多いやうである。

(3) 銀量の削去、剝竊の起りとして「重に官廳より發給するところの賞與、若くは惠與的に使用する銀貨に大いに削減したるものあるより起りたるもの」となす說がある。政府が賞與などの際に銀貨の銀量を剝竊した、それが起りだ、と云ふのでは信じられないが、「舊政府時代、各官吏又は貧民等に對し銀貨を授與する場合に於て、中間に介する小吏、使丁等は順次其の銀を削取し、甚しきに至つては其半量を削取したるものあるより、相傳へて順次削取するに至るの弊風を生じた」といふのがその說明である(第一次、臺灣金融事項參考書附錄、一六二頁)。

(4) 貨幣法制定及實施報告、六二六頁。

後篇

我が領有後に於ける幣制政策

——雑種貨幣より金本位制への過渡期の諸問題——

一　幣制改革の段階と根本方針の沿革……107
二　「銀地金を流通せしむる金本位制」……131
イ、一圓銀貨流通制の輪劃—附、臺灣銀行券(銀票)の發行……131
ロ、新幣制の本質—「銀地金を流通せしむる金本位制」……156
ハ、新幣制の運用とその結果—圓銀公定相場と銀塊投機……180
三　「幣制改革」の改革—「金貨の流通せざる金本位制」へ……240
四　總觀——我が幣制政策の必然性と合理性……256

一　幣制改革の段階と根本方針の沿革

臺灣に於ける我が領有後の幣制政策は、大體次の如き三つの段階を劃して發展し遂行せられたものである。

第一期　明治二十八年五月臺灣領有より明治三十年十月我が國(內地)の貨幣法施行(金本位制實施)までの期間で、領有の結果臺灣の貨幣流通は一層の混亂と複雜さを加へたが、猶その對策は充分講せらるゝに至らなかつた、云はゞ幣制混亂期。尤も臺灣幣制の根本方針は此の時期の末に確立されたのであるから、その意味では、幣制改革の準備段階と云ふことも出來やう。

第二期　明治三十年十月(二十二日)より三十七年六月(卅日)に至る暫定的幣制時代。これは臺灣の幣制が、我國(內地)の金本位制實施と臺灣に於ける傳統的通貨慣行との矛盾に迫られて、極めて特異なる形態をとらざるを得なかつた、云はゞ金本位制への過度的段階。貨幣理論上竝びに植民地幣制政策論上興味ある多くの貴重な經驗を含む時期(本稿の檢討も當然此の時代の諸現象の究明に主として向けられる)。

第三期　明治三十七年七月(一日)臺灣銀行の「金券」發行に始まり、舊通貨の整理(四十二年十二月卅一日を以て引換完了)によつて、結局幣制上完全な内臺一如を實現せる段階。

領臺直後の一兩年は全く文字通り兵馬倥傯、政府は叛軍土匪討伐の爲め東奔西走に急がしく(土匪討伐が一段落をつげたのは少くとも領臺後七年を經た明治三十五年五月末以前ではなかつた(1))、内には行政官と司法官との對立抗爭官吏腐敗等の病弊を藏しつゝ、統治上絶對に猶餘を許さぬ諸機構諸制度の創始に辛うじて手を染め得た程度であつたから、幣制改革の如き殆ど何等着手に至らなかつたのは當然であつた。そこで前編に述べた如き清朝時代よりの各種の通貨が雜然と引續き流通してゐたのは勿論、我が國の領有後、壹圓銀貨のみならず、日本銀行兌換券、五拾錢以下の補助銀貨、貳錢・壹錢・五厘の銅貨等新たな通貨が齎らされたから、臺灣の通貨種類は清國政府時代よりも却て一層複雜の度を加へただけであつた。

殊に我國に於ては明治十九年銀兌換を實行し、事實上銀本位を施いて既に十年、銀を基礎とする統一的通貨制度、各種流通通貨の額面價値通用、の確立に成功して居たが、臺灣に於ける銀貨流通の制度は前編に述べた如き獨特の秤量制を猶脱却しては居らず、殊に銅錢は銅錢として銀と獨立の流通をなして居り、銀行券の如きに至つては全く新たな經驗であつたから、これ等高次の我國通貨の流入は、其の結果として甚だ特異な通貨流通の狀態を臺灣社會に生んだのである。卽ち、政府及び內地人は原則として母國の通貨以外を授受せず、これ等の通貨はその間では勿論票券的通用を認められて居たが、一旦それが本島人（漢民族）の手に渡ると、淸國政府時代よりの通貨と共に、傳統的な、卽ち「ゆがめられた地金秤量制」の下に流通した。政府及び內地人側は「圓・錢・厘」を計算單位となし、本島人側は依然「元、角、點、文」を價格標準とした。つまり臺灣に於ける貨幣流通が政府及び內地人の間に於ける圓・票券制貨幣通用と本島人の間に於ける元（以下の）・秤量制貨幣流通との、根本的に原理を異にした二つの型に於て對立し、臺灣の內部に二つの貨幣社會が相對峙する結果を生じたことこれである。このことは後に第三期に入り、臺灣に金本位制が施行せられた後も、暫らくは本質的に改まらなかつたことで、況や第二期卽ち過渡期に於て種々の問題を生む根源となつたところのものであるが、その基礎は第一期中右の如き經緯から早くも形作られたものであつた。ともかく新貨幣の流入はさし當り從來の通貨流通と價格標準の多元的・分裂的狀態を、却て倍加したと云つて過言ではなかつた。

幣制統一の必要はこれだけのことからも當然當時の爲政者に痛感せられた筈である。それはかくの如き分裂的・對立的通貨流通のまゝで、産業政策にせよ財政々策にせよ、否一般に臺灣統治の實效を期するといふことは到底不可能であつたし、その對立の民族的色彩は就中克服を要するものと考へられたであらうから。又銀元以下外國銀貨の流通の如きは云ふに不及、清國時代の青銅錢にしてからが、今や外國貨幣である。既に我が國の領土となつた臺灣の流通界に、其の横行跋扈をいつまでも許して置くことは許されぬ、といふ點からも同様の結論を生じた筈である。然し何分にも領臺直後は當面の一層緊喫な政務に政府は忙殺せられてゐたのみならず、彼我幣制の距離は容易に埋め得べからざる性質のものでもあつたから、幣制の根本的改革への着手の如き、急速には實行せられず、我が壹圓銀貨による外國銀元の驅逐（秤量制の下での）といふ如き比較的簡單に實行し得たかに考へられる政策に就てさへ、殆ど云ふに足る何等のことがなされずに終つた。事實軍政時代(明治二十九年三月まで)はもとより、明治三十年度に入つても猶在來の Chopped dollar を租税其他の公納に使用することを認めざるを得なかつた實情であつた。[2] 況や青銅錢の流通廢止の如き、臺灣在住民一般の民度そのものの高上と相俟つて漸次的に進めらるべき性質のものにあつては、明治三十三・四年頃になつても地方税の徴收に猶之を完全には排除し得なかつた事實[3]が示す如く、到底急速に望まれなかつたのである。

故に第一期に於て實行せられた通貨政策と云へば、精々外國粗銀の公納使用を成可く減少せしめんとしたことと、兌換券の額面流通實現への努力、の二つ位に止まつた。臺灣の住民は既に述べた如く、紙券の流通は唯臺灣授受の際に獨立政府が官銀票總局の手で數ヶ月間發行せる不換紙幣(軍票)か、高々大都市及び對岸の支那錢莊が發行せる銀票錢票などを多少知つてゐた程度で、もとより銀行信用貨幣の意義を正しく諒解する域には達してゐなかつた。曾て近代的銀行の一も存在するものがなかつたのは勿論、銀行信用の基礎となるべき手形流通、そのまた起因たる信用による商取引もそもそも當時猶充分普及してゐなかつたのであるから、銀行券の圓滑な流通は云はゞ其れに必要な客觀的根基を缺いてゐたと云ふべき狀況にあつたのであつて、銀行券(日本銀行券)は到底本島人間に額面價値を以て流通せず、一般に其の受領を嫌ふ風が强く、銀紙の開きは一時二割(打歩二十錢)にも達した。そこで政府は先づ機宜の方策として出納官吏による日本銀行券の銀貨兌換を便宜實行せしめ、以て打歩の消滅につとめたのであるが、明治二十九年十二月一日よりは臺灣に金庫を設置し、從來出納官吏保管の現金は悉く金庫に引繼ぐこととなつたので、爾後此の便法の繼續が不可能となつた。そこで銀兌換の實行上交換所の設置が是非共必要となり、日本銀行をして各地にそれを設け每月數回日を定めて銀貨兌換を實行せしめ、以て漸く銀紙の差を一圓に就き二・三錢乃至六・七錢に縮むることを得たのである。[4] 尤も明治三十年秋一時圓銀への打歩が消滅し、更には銀紙の差を逆轉して、兌換券が圓銀に對し却て五錢乃至拾錢の打歩をもつたこともある。然しそれは同年十月の金兌換開始を目指し、偶々臺灣に於て銀紙の開きあるに乘じて粗銀に比し割安な兌換券を買收し、金銀比價との間に利を射んとする者を生じた爲め、日銀兌換券に對する需要が投機的に增加したのに基いたもの。もとより臺灣に於ける銀紙兌換政策の效果によつたのではなかつた。[5]

かくの如く臺灣に於ける幣制整理は、第一期中に殆ど全然實行を見なかつたといふも過言に非ず。寧ろ此の期に於ける最大の收穫は、明治三十年に入つてから、幣制改革の根本方針が具體的決定を見た、といふ點にあつたらう。蓋し、以上の如き通貨狀況に更に一層の混亂を與へ、結局幣制改革への着手を最早絕對に回避し得ざるものと化したのは、我國に於ける貨幣法の制定、其の實施の接近、といふ劃期的事實であつた。明治三十年、豫ての懸案であつた金本位制への轉換が、日淸戰役の結果獲得した賞金を基金として愈々實施せらるゝこととなり、周知の如く三月貨幣法（金本位法）の發布あり、同年十月一日より實施の豫定となつた。このことは、臺灣の幣制に如何なる影響をもつ筈のものであつたかと云ふと、もし假に何等の政策を施かず、領臺以來の無方針を依然持續するならば、差詰、少くとも前述の如き政府及內地人間に於ける圓・票券貨幣制と、本島人間に於ける元・秤量貨幣制との二重制を、金本位制と銀秤量貨幣制との對立に轉化せしむるものであつたらうこと、これが當然第一に豫想せられたところであつた。それに比較すればそれまでの內臺圓元計算の對立は圓が銀圓であつただけに其の差まだしも小であつたのである。二者共に（臺灣人の經濟は銀一元と云ひ難かつたことを暫く措けば)本位金屬を等しくし、唯既に票券的流通を實現せる統一的貨幣制度と雜種秤量貨幣制度との對立に止つたからである。然るに內地に於て金本位制を施行すれば、臺灣に於ける政府及び內地人側の經濟は其の瞬間から金の基礎の上に營まれ、內臺人間の取引は宛かも本位を異にする外國間の取引の如く、金銀比價の變動に應じて常に圓建と元建との間に換算率の變動を惹起したであらう。臺灣內部の貨幣流通に限界を限つても、狹き同一地域に於けるかくの如き金銀の交錯はそれ自體到底堪ゆべからざるものであり、必らずや其の結果臺灣の財政經濟は收拾すべからざる混亂に陷るであらうとは、智者を俟たずして明であつたが、我國全體の見地からしても、領土の一部に銀秤量制の行はるゝ地域を包括して其のまゝ金本位制に移行することは如何なる點からも不可能なことに屬した。假に一歩を進めて、臺灣に於ける幣制の根本を銀に置き、內臺間に爲替相場の成立變動を許すことが實際上合理的なりとするも、既述の如く雜然たる自然生的な臺灣の通貨狀態は、當然その爲めにも相當の施設を要求した筈である。要するに臺灣の幣制問題はこゝに緊急切實な當面の問題となつたと共に、抑も幣制の根本を金に求むべきか銀に置くべきか、といふ根本問題が、眞先に決定を要する重大問題となつてあらはれたのである。かくの如く、内地に於ける金本位制度施行といふ、云はゞ臺灣にとつては他律的な動機によつて、臺灣幣制問題の局面は一變したと同時に、かくの如き局面變化によつてこそ、清朝時代以降臺灣が内部に深く堆積包藏し來つた貨幣流通上歷史的な諸問題が、今や一擧に俎上に上せられ、其の解決を迫らるることとなつたのである。

かくして幣制改革問題は明治三十年に至つて「今日の問題」に成熟したのであるが、同年二月、臺灣に於ける貨幣及銀行に關する政務は之を大藏大臣の主管事項となし、臺灣總督は貨幣(及銀行)に關する政務に就て大藏大臣の監督を受くるものと定められた[6]から、それは爾來大藏省に於て愼重に考究せらるゝこととなつた。然しながら云ふまでもなく臺灣幣制の根本方針の決定はその係るところ寔に重大な問題で、一歩誤れば或は我國最初の企圖たる金本位制の圓滑なる運用を全うし得ざる結果にもなり、或は又臺灣統治上種々の困難な問題を將來に生む端緒ともなる性質のものであつたから、此の問題に關し見解の對立が省内にも存したやうで、當時大藏省監督局長であつた添田壽一氏が明治三十年七月

第三十一回貨幣會議に提出した意見書を見れば、大體五つの異る說があつたことが判る。卽ち

第一說。臺灣に銀本位制又は金銀複本位制を施行し、壹圓銀貨を從前通り法貨として存續せしむるを可とするもの。

第二說。同じ原則を採用し、唯壹圓銀貨の代りに特に臺灣の爲め新銀貨を鑄造流通せしむべしといふもの。

第三說。「從來の一圓銀に刻印を捺したる上、卽ち之を一の銀塊として臺灣限り通用せしめんとするもの」（「意見書」の表現をそのまゝ）。

第四說。金本位制を施行するが、五拾錢銀貨の供給を潤澤にして、現實に流通する通貨は、補助銀貨とやがて設立せらるべき臺灣銀行の兌換券とを以て之に充て、臺灣銀行券の兌換は成可く五拾錢銀貨を以てすべし、となすもの。

第五說。內地の貨幣法を臺灣にも施行し純然たる金本位制を直ちに實施すべしと主張するもの。

右の中第三說の眞意は意見書の字句からは必らずしも明確でないが、後の臺灣の幣制の實際に鑑みて之を按ずれば、「根本に於て臺灣に金本位制を施行する

こと。但し流通通貨は主として政府極印付一圓銀貨とする。卽ち一圓銀貨を金價値に於て流通せしめんとしたもの」、と解するのが最も當つてゐると思ふ。そこで以上の五說は結局第一說と第二說とが、臺灣に於ける銀流通の慣行を最も多く尊重し、幣制改革をば銀を基礎として差當り雜種貨幣を統一するに止めんとの保守的主張であつたと見るべく、之に反し第五說は最も急進的な金本位卽行論。第三說と第四說とは共に銀貨流通と金本位制とを夫々異る仕方で調和せしめんとした云はゞ妥協說であつた。(序ながら、この種の見解の對立は臺灣と內地との間に今日猶諸般の問題に關して常に見るところであり、就中急進的な同化論乃至內地延長論と臺灣の特殊性のみを强調する現狀維持論との對立の前例をば、幣制問題に關し早くも明治三十年頃に見たと云ふことは多少興味がなくもない事實である。)

然らば實際の方針は其の何れに決定せられたか。

先づ添田局長自身は、前記意見書に於て第四說、卽ち金本位制を施行するが實際の流通手段は主として五十錢以下の補助貨と、成可く補助貨で兌換する銀行券を以て充てる案を極力主張した。其の理由としたところは次の如くであつた。即ち先づ第一説及び第二説の銀本位案(複本位説は餘り有力な説でなかつたのであらうか、意見書にその排斥の論據は格別掲げられて居らぬ)は、「金銀比價の變動ある毎に本邦の幣制まで傷つけらるゝが如き虞なきを保せざる」ことと、更に「臺灣に向つて本土人民の企業投資取引を隆盛ならしめんとの希望とは相容れざる」ものである。換言すれば折角實施せんとしてゐる内地の金本位制に有害な影響を及ぼすであらう、又内臺間に於ける爲替相場の發生變動が、母國資本の進出を阻害するであらう、といふ二點で兩説を不可としたが、それかと云つて、第五説の如く金本位制をそのまゝ即行しやうとの論は「多少臺灣の實況に適合せざるの感なきにあらず」。更に第三説は「頗る巧妙なるもの」であることは認めるが、第一、第二兩説と同様の缺點もあり、銀地金を政府の收納にも受け入れなければならぬから「國庫が損失を蒙る場合なきを保」し難く、就中日常取引に當り銀塊秤量の「繁勞は殆ど名狀すべからず」と豫想せられる、といふにあつた[8]。「要するに本位不同の弊害を避け、猶ほ能く臺灣實際の必要に適合するの方案は、前記戊説(筆者註、第四説を指す)を措て他なきを信ず。若し不幸にして銀本位を守持する説にして行はれんか、獨り本邦人の手に於て臺灣を開發するの一大目的を達し得ざるのみならず、或は恐る本土の金本位制までにも傷害を來さんことを。仍て此際斷然戊說(第四說)に決定あらんことを望む」[9]といふのが同氏意見書の結論であつた。

然し當時銀本位制案も相當に有力な支持者があつたのであらうか、同年七月卅日の貨幣會議には、右の如き添田監督局長の案と共に、前記第二說卽ち、臺灣の爲めに特に新銀貨を鑄造し、それを法貨たらしめんとする銀單本位制案が上提せられた。後者の概要を述べれば、卽ち從來發行の壹圓銀貨に品位量目等しき銀貨臺灣通寶を鑄造し、又貨幣法に規定する銀貨、白銅貨、青銅貨の各補助貨を、特に「臺灣通寶」の文字を加へて特別貨幣となし、臺灣に於ける公私一切の收支はこれらの「臺灣通寶」によることとし、壹圓銀貨には自由鑄造を認め、無制限法貨とし、他の貨幣は貨幣法の規定同樣制限通貨とする。猶、貨幣法施行の結果同法第十六條により順次引揚げらるゝ壹圓銀貨も「臺灣通寶」の極印を打つて新銀貨同樣臺灣の流通に充てる。其の結果當然內地通貨と臺灣通寶との間に比價を生ずるであらうが、それは市場の相場(金銀比價乃至內臺間爲替相場)の自然の動きに任せる、といふのが大體銀本位制案[10]の骨子であつて、其の論據として同法案理由は次の四點を擧げてゐた。[1]

一、臺灣の住民は銀地金を貨幣として慣用してゐるから、先づ銀によつて貨幣を統一し、漸次金に移るのが適當である。

一、臺灣の貿易は銀貨國の支那香港と最も密接な關係にあるから、臺灣自身も銀本位をとることが好都合である。

一、支那内地より多數の出稼勞働者が臺灣に入り込んで居り、其の賃銀の支拂には銀を以てするを便とする。從來日本より香港に輸送せられた壹圓銀貨は、臺灣より輸出する茶、砂糖の價格支拂に用ひられて香港より臺灣に流入し、臺灣に於て支那出稼勞働者の賃銀となつて厦門に流出し、そこで鏨金を施されて chopped dollar となるか馬蹄銀に改鑄され終るのが普通の徑路で、臺灣の流通界はこの點實際に壹圓銀貨を必要としてゐる。

一、從つてもし金貨のみ流通せしめる時は、實際の支拂に際し、銀貨に先づ交換する必要が起り、甚だ不便を成ずるに違ない、と。

而して貨幣會議は此の二案を中心として審議した揚句、同日次の四項を決議として收穫した。[2]

第一、臺灣には金本位制を施行すること。

第二、實際の取引には可成銀を使用すること。

第三、多額の取引(例へば十圓以上)に於て金銀の間に相場を生ずることあるも之を放任すること。

第四、當分の內政府の公納に銀地金を以てするも妨げなきこと(但し時價卽ち金價値によること)。

此の決定が銀本位制案の採用を否定したものであることは云ふまでもないが、では添田局長案をそのまゝ認めたものかと云ふとさうでもない。それは、第二項に於て實際の取引には可成銀を用ふとあり、特に補助銀貨のみ流通せしむと斷定してゐないことから明である。だから精々前揭の第三說と第四說に共通な點を採擇し、流通通貨の具體的態樣を二說の何れとも決せぬ暫定的結論であつたと見ることも出來ないではないが、決定事項中第二と第三及び第四を併せ注意すれば、それはかゝる暫定的結論に非ずして、寧ろ卒直に第三說卽ち一圓銀貨流通案を最も適當なりとし、根本方針を之に確定せるものであつたと解すべきであらう。卽ち此の七月卄日の貨幣會議に於て後の臺灣の通貨制度の大綱は略々具體的に決定せるものであつた。

以上は大藏省内に於ける經緯であつたが、當時現地卽ち臺灣に於ける當局の此の問題に關する見解は如何であつたか。それを最も簡單に示すものは當時乃木總督より松方藏相に送られた左の上申書であつた。

本島舊來の慣行と取引上對岸との今日に於ける關係とに依り之を見るときは、臺灣に於ける實際の流通貨幣は當分銀貨たるを免れざる儀に候得共、本島は地理上帝國本土と連接し、土地の廣袤戶口の數到底獨立の幣制を立つるを容さず、經濟上に於ては殊に本邦との關係を密接せしむるの必要は勿論の儀にして、若し貨幣制度を異にするときは、必然の結果として內地との爲替に相場を生じ、取引の澁滯を來し、本邦商工業者の臺灣に對する資本の放下を妨げ、其の他種々の障害を來すは明白の儀に付、貨幣の制度は本邦と同一にし、實際に於ける流通貨幣は銀貨及兌換券と爲すべき豫定を以て、明三十年法律第十六號貨幣法、及明治十七年第十八號布告兌換銀行券條例を、臺灣へ施行すべき旨、勅令發布方可然御取計相成度此段稟請

候也

明治三十年八月九日　臺灣總督男爵乃木希典

大藏大臣伯爵松方正義殿

之によつて見れば、銀本位制に反對し、内臺共通の本位制度の下に銀貨及び兌換券の流通を希望したことは、其の理由としたところと共に大體前記第四説に近く、唯例へば兌換銀行券條例(當時既に明治三十年三月法律第十八號により金本位制に適合せしめて改正を了してゐたところの)の施行をもとめた點、卽ち金貨兌換(同條例第一條)の日本銀行券を流通せしめんとしたこと、及び貨幣法を正面より施行せんとしたこと等に於て、其の實際の運用上忽ち生ずべき幾多の困難に就て殆ど何等の考究がつくされてゐなかつたものの如くであつた點から云へば、もし其のまゝ實施したならば實際の結果に於て寧ろ前記第五説卽ち單純な金本位制卽行論と選ぶところがなかつたであらう。從つて實質上は第五説に近かつたとも云ひ得る。かくの如き云はゞ粗雜な意見乃至表現)は、前述の如く此の問題が明治三十年二月勅令第九號によつて、主として大藏省所管となつてゐた爲めに、本問題に就て總督府側が充分の分析を盡さなかつた所爲かと思はれる。尤も當時大藏省に於ても根本に於ける內臺共通幣制の實現を如何なる手段、方法、手續によつて行ふか——例へば貨幣法施行令の發布によるを可とするか否か、も未だ確定してゐたわけではなかつた。

そこで前記貨幣會議及び臺灣總督の稟請を基礎として、明治三十年九月(二十一日)の貨幣會議には二つの勅令案が議題とせられた。その一は「臺灣に貨幣法を施行するの件」であり、其の二は臺灣に於ける現實の通貨(の主流)に、前記第三案の「銀塊化せられた壹圓銀貨」、卽ち一定の刻印を政府自ら打刻せる所謂極印銀貨を充當するとの、「極印銀貨使用勅令案」であつた。而して政府極印銀貨の使用と共に外國銀貨及び粗銀の公納使用は斷然禁止するを至當としたから、第二の勅令案はその規定をも含んでゐたのである。然るに同會議は第二勅令案を決定したが、貨幣法施行勅令案は其の發布を見合すべしと決議した。この點は幣制政策論及び通貨政策の實際の運用といふ見地から甚だ興味があるのみならず、また後に臺灣に果して貨幣法が施行せられてゐると見るべきや否やに關し種々疑義を生じた(一)事實に關聯があるから、其の時の決議を文字通り掲げて置けば、

第一　貨幣法施行勅令案

本案は暫く延期す但し大體の方針は前回貨幣會議の通り實行するに決議す

と云ふのであつた。[15] 其の表現必らずしも明確ならず、假に解説を施せば、「貨幣法を明文(施行勅令)を以て實施する手續はとらぬ。然し前述七月卅日の會議の決議通り、極印銀貨は時價卽ち金價値を以て流通せしめる。故に其の限りでは貨幣法の根本は事實上施行されるのと同じ結果になる」と云ふ意味でもあつたらうか。何等の制限を附することなく貨幣法をそのまゝ臺灣に施行する方針をとらなかつたことは幣制の實際政策上もとより適當な處置であつた。然し全然勅令の發布を回避し、適當な法令制定の方途を何等講じ置かなかつたことは、確かに其後間もなく種々の紛疑を生ずるもととなつた。それは兎も角、貨幣法の施行は明文を以てせざること、臺灣の主要通貨は極印壹圓銀貨を以て之に充て、金に對する時價(金銀比價より算定)によつて島内公私一般の用に使用せしむること、從つて從來公納に使用することを許してゐた外國銀貨及び私に鏨印せる粗銀は、爾後一切公納に用ふることを禁止すること、の三點が決定せられたわけである。

翌二十二日此の決定に基き極印銀貨案は閣議に提出せられたが、他方既に方針の決定を見たので、前記臺灣總督の稟請に對し、大藏次官より同日臺灣總督に宛て左の如き回答が發せられた。[16]

(前略)當省に於ても已に同島の幣制に就ては種々考究を盡し、將來は本土と其制度を同一にするの方針に有之候得共、目下直ちに貨幣法を施行するは當地の狀態に照らし或は不便を來すべきやも難計と存候間、今暫らく時機の來るを相待ち之を實行するものとし、當分の內は銀貨を通用せしめる事に致度、就ては來る十月一日以來本土に於て新金貨と引換へたる一圓銀貨には政府に於て極印を施し、之を金貨に對する時價に依り公納支出に供し、從來流通致居候外國銀貨並に私に極印を施したる貨幣は、爾後一切公納に用ゆるを禁ずるの見込にて、別紙案の通閣議に提出致候間、右御承知相成度候。尚ほ兌換券の通用に關しては、已に其條例の改正により、金貨兌換の外銀貨とは交換難相成、去迚金貨兌換は同島の實際に必要無之候間、自然其跡を絶つに至らんやと存候。尤も右兌換券の流通相減じ候はゞ、通貨の不足を釀すべしと存候へ共、已に一圓銀貨幣に極印を施し流通せしむるを以て、其缺を補ひ毫も不便あらざる議と存候(以下及別紙勅令案略)」

閣議に於ては、政府の極印銀貨による支拂は「合意に依るべきものとす」との但書が第一條に附された以外に何等の修正を見ず、終に十月二十二日勅令第三百七十四號の公布を見るに至り(後掲)、こゝに臺灣の幣制は具體的に確定して同日其の實施と共に臺灣幣制改革の第二期が始まつた。此の制度の實體、運用、效果等、詳しく次項に於て檢討することとしやう。

(1) 臺灣に於ける土匪討伐は、最後に殘された南部の匪魁、林少猫、吳萬興、林天福以下百二十二名が掃討せられた明治三十年五月三十日を以て大體一段落に達したもので、同じ月の二十五日には斗六に於ける土匪歸順式に於て、張大猶以下百五十餘名が反抗の擧動ありしを名として悉く殺戮せられた著明な事件もあり、北部宜蘭地方の匪首、例へば陳秋菊、簡大獅、林維新、林火旺等は、それ以前に殆ど皆歸順又は處刑せられてゐた。

(2) 勿論我が政府は外國粗銀を公納に使用することを正式に認めたことは一度もないが、明治三十年十月二十二日、勅令第三百七十四號(第三條)により爾後政府はこれを絶對に收納せずと定めるまでは、公納に於ても其の使用を默認してゐた。「臺灣銀行二十年誌」が「軍政中は已むを得ず特に粗銀を租稅の公納に使用することを默認し、民政開始後(明治二十九年四月以降）は專ら我貨幣及紙幣を以て公納に用ゐしむることとし」（三四頁）と書いてゐるのは、當局の方針を述べたもので、その實數を完全に擧げ得たといふ斷定ではあるまい。更に其後政府が粗銀收納禁止の租稅徵收成績に影響大なるを知つて、明治三十三年七月以降再びそれを公納に使用することを認めなければならなかつた經緯からもそれは明である。事實嘉義地方の例として次の如き事例があつた。

「（嘉義地方に於ては）粗銀收納の徵稅上に及ぼしたる影響は實に著しきものにして、三十三年四月一日（卽ち粗銀公納禁止時代）の未納額現在高は、（國稅地方稅）合計八萬三千餘圓なりしに、九月（卽ち粗銀公納許可後）に至つては僅かに二萬二千餘圓の少額に至らしめたりと云ふ。是れ粗銀收納利便の途を開かれたるの結果と云ふも不可なかるべし。而して九月末日現在に於ける稅金收納額五萬二千餘圓中粗銀は實に約其三分ノ一を占めたりと云ふ」（第一次金融事項參考書附錄、一六六頁）。同種の實例は勿論他にも澤山あつた（同書參照）。

(3) 明治三十三・四年頃猶一文錢が公納に用ひられた實例。

前揭臺灣銀行員視察復命書中、臺中地方の事實に關して曰く、「租稅及び其他公納上に使用する通貨の種類は如何と云ふに、銀券及圓銀最も多く……銅貨及臺灣錢（卽ち一文錢――筆者註）の如きは全く之を使用せざるにあらずと雖も、極めて小額とす。殊に臺灣錢に在ては、官衙に於て一人十錢（卽ち百枚乃至百五十枚――筆者註）以上を收納せざるを以て、殆ど納稅に之を使用するものなしと雖も、地方稅の如き委員に於て徵收するものは、補助銀貨缺乏の爲め止むを得ず、臺灣錢を以て納稅するものあり。斯る場合に於ては委員は之を銀貨に交換したる上納稅せりと云ふ」（前揭書、二三三頁）と。勿論青銅錢が用ひられたのは稀であると斷つてあるが、用ひられたことは事實であり、それだけでも注意に値する。

(4) 內地の貨幣法施行（明治三十年十月一日）以前に於ける臺灣流通界の銀紙の開きに就て正確な數字的記錄は存在しない。本文所載の數字は「貨幣法制定及實施報告」（六二八頁）及び「臺灣ノ貨幣制度ニ就キ」（三頁）によつたもので、銀の打步二割に達したといふのは、後書によれば日銀が交換所を設けた後（卽ち明治二十九年九月以後）の事實となつてゐるが、暫く前書の敍述によつた。

(5) 明治三十年三月頃より、兌換劵の割引減少し、やがて消滅して、終には逆に打歩をもつに至つた理由は、全く金兌換開始を目標とした金銀投機の餘に出でたものであることは明であるが、この投機は何人によりて行はれたか、又その策源地はどこか。總督府民政部調査は、「帝國に金貨制度を施行せらるることとなるや、機敏なる外國商人等は本島に於て銀紙の差あるに乘じ、對岸より粗銀を輸送し來り、之を以て日本銀行兌換劵を買收し、法律施行の上は金貨を取付けて差益を占むるの計畫を爲し、三十年八月頃より競ふて兌換劵の買收を開始せり」(「臺灣ノ貨幣制度ニ就キ」三頁)と記してゐる。
この「對岸」といふのは主として香港であつた。從つて外國商人の大部分が支那人であつたらうことは容易に推定出來る。明治三十年七月三十日附、香港領事報告(大藏省より貨幣法實施準備の爲め各地の圓銀流通狀況を問ひ合せたる際のもの)に、「近時香港より本邦へ輸入する兌換劵は概ね臺灣より當地に來るものなり」とあり、明治二十九年中にも臺灣より香港への兌換劵流出――其の代りに香港より臺灣への粗銀流入――のあつたことが記されてゐるが、當時の兌換劵流出は主として臺灣に於て兌換劵が歡迎せられなかつた爲めで、特に香港に向けて流出したのは、從來取引機關が香港とは開けてゐたが、內地との間には猶それを缺いてゐた故であつたと云ふ(貨幣法制定及實施報告、四一一頁)。香港に於てそれが投機の對象となり、臺灣より香港向兌換劵輸出が激增し、臺灣に於て其の結果割引漸減して終に逆に若干の打歩を兌換劵が要求するに至つたのは、明治三十年八・九月以降のことであるといふ(明治三十年十一月九日附、乃木總督より松方大藏大臣宛の報告――貨幣法制定及實施報告六四九―五〇頁)。

(6) 明治三十年二月一日勅令第九號

「臺灣に於ける貨幣及び銀行に關する政務は大藏大臣の管理に屬せしむ
前項の政務に就ては臺灣總督は大藏大臣の監督を承くるものとす」

(7) 貨幣法制定及實施報告、六三〇頁以下。猶臺灣幣制の根本方針確立に至るまでの沿革のみならず、其の後の幣制改革に關する資料としては、明治財政史(明治三十八年一月刊)、第十一卷(第十三篇)中第九六六頁以下「貨幣法と臺灣の幣制」の項にも、同樣の記述があるが、前に「領臺當時の幣制の資料」に關して述べた如く、それは大藏省理財局編「貨幣法制定及實施報告」(明治三十一年八月編、公刊せるものに非ず)の比較的詳細な抄錄に過ぎぬから以下に於ても全て「報告」によることとした。

(8) 貨幣法制定及實施報告、六三一―二頁。

(9) 同書、六三三頁。

(10) 同書、六三五頁。

(11) 同書、六三八―九頁。

(12) 同書、六四〇頁。

(13) 同書、六四一頁。(但し句讀を施し、平假名に書き改めた)。

(14) 明治十七年五月二十六日太政官府告第十八號、兌換銀行券條例は、明治三十年三月法律第十八號により、第一條中銀貨兌換を金貨兌換に改め、第二條に但書を附して兌換準備中銀貨及銀地金の割合を四分ノ一以下に制限し、第七條金銀貨の持參人に對し兌換銀行券を引換に交附する旨の規定を金貨の持參人に限ることに改正。全て、貨幣法の施行に適合する如くに改正された。山崎覺次郎博士著、「貨幣讀本」附錄一、貨幣法規、二四頁以下參照。

(15) 貨幣法制定及實施報告、六四二頁。

(16) 同書、六四五―六頁。

二　銀地金を流通せしむる金本位制

イ　一圓銀貨流通制の輪劃附　臺灣銀行劵(銀票)の發行

上述の如く臺灣の幣制が改革の具體的方針を確立し、其の實行に着手せられたのは明治三十三年十月(二十二日)以降であつた。假にこの時以後を其れ以前の準備時代と區別して、臺灣幣制改革の第二期と看做せば、此の期に於ける幣制の出發點となつたものは、先づ左の如き内容の勅令であつた。

極印銀貨使用に關する件（明治三十年十月二十二日勅令第三百七十四號）

第一條　臺灣ニ於テハ當分ノ内政府ノ極印ヲ施セル一圓銀貨幣ヲ時價ヲ以テ公納及政府ノ支拂ニ用フルコトヲ得

但シ政府ノ支拂ハ合意ニヨルヘキモノトス

第二條　前條ノ極印ハ左ノ形式ニヨリ政府引換濟一圓銀貨ノ表面に施スモノトス

第三條　外國貨幣及私ニ極印ヲ施シタル貨幣ハ爾後公納ニ用ウルコトヲ得ス但シ特ニ外國貨幣ヲ以テ公納ニ用ウルコトヲ規定シタルモノハ此限ニアラス

㊙　徑一分五厘

此の勅令の條文にあらはれただけの事柄を理解するにはさしたる注釋も必要ではあるまい。然し第一條中には多少注意をひく文字がないでもない。「時價を以て」と云ふのは其の一であり、「政府の支拂は合意による」といふ妙な但書は其の二であり、既にこれらに疑念をおこせば、極印銀貨を臺灣の通貨とすと規定せずに、「臺灣に於ては當分の中……公納及び政府の支拂に用ふることを得」といふやうな用語を用ひてゐる點にも、理由がなくてはならぬのに氣がつくであらう。これ等は全く內地に於て既に十月一日から施行せられてゐた貨幣法との關係に基く苦心の餘に成る用語であり但書であつたらう。もとより筆者の目的は條文の字句の詮議、解釋にあるのではなく、それよりも先づ此の勅令によつて臺灣に實施せられた貨幣制度の實體をはつきりつかむことが當面の目的であることは云ふまでもない(後にも述べる如く、當時臺灣の通貨制度が遵據した法規はいさゝかならず明瞭を缺いてゐたので、果して此の勅令第三七四號がその當初に於ける法令上唯一の根據であつたかは全く疑問の存するところ。寧ろ明文は缺いてゐたが、貨幣法の一部施行が始めから現實に於て存し、それと此の勅令と相俟つて始めて臺灣の貨幣法規は全きを得たと解せざれば説明がつかぬのであるが)。然し、此の制度の本質を究明する爲めには自らこれ等の字句の意味やいはれにも觸れなければならず、且又此の制度の輪劃を先づこゝで明かにして置くことは無益であるまい。

先づ一圓銀貨は其の表面に、銀地金にして貨幣に非ることをあらはす小さい(銀)の極印を附して臺灣の流通界に齎らされた。尤も當時政府は貨幣法附則第十六條(1)により、一圓銀貨を金貨幣一圓の割で交換する責を負ふて居たので、一旦交換した圓銀を其のまゝ再び市場に出すに於ては、同じ圓銀により引換期間中何回も金貨と交換を請求せらるゝ虞があつたから、引換未濟のものと區別する爲めに引換濟を確證するものが何等か必要であり、極印はその爲めに打刻せられたのであつて、假に極印なしとするも既に金本位制が施行せられた以上その引換期限滿了後は理論上も法規上[2]も、當然一圓銀貨は銀地金と看做さるべきものであつたし、引換濟のものは、引換期間中も其の瞬間から地金としての意義しかもたなかつた筈である。[3]兎も角政府は此の極印銀貨を臺灣に於て額面通り一圓として通用せしめんとしたのではなく、單に「時價」に於て流通せしめんとしたに過ぎぬ。而してその「時價」とは圓銀の含有銀量を金銀比價に基いて換算した金價値(金圓)以外のものではなかつたのである。これを實際に徵しても、その實施に當り愈々「時價」を定むる必要に迫られるや、政府は十一月六日臺灣總督に對して、

「臺灣に於て受拂する極印銀貨の價は、當分の內、金貨千圓に付極印銀貨千三十七枚の割合を以て受授するものとす」

との訓電を發し[4]、臺灣總督はこれに基き、十一月十三日、告示第六十七號を以て

「明治三十年十月勅令第三百七十四號に據り受授する政府の極印付一圓銀貨の價格、當分の內、金貨千圓につき千三十七枚の割合とす」

と定めた[5]のである。實際には此の建方が計算授受に際し錯雜甚しき爲め、總督

府は極印銀貨の拂出を躊躇し、「極印銀貨一枚に付金何錢何厘」と改正せらるゝやう大藏省に上申し、其の結果「極印付一圓銀貨一枚に付金九十六錢四厘の割」と建方を改めた上で、十二月十三日始めて實施し、爾後此の例に遵ふこととなつたのであるが、これは單に建方の問題で、何れにしても一圓銀貨の價値が金價値（金圓）として、換言すれば、金と銀との間の交換割合として、定められたことには終始何等の變化を見なかつたのである。

「時價」は卽ち一種の「銀塊相場」、それも「金本位國に於ける銀塊相場」の一種に他ならなかつた。尤も「時價」といふ以上、嚴密に云へば日々、否刻々に變動する筈であるが、勿論極印銀貨の授受に際し、其の時々に金價値（金圓であらはした價値）が異るといふことでは到底極印銀貨を流通手段に用ふることは出來るものでない。第一極印銀貨の金圓換算に當り、標準とすべき金銀比價乃至其の算定の基礎となるべき銀塊相場は何れの市場に於けるそれをとるべきかが決定せられなければ、其の換算は全然不可能であるし、假に日々の倫敦銀塊相場によるを最も正確なりとするも、臺灣に於ける一般極印銀貨使用者たる一般民衆の何人も恐らくそれを知つてはゐなかつたであらう。當時臺灣に我が圓銀の兩替相場が存したことは事實であるが、それは圓銀と墨西哥弗其他の外國粗銀との間の兩替相場であつたか、然らずんば一文錢との間のそれであつた（それも各地方毎に異つた）から、こゝで所謂「時價」といふのには直接何等の參考にもならなかつた。既に金兌換となつた日銀兌換券と圓銀との間の臺灣に於ける兩替相場は最も直接の參考となる筈のものであつたが、十月一日貨幣法の實施、從來實行して居た銀兌換の廢止と共に、島內に於ける日銀の交換所そのものが閉鎖され、島內では全然兌換が行はれぬこととなつたので、[8] それまでとて島內に過少であつた日銀兌換券の流通は益々減じ、殆ど內地人間に流通してゐたに過ぎなかつたから、この兩替相場に地方的差異が存したことは暫く措くも、此の點から到底其れを「標準」となすことが出來なかつた。又よしんば標準とすべき金銀比價が存在したとしても、之を政府が公けに告示でもしなければ、取引に際し常に換算率に就て紛爭が絶えなかつたであらう。「時價」が結局政府の「公定相場」によつて定められ、著しき金銀比價の變動あるに際にのみ時々この「公定相場」の變更を行ふ、[9] といふことによつて、此の制度が兎も角實際の運用を得たのは當然であつた。

然らば極印銀貨は如何にして（如何なる經路を通じて）臺灣の流通界に投せられ

たか。前記勅令第一條但書は、政府が極印銀貨を支拂に用ひ得るのは唯「合意による」場合に限つた。故にそれは政府の歳出を通じてしか流通界に出ることが出來なかつた許りではなく、政府に對する債權者にして之を希望せざる限り、政府が之を支出する途は全くなかつたわけである。しかも臺灣に於て通常政府に對し債權者の地位に立つ者は當時官吏其他殆ど全て內地人であり、[10]而して內地人は日銀兌換券の使用に慣れてゐて、極印銀貨の受領を望むものが殆どなかつたから、云はゞ圓銀の流通場裡となるべく豫定された本島人社會と供給者たる政府との中間の通路が切斷されてゐたに等しい。そこで當初は制度こそつくつたが一向其の流通は起らず、漸く前記十二月十三日に至り一萬二千圓、其後十七日までに更に八千圓許りの支出を見た程度で[11]其の實行は遲々として進まなかつた。そこで間もなく更に日本銀行出張所をして、金庫の極印銀貨現在高を限り、日銀兌換券を持參して極印銀貨と交換を求むる者に、便宜上時價を以て之を交換せしむる、所謂自由交換制度を實行し、[12]以て漸く或程度まで其の流通を實現し得たのである(但し逆に極印銀貨を以て兌換券又は普通の一圓銀貨と交換することは絕對に實行しなかつた[13])。要するに極印銀貨の民間に於ける取引に制限を附さなかつたのは勿論租税其他政府に對する支拂にも無制限に(但し前記「公定相場」を以て)用ひられたのであつて、唯政府より民間への支拂に際してのみ「合意貨幣」たりしに止る。此の但書は前述の如く原案にはなく、閣議の際に附加せられたものであるが、政府が何故かゝる制約を態々附したか。貨幣法に於ける我が國定貨幣一般の規定と領土の一部たる臺灣に特殊の流通手段を認むることとの間の矛盾を之によつて辛うじて形式的に粉色せんとしたもの、と解する以外には其の理由を見出すこと困難である[14]。

かくの如く、この制度制定當初臺灣の通貨は、從來流通の一圓銀貨(極印を附せざる)を漸次回收して、其の代りに極印圓銀(及び貨幣法に規定する貨幣及び日銀兌換券)を以て之に代へんとの方策をとつてゐたのであるが、從來流入の一圓銀貨(極印を附せざる)は既に領臺以來相當巨額に達して居り、この當時の概算一千萬圓程度と推定せられた[15]程であつた。而も貨幣法實施と同時(十月一日)に發布せられた勅令第三百三十八號[16]を以て、これ等の一圓銀貨は明治三十一年四月一日限り通用を禁止することに定められてゐたので、四月以降は當然租税其他の公納に之を收納し得ざる筈であつた[17](この勅令第三三八號も實際には貨幣法同様何等臺灣に施行の手續がとられてゐなかつたのであるが、此の點は後に述べる)。更に前述の如く、十月一日以後臺灣に於ける日銀交換所は閉鎖されたから、島内に於て金貨兌換の道は開かれて居らず、又極印銀貨との交換も行はれなかつたのであるから、この巨額の一圓銀貨の通用禁止——就中公納への使用が禁せられること——は、一般島民に多大の困難を與へるのみならず、納税に差支を生じて當然總督府の歲入にも惡影響を生ずることと豫想されたので、總督府の要請に基き、大藏省は其の通用禁止後(三十一年四月一日以後)も、引換期間中を限り特に臺灣に於ては一圓銀貨を額面價格で政府の公納に收受することを認むることとした[18]。これによつて臺灣に於ける公納使用の通貨は當初の豫定と異り、少くとも一圓銀貨の引換期限中は、極印銀貨と舊一圓銀貨との二種(貨幣法規定貨幣及び日銀兌換券が此の他にあつたのは勿論である)となり、しかも二者は品位量目等全然同一の銀貨にして、單に政府が極印を附したか否かの相異に過ぎなかつたのであるが、しかも極印銀貨は公定價格により一枚九十六錢四厘の割で收納せられたに反し、一般の一圓銀貨は額面通り一圓として公納に用ひらるるといふ差を生じた。尤もそれは公納の場合であり、一般本島人間の取引に於ては本來二者共に銀量に着目して價値を定められ、外國銀貨さへ一般の取引に於ては依然使用されてゐたのであるから、政府の一圓銀貨通用禁止令も一般島民の間に於ける流通には何等の痛痒を與へなかつた。否却て公納の際に於ける此の差別待遇は自ら極印銀貨に比し高き價値を一圓銀貨に附與する結果にもなつたので、新制度を制定した本來の目的からは、極印銀貨にこそ優位を與へらるべかりしに、其の運用に於て假令一圓銀貨の引換期間中の過渡的現象に過ぎなかつたとは云へ、政府自ら一般住民をして極印銀貨を避け却て廢止さるべき一圓銀貨を愛好せ[19]しむる如き方策をとるの他なきに立至つた。それはもとより此の制度が我が貨幣法の實施との間に始めから少からぬ難點を藏したことを偶々暴露したもので、極印銀貨流通案が結局單なる一圓銀貨流通制に歸著すべき勢は既にこの時に於てあらはれてゐたのである。

既に述べた如く、金本位制の採用後の舊一圓銀貨は本來地金であり、極印を附した爲めに地金となつたのではない。極印は引換濟の圓銀を再び市場に出すことから繰り返し兌換請求の具に供せらるゝことを避けんが爲めにこそ絶對に必要であつたに過ぎぬ。ところで舊一圓銀貨の引換期限は當初貨幣法により、

「通用禁止の翌日より起算し滿五年以內」(第十六條第二項後段)と定めてあつたから、明治三十六年三月末日までの豫定であつたが、後にかゝる長期の引換期限を許すことは幣制整理の完成を徒らに遲延せしむるのみであることを知り、明治三十一年六月十日、法律第五號[20]により急に其の期限を繰上げて同年七月卅一日限りと改めた。かくて八月以後一圓銀貨に極印を附する必要は消滅したので、こに一轉して、臺灣の主流通貨をば愈々極印を附せざる一圓銀貨となすことに決したのである。それを定めたものは明治三十一年七月三十日律令第十九號であつた。

臺灣ニ於テ一圓銀貨幣ハ時價ヲ以テ其額ニ制限ナク通用スルコトヲ得但時價ハ臺灣總督ノ告示スル所ニ依ルヘシ

本令ハ明治三十一年八月一日ヨリ施行ス

これと同時に爾後極印銀貨は新たに支出しなかつた[21]から、既に流通界に投せられてゐた極印銀貨は其後も其のまゝ流通し政府への公納にも一圓銀貨と同一の公定相場を以て使用を認められはしたが、[22] 極印銀貨が實際臺灣に於て政府の支拂及び自由交換によつて支出せられたのは、期間に於て明治三十年十二月より翌年七月までの八ケ月間、金額に於て累計二百十萬圓に過ぎず、[23] 其後は極印制度施行前同樣再び普通の圓銀の流通によることとなつたのである。唯幣制改革前との差異は、極印銀貨使用勅令第三條により、外國銀貨及び粗銀の公納使用が禁せられたので、次第にそれ等が減少して圓銀が增加したこと、及び政府への公納に額面價値通用を認められず、金圓計算の公定價格によつて收納せられるやうになつたことの二點に盡きる(而して公定價格は、前記律令第十九號の發布と同時に、總督府告示第四十八號により「一圓銀貨一枚に付九十二錢」と引下げられた)。上來の煩鎖な敍述(それもつとめて簡潔を心掛け細部を省略して來たものであるが)が其の一端を印象付けたでもあらう大藏省當局と臺灣總督府と更に日本銀行(金庫)との臺灣幣制改革につくした煩雜な諸々の手續の結果實現し得たところのものは、後にも先にも確かにこれ以外にはなかつたのである。と云つても、勿論其の效果の價値に就て云々する意ではなく、前記勅令及び律令によつて實施せられた臺灣の幣制なるものが理論上如何なる本質のものであるかを後に論定する際の爲めに、一應こゝに注意を喚起して置かうと云ふだけに過ぎぬ。

通貨の種類は其後更に増加した。それは臺灣銀行の設立に伴ふ銀行券發行によつてである。

貨幣法の發布せられた明治三十年三月、臺灣銀行法も亦發布せられた（三月三十日法律第三十八號）。其の創立の趣旨は、同法制定理由書の述ぶるところによれば、

一、臺灣の金融機關として商工業竝に公共事業に資金を融通し、富源開發、我が資本による外國商權の奪還を金融上から促進すること。

二、進んで營業の範圍を南支南洋方面に擴張し、是等諸國の商業貿易の機關となり、日本資本の南方進出に利便を與へること。

三、内外の貨幣雜然流通し、幣制紊亂の極に達せる臺灣に於て、幣制整理の任に當らしむること。

の三點にあつたとなつてゐる。この他に實際に當つて或は臺灣事業公債[25]の引受、

期限三箇年以内の政府貸上金の實行[26]、國庫金取扱[27]、大租權補償公債の買入[28]等を行つたことを見れば、直接間接總督府財政に利便を與へしむることも創立理由の重要な一であつたらう。第一回創立總會(明治三十年十一月十七日)の席上、大藏大臣の代理としての次官田尻稻次郎氏の演説には、「將來臺灣銀行の主眼とすべき所は、一般銀行業務の外、或は總督府の金庫機關となり、或は通貨整理の任に當り、更に進みては東洋に於ける國際爲替上の實權を握り、臺灣と本國との脈絡を疏通し、臺灣經濟機關の中心となり、以て特權に對し其の效用を顯著ならしむるに在り」(大意)とあつた[29]。之等の任務遂行の爲め同法は臺灣に於て臺灣銀行に「無記名式一覽拂の手形」即ち兌換銀行券を發行する特權を附與し、臺灣に於ける植民地・中央・發券銀行たるの實を具へしめんとした。然るに同行設立計畫は遲々として一向進捗せず、そこで臺灣銀行法中銀行券の發行、兌換、準備等に關する諸規定を改正し(明治三十二年三月、法律第三十四號)、且つ政府の所持する圓銀二百萬圓の無利子貸下[30](期限五ヶ年間、後に更に三年間延長)、臺灣銀行補助法[31](明治三十二年三月一日、法律第三十五號)の公布による政府の株式一部引受(百萬圓即ち資本の五分ノ一)と政府持株に對する五ヶ年間の配當免除等、厚き保護を與へ、明治三十二年六月に至つて漸く設立(免許)、九月二十六日より營業開始の運びに至つたものである。從つて最初の銀行券發行を見たのは壹圓券が同月二十九日、又五圓券が十二月二十二日のことであつた[32](拾圓券、五拾圓券等の大券の發行も行はれたが、それは更に一年程後れた)。

さて此の銀行券は如何なる性質のものであつたか。今同行設立前に於ける銀行券に關する規定改正の經緯を述べることは煩鎖であるから之を省略し[33]、明治三十三年三月の改正法律に即して、先づ銀行券發行及び兌換に關する規定を見るに、次の如くになつてゐる。

第八條　臺灣銀行ハ券面銀貨壹枚以上ノ銀行券ヲ發行スルコトヲ得

前項ノ銀行券ハ臺灣銀行本店及支店ニ於テ營業時間中何時ニテモ壹圓銀貨ト引換フルモノトス但シ支店ニ於テハ本店ヨリ準備金ノ到達スヘキ時間其ノ引換ヲ延期スルコトヲ得

而して其の發行準備に關する規定(第九條)は明治三十年三月改正前の兌換銀行券

條例に範をとつたから、當時の日銀の制度と大體大差なかつたが、細かい點ではまた多少差異も存した。[34] それは兎も角、前記第八條によれば、臺灣銀行の發行する銀行劵の特色は、一圓銀貨を以て兌換すること、就中其の額面金額が「圓銀の一圓」を單位としてあらはされたことこれである。當時臺灣にも小額ながら日銀兌換劵が流通してゐた。其の一圓は臺銀兌換劵との對比上、內地に於けると異り、貨幣法實施以來臺灣に於ては、統一的一體としての我が貨幣の數量單位一圓を意味するものたるよりも、寧ろ「金一圓」を意味するものであつた。然るに臺灣銀行劵は「劵面銀貨壹枚以上」の銀行劵、從つて貨幣法により既に地金(銀塊)となつてゐた一圓銀貨を以て兌換せらるゝ銀行劵であつた。其の一圓とは卽ち圓銀一枚の意であり、換言すれば當時現實に於ける圓銀の公定價格金九十四錢の下に於ては、金價値九十四錢として通用したに止つたから、其れは飽くまで「品位九百重量四百十六グレンの銀地金の代理たる證劵」に過ぎなかつた。同じく額面一圓の銀行劵にしてこれだけの差があつたのである。この複雜さは、然し圓銀を銀塊として評價することとしかせぬ本島人一般にとつては殆ど無關係であつた。だから本島人が之を銀票(グムピヲ)と呼んで間もなく略々圓銀と同じに取扱つたことは、格別素朴な者に却て惠まるる特有の聰明さが彼等にそれを敎へたといふ程のことではなく、それが圓銀兌換券であつた爲めに從來本島人が知つてゐた南支那に於ける錢莊發行の銀引換證に對する通稱をそのまゝ之に流用しただけのことであつて、此の流用は二者の比較に鑑みれば中々に當を得ても居たのである。とまれ近代的銀行の兌換銀行券がかくの如きものとして發行され又通用せしめらるゝといふことは、もとより稀有のことに屬するが、それは前述「圓銀の時價流通」なる特異な臺灣通貨原理からの派生者、卽ち系(コロラリー)に他ならなかつたのである。

かくの如くして、明治三十年十月勅令第三七四號の發布より三十二年九月臺灣銀行券の發行に至る幣制建設過程を經て、今や臺灣の通貨は舊一圓銀貨と其の代理物たる臺灣銀行券との二者を主流として構成せられることとなつた。少くとも政府が特に臺灣の通貨としてその通用を認め、從つて政府に對する公納に使用せしめんとしたものは此の二種であつた。實際には前述極印銀貨の猶流通界に殘存するものあり、明治三十二年九月十七日、律令第二十九號は、一圓銀貨同樣この極印銀貨も亦無制限法貨(勿論時價通用の上で)たることを規定したが、[35] 極印銀貨の時價による一般取引及び公納に於ける無制限使用は從來とても禁止されたことなく、逆に政府よりの支出には一圓銀貨制への轉換(三十一年八月一日)以後新たな極印銀貨の用ひられたことは全くなかつたから、この律令は臺灣通貨流通界に新たな何物をも附加したものではなかつた(だから本來全く無意味な律令であつたが、單に形式をととのへる意味と、兎角極印銀貨を嫌ふ風のあつた一般民の誤解を解き極印銀貨の流通を好轉せしむる實際上の效果をねらつた點で多少政治的意味はあつたのであらう)。

唯これは臺灣の爲めに特に制定せられた法規に基く通貨の種類であつたに過ぎず、貨幣法は正式に施行の手續をとられなかつたにも拘らず、現實に於て内地人間には日銀兌換券を始め貨幣法に定むる補助貨が盛に流通してゐたのみならず、政府も亦これ等の通貨を額面通りに公納其他に收受してゐたから、それ等は、特に臺灣の爲めに定められた右の如き通貨との對立に於ては正しく金標象であつたのである。而して日銀券及補助貨の額面收納の取扱に於てはもとより内臺人間に何等の差別など置いたのではなく、何人たるとを問はず日銀兌換券及び補助貨を公納に用ふる者あれば政府は常に同樣に之を取扱つたのであつて、日銀兌換券は其の例比較的稀であつたが、補助貨は本島人も盛に使用した。從つて等しく一圓の兌換券でも日銀兌換券は之を額面に於て、又臺銀兌換券は之を公定價格によつてと、夫々異る價値に於て通用せしめたことは直接兌換の基礎が異るのであるから兎も角、五拾錢銀貨二枚乃至二十錢銀貨五枚等を等しく一圓に通用せしめ乍ら、それよりも銀量の實質的に大なる一圓銀貨を例へば九十四錢(明治三十一年十二月一日改正、其後三十三年三月末日まで行はれた公定價格)にしか通用せしめぬと云ふ、甚だ妙な結果になつてゐた。かくの如き通用制度が煩雜であり不便であつたことは云はずもがな、銀秤量制の牢固たる慣習を保持した島民一般が其の私的流通に於ては全然それに承服せず、主として夫々の地金價値に從つて各銀貨を授受したことは云ふまでもなかつた。否單に政府の定めた「通用」に視野を限定せず、更に廣く一般の「流通」を顧みるといふことにならば、圓銀及び我が補助貨の增加の反面次第に其の數量を減じつゝあつたとは云へ、粗銀其他の外國銀貨一文錢が猶存したのであるから、實際の通貨種類は一層雜然たる狀況をつゞけたのを見るのである。明治三十三・四年頃の事實としては既に述べたところでもあるが、明治三十六年(九月二十六日)に於ても鐚(ビタ)

錢の輸入禁止(主として支那よりの歹錢(ハイチン)輸入の禁止)の爲めに態々律令(第四號)を發布し、又同じ時粗銀の輸入禁止を目的とした律令(律令第五號輸入粗銀ノ課稅ニ關スル件)の出てゐることからも、これ等舊貨幣の餘命が案外長かつたことを知る(尤も粗銀の驅逐は鋻錢其他の一文錢よりも却て早く成功した。それは粗銀に代る圓銀が與へられた爲めで、一文錢の頑强な殘存は、これに代るものが與へられなかつたこと、補助貨たる我が銅貨は其の缺を滿すものたるには價値大に過ぎたことが原因であつたのであらう)。

ところで、既に圓銀及び臺銀兌換券「時價」通用制の本質それ自體が一つの「問題」である。況やこれ等の「通用」貨幣の全て、更には現實に流通してゐた通貨種類の全てをあるがまゝに視界に於て、さて第二期臺灣の幣制は如何なる性質のものであつたかと問ふ時、果して如何に答へらるべきであるか。問題はいさゝか複雜過ぎる。項を改めて論じやう。

(1)　明治三十年三月法律第十六號貨幣法第十六條第一項「從來發行ノ一圓銀貨幣ハ金貨幣一圓ノ割合ヲ以テ政府ノ都合ニ依リ漸次之ヲ引換フヘシ」

(2)　貨幣法第十六條第二項後段「通用禁止ノ翌日ヨリ起算シ滿五箇年以內ニ引換ヲ請求セサルトキハ爾後地金トシテ取扱フヘ

と。

(3) 猶序ながら、貨幣法施行により不用に歸する圓銀に極印を附し、之を地金としてそのまま通貨に利用する案は、記錄にあらはれた限りでは、前記明治三十年七月三十日の貨幣會議に提出せられた、臺灣幣制に關する添田局長の意見書中に含意されてゐた(同氏の意見としてではなく「丙說」卽ち本稿の「第三說」として紹介したもの)のが最も早かつたやうに思ふが、其の後間もなく、卽ち同年八月(二十日以後)當時第一銀行頭取澁澤榮一氏より日本銀行に提出せる意見書「朝鮮國幣制私議」も亦、一圓銀貨に極印を附し韓國の流通貨幣(主として貿易上の)たらしめんと獻策してゐる(貨幣法制定及實施報告、四八一頁以下、及び第一銀行五十年小史、八〇頁)。當時我が圓銀は韓國に於ても必要缺くべからざる通貨となつてゐたので、古くより同國の海關稅の取扱に當つてゐた第一銀行は、貨幣法の施行、圓銀の引揚によつて通貨流通に多大の不便を生ぜんことを憂へこの提案に及んだもの。其の結果此の議が容れられて同十月以降韓國に於ても臺灣と同樣極印銀貨の流通を見ることとなつた(「報告」、四九四頁以下及「小史」八〇頁)。この點に關し貨幣法制定及實施報告は、交換濟圓銀に極印を施して使用するの案は、前記意見書に於ける澁澤第一銀行頭取の發案にかゝる如くに記してゐる(同書、四九三頁)が果して然るか。前記添田局長意見書の方が日附は早いのであるが、抑も「丙說」の源が澁澤榮一氏の意見に存したのであらうか。或は同氏の意見書によつて始めて有力な實際案となつたといふ意味であらうか。發案者の何人なるかは何れでも大した關係はないが、其の何れかによつて此の極印銀貨制なるものが、もと臺灣の幣制の爲めに案出せられたものであるか抑も朝鮮の爲めに發案せられたかの相違が起るので、疑問を存して置く次第である。

(4)、(5)、(6) 貨幣法制定及實施報告、六五六―八頁。

(7) 同書、六六〇頁。

(8) 同書、六四六頁。

(9) 公定相場變更の實際は後掲表參照。

(10) 貨幣法制定及實施報告、六六一頁。

(11) 前掲註(7)參照。

(12)、(13) 貨幣法制定及實施報告、六六二—三頁。

(14) 卽ち政府は一方に貨幣法を制定實施して、金貨以下の法貨を定めながら、他方自ら廢止した銀貨を特に臺灣に於て、貨幣同様支拂に用ふることは矛盾であり、「地金を支拂に用ふる」といふこと自體も撞着であると考へたので、此の擧に出でたものと考へられる。

(15) 貨幣法及實施報告、六六七頁。

(16) 明治三十年十月一日、勅令第三三八號。從來發行ノ一圓銀貨幣ハ來ル明治三十一年四月一日限リ其通用ヲ禁止ス。

(17) 勿論通用禁止の前日までは、極印銀貨の時價通用にも拘らず、これ等の一般一圓銀貨は額面通りに收納せられた。

(18) 其の經緯に就て詳しくは貨幣法制定及實施報告、六六四—六七〇頁、又は明治財政史第十一卷、九七七—八〇頁を參照せられ度し。

(19) 貨幣法制定及實施報告、六七七頁。

(20) 明治三十一年六月十日、法律第五號、一圓銀貨引換期限ノ件　一圓銀貨幣ノ引換ハ明治三十一年七月三十一日限リトス

(21) 貨幣法制定及實施報告、六八二頁。

(22) 後述の如く、其の後更に明治三十二年九月十七日、律令第二十九號を以て明治三十一年律令第十九號中改正を加へ、「一圓銀貨幣」の下に「及ビ政府ノ極印ヲ施セル一圓銀貨」の十五字を加へた。これによつて形式上極印銀貨は此の時以後法貨た

る資格を認められることになつたが、それは實際的には何等格別の意味ある改正ではなかつた。明治財政史、第十一卷、九八六頁。

(23) 貨幣法制定及實施報告、四九九頁及五三八頁表參照。

(24) 明治財政史、第十四卷、八三五—六頁。

(25) 明治三十二年三月二十二日、法律第七十五號を以て發布せられた臺灣事業公債法の規定に基き、臺灣に於ける鐵道建設、土地調査、築港、廳舎新築の四大事業（後に他の事業も含むやうに改正せられた）の經費に充つる爲め發行せられた公債。猶詳しくは、例へば、臺灣銀行二十年誌、一一三頁以下參照。

(26) 臺灣事業公債法第五條により、同法第一條の經費（前掲註25の諸事業費）の繰替支辨の爲めに、政府が臺銀より借上げる一時借入金。其の期限は始め「一箇年以內」とせられてゐたが、明治三十四年四月の臺灣銀行改正法により「三箇年」と改めた。

(27) 臺灣銀行設立まで臺灣に於ける本金庫は日本銀行出張所が其の取扱を行つてゐたが、明治三十五年十月からそれを臺灣銀行に引繼いだのである。

(28) 臺灣に於ける土地所有は、特殊の沿革により、同一の土地の上に大租權と小租權の上下二重の權利を伴つた特異な制度をとつてゐたので、領臺後それを整理して所有權の主體を確定するの必要に迫られ、明治三十三年以降實施された所謂土地調査の完了と共に、小租權者を所有權者と看做して大租權を廢することに決定、大租權確定に關する件（明治三十六年十二月、律令第九號）、大租權整理令（三十七年五月、律令第六號）、其他の手續を定めて之を廢止し、大租權者に補償公債を交附したのである。臺灣銀行が之を買入れたと云ふのは、當時この公債交附を受けた舊大租權者等の事情に暗きに乘じ不當の廉價を以てこれを買收する者があらはれた爲め、權利者等を保護せんがためであつた。猶大租權及其の整理に關しては、例へば、東嘉生氏・「清朝治下臺灣の土地所有關係」（臺北帝國大學文政學部、政學科研究年報、第一輯所載）、又は臺灣銀行二十年誌、

（九四頁以下）等に比較的要を得た記述がある。

(29) 臺灣銀行二十年誌、二五頁。

(30) 臺銀の出願に對する大藏大臣命令（明治三十二年七月二十七日）の形式によつて行はれたもの。猶其の經緯に就ては、臺灣銀行十年誌、一一―七頁參照。

(31) 臺灣銀行補助法　明治三十二年三月一日、法律第三十五號

第一條　政府ハ百萬圓ヲ限度トシ臺灣銀行ノ株式ヲ引受クヘシ

第二條　臺灣銀行ハ其ノ創立初期ヨリ五箇年間ハ前條ノ株式ニ對シ配當スヘキ利益金ヲ缺損補塡準備金ニ組入スヘシ

第二條　前條ノ期限內政府ハ其ノ引受ケタル株式ヲ買却セス

(32) 臺灣銀行十年誌、二九頁。

(33) 臺灣銀行二十年誌（一九―二二頁）又は明治財政史、第十四卷（八四一―四頁）に詳しいから之を參照せられ度い。

(34) 卽ち、先づ同法第九條（三十二年三月改正）を見るに、

第九條　臺灣銀行ハ銀行券發行高ニ對シ同額ノ金銀貨及地金銀ヲ置キ其ノ仕拂準備ニ充ツヘシ

前項準備ニ依ル外銀行券ヲ發行セムトスルトキハ五百萬圓ヲ限度トシ政府發行ノ紙幣、證券、兌換銀行券又ハ其ノ他確實ナル證券若ハ商業手形ヲ保證トシテ之ヲ發行スルコトヲ得但シ其ノ發行額ハ前項準備ニ依レル發行額ニ超過スルヲ得ス

市場ノ狀況ニ由リ前二項ノ外更ニ銀行券ノ發行ヲ必要トスルトキハ主務大臣ノ認可ヲ受ケ政府發行ノ證券、兌換銀行券又ハ確實ナル商業手形ヲ保證トシテ之ヲ發行スルコトヲ得此ノ場合ニ於テハ政府ノ定ムル所ニヨリ一箇年百分ノ五ヲ下ラサル割合ヲ以テ發行稅ヲ納ムヘシ

となつてゐる。卽ち正貨準備發行、保證發行、制限外發行の三段となつてゐることは日銀の發行準備制度と異らなかつたが、保證發行には、五百萬圓といふ制限のみならず、「正貨準備發行額を超越すべからず」といふ制限が附加されてゐた。保證發

行の準備物件中にも多少の相異があつた。

(35) 前掲註(22)参照。

ロ　新幣制の本質——「銀地金を流通せしむる金本位制」

幣制改革實行の結果として明治三十年十月より三十七年六月末に至る間の臺灣の幣制は前項に述べた如き特異な形をとつた。筆者の寡聞なる世界の幣制史又は植民地幣制史にして曾てかゝる實例を存したものあるを知らぬ。寔にそれは前代未聞の稀有な實例であり、既存普通の幣制形態の範疇にあてはめて之を解することはそれ故困難なものである。當時此の制度の本質を理論的に解明し、それが如何なる形態に屬する幣制であるかを充分明かにして、之に適合せる名稱を附與した者が殆ど一人も現れなかつたのは無理もなかつたのである。

例へば當時(明治三十六年)臺灣の幣制問題を論じた一著者は、其の本質に言及して、「臺灣現在の貨幣制度は、名稱は金圓なれども、金貨本位制にあらず、銀貨本位制にあらず、抑又金銀複本位制にもあらず、強いて名稱を求むるならば、金貨的銀貨本位制と云ふべきか」[1]と云つてゐる。「金貨的銀貨本位制」なる名稱は、「……非ず、……非ず、さに非ず」と餘程苦しんだ擧句の果に考へ出した苦心の名稱であることだけは充分判るが、もとよりかゝる用語によつて當時臺灣に行はれた貨幣制度の實體が一向明確に浮び上つて來ないことは否定すべくもない。第一國家の命令に基く「通用」を中心とすれば當時の事實は如何なる意味に於ても銀(貨)本位制と呼ぶことは不可能であつたからこの點事實に適合せざる名稱であり、又島民一般の間に於ける現實の通貨流通を目標とする限り金との關係は之を否定せねばならぬ實情でもあつたので、「金貨的」の形容詞がこの場合には當らなかつた筈である。更にこれを「形式に於ては金(貨)本位なるも實際に於ては銀(貨)本位なり」とすることは最も當時普通の見解であつた如くであるが、[2] これとても種種の難點を包藏し、到底嚴密な理論的討究に堪えぬ常識的見解の域を出づるものでなかつたことは云ふまでもない。例へば、既に見た如く、當時臺灣の貨幣界に於ける金と銀との交錯は決して所謂「形式と實際」の差に包攝し盡されるものでなく、銀貨が金價値に於て通用を與へられ又或る點までかゝるものとして流通せることは厳然たる事實であつた。これをしも形式と云ふべくんば、日本內地に於ける金本位制も、金貨が日本銀行の庫中深く藏せられ現實市場には殆ど全くその流通を見なかつた點に於て、抑も日本內地自身に於ても金本位制は

「形式的」に止り「實際」には終始實行せられなかつたと云ふ論理になる。その誤れるはもとより贅言を要しない。

かくの如く、當時この制度の本質は明確に理解せられてゐなかつた。其の根本理由は上述の如く、當時の事實の稀有にして複雜であつたことにあるが、直接には多くの論者等が臺灣の幣制の多元性に對する充分の認識とそれに應じた手順とを缺いて、卒然全體としての臺灣の幣制を目指し其の概念を定めんとしたからでもあつた。

既に述べた如く全體としての臺灣の通貨流通は、傳統的自然的な通貨と新たに國定せられた貨幣との、抑も原理を異にせる二つの流通から成り、しかも此の二つは渾然融合してゐたものでなく(それは勿論不可能なことである!)、屬人的に各々別個の流通を形成してゐたのであるから、本來それは二元的であり、嚴密な意味に於ては何等「全體」をなさなかつたのであつて、所謂「全體」としての幣制」觀と云つても、現實には併行的に存する二つの獨立せる流通をば便宜上單に併せ總觀するといふだけの意味に於てしか可能でなかつたのである。此の二元性は「流通」に於ては屬人的對立(卽ち內地人間と本島人間の差異)としてあらはれたが、他の見地よりすれば、「通用制」と「流通制」との二重性でもあつた。銀を時價に於て通用せしむとの國家の命令はもとより内地人に對すると本島人に對するとで其の效力を異にせず、租税其他の公納と政府よりの支拂に際しては、内臺人何れも圓銀の時價通用に從はざるを得なかつたのであるから、こゝでは通貨の二元性は主として國家の命令に基く「通用」と私的取引に於けるその「流通」との分裂乃至對立といふ形であらはれたと云ひ得るからである。尤も私的取引に於ても、内地人相互間に於ては、圓銀を時價によつて授受してゐたから、そこでは「通用制」と「流通制」とが一致してゐたが、壓倒的大多數を占めた本島人相互間に於ては後にも述べる如く、圓銀は銀元として秤量制に遵つて授受されたので、概して云ふ時にはかくの如く斷定せざるを得ぬのである。要するに、當時の臺灣の幣制の本質如何といふ問には、二つの略々獨人的に異る流通界の何れを指すか、乃至通用制に就ての問か流通制に對するそれか、先づ問のかゝはる對象を確定してからでなければ抑も答へることが出來なかつたのであつて、所謂全體としての幣制の本質は夫々が明にせられた時、其の單なる合計として自ら與へらるべきものであつたに過ぎぬ。

ところで本島人間に於ける銀流通が領臺當時まで原則として秤量制に遵つたことは前篇に於て詳しく述べたところであり、又それが此の幣制の實施により如何に變形され、又されなかつたかに就ては後に詳しく述べるところである。そこで問題は先づ當時の貨幣に關する國定通用制度即ち圓銀及び臺銀券の時價通用なる制度の本質如何にあると云はねばならぬ。

それは既述のところから既に明である如く、少くとも一種の金本位制なることは疑ふべくもない。勿論今日行はるゝ金本位制の定義には多くの種類乃至亞種があり、又あり得るが、その「定義」は如何やうにあれ、金本位制なるものの中核は、或は貨幣單位（此の場合に正確には、單位貨幣）と金の一定量との等價制度たる點に、或は金（單位金量）の公定價格制たることに、或は本位（ヴエールング）の對外價値が金基礎の上に安定せられる點に、夫々置かれるか、更に素朴的には、金が價格の本位たることに、あるとせられてゐる。その何れが正しいか乃至より適切かを論ずることはもとよりこゝでの問題ではない。それは本來根本に於ける貨幣本質觀上の立場の差異を除けば主として力點の置きどころの相異か用語の差異に過ぎぬ。こゝで云ひ度いことは、其の何れの立場乃至何れの表現を正し（適當）とするも、當時臺灣の貨幣通用制度なるものは絶對に金本位制(の一形態)であつたと認めざるを得ぬと云ふことこれである。

當時臺灣に於て金一匁はもとより五圓、一圓の貨幣と二分の金とは常に等價關係を維持せられ、臺北香港間の爲替相場は金銀比價を規準として變動した點に於て、また其の高さに於て、神戸香港間のそれと何等異るところがなく、また臺灣に於ける租稅其他政府の收支會計、銀行郵便局等の預金乃至貯金、商取引(內地人間及び內臺人間に限る)等全て圓建にて行はれ、其の「圓」は明治三十年十月以降金圓であつた。されぱこそ一圓銀價に「時價」を生じ、その通用價値が九十四錢とか九十二錢とかと定められたのであつて、時價〇・九四圓又は〇・九二圓といふ場合の「圓」は勿論金圓であつた。これ等は當然上記何れの金本位概念を以てするも臺灣の制度を本質上金本位制と見るに何等の缺點なかりしを證するものでなければならぬ。

當時臺灣の通用貨幣として金兌換の日本銀行券と補助貨のあつたことは暫く措く。臺灣獨自の通用貨幣たりし一圓銀貨と圓銀兌換券即ち銀券(銀票)が通用貨幣の主流をなしてゐたこと、これが當時臺灣幣制が實際上金本位制と本質的に異る何かであるかの如き錯覺を一般人に起さしめた最大の原因と考へられるがこれ等の一圓銀貨及び臺灣銀行兌換券は、上述の如く額面一圓が一圓として通用したのでなく、單に「時價」に於て通用したに過ぎぬ。だからそれは一定量の銀塊及び其の請求權をあらはす證書であつた。換言すれば一圓銀貨及びその代理たる臺灣銀行兌換券は此の制度の下に於てはそれ自體單なる商品乃至商品券に他ならなかつた。それが金價値に換算せられて、或る金量の表象とされた限りに於て、始めて流通手段たり得たに過ぎぬ。この點は圓銀公定相場の本質を論ずる際に再說するが、政府を始め臺灣の銀行や一般民が日々收支してゐたものの本質は卽ちかくの如くでしかなかつた。さればこそそれ等は時價卽ち其の時々に變動する價格をもつことが出來たのであつて、其の「價格」は貨幣法實施以來金本位制をとつてゐた我が國の「圓」卽ち金圓により、――又は貨幣法によつて確定されてゐた「一圓」對金量間の等價率(乃至金公定價格)を通じて換算せらるゝ一定の金量として――あらはされたのでもある。貨幣法施行後に於ける我が一圓の本質を如何に解するかは、所謂「ノミナリズム」と「メタリズム」との分れる重要な論點の一つである(周知の如く、此の問題に就ては殊に我國に、山崎覺次郎博士の、こゝに態々引用すべく餘りにも著名な研究があり、諸論作がある[31]。その何れが正しきかは本來說明さるべき貨幣問題の性質(其の基底としての貨幣流通の發達段階)如何によつて異る。當時本位制度が銀から金に移つた許りであり、しかも金計算と銀計算とが同一地域內に於て屬人的に相竝んで行はれてゐた臺灣の事實に就て論をなす場合には、是非共銀圓と金圓とを區別する必要がある。この場合銀圓と區別せられる金圓をば、「貨幣法の一圓」又は「金本位制下の一圓」なりと云ふも、「文字通りの金一圓」卽ち「金の一定量としての一圓」として論をすゝめるも大差はない。兎も角一圓銀貨は銀圓に於てならば當然一圓であつたのであるが、それが幣制改革後例へば九十四錢卽ち〇・九四圓の價格で通用を認められたと云ふことは、卽ち金圓を以て價格を表はされ、金圓として通用せしめられたといふことになる。何れにしてもかくの如く當時臺灣の「一圓」が金圓であつたと云ふことは、とりもなほさず當時の臺灣に於ける幣制が根本に於て金本位制以外の何物でもなかつたことを意味するものでなければならぬ。

金貨流通のなかつたことが何等それを否定する要素でないことは既に述べた。金兌換は如何？　成程貨幣法施行と同時に臺灣に於ける日銀の交換所は從來の銀兌換を停止したのみならず、交換所其のものまで廢止され、其後日本銀行券は島內に於て全然兌換を行つてゐなかつた。然しながら、それは島內だけの事で內地に送つて兌換をもとむることは勿論出來たのであるし、一圓銀貨及び臺銀兌換券は先づ之を公定相場例へば九十四錢の割を以て市場で日銀兌換券に換へるか、或は其の割を以て內地向け送金爲替を取組み、この方法によつて間接にではあるが、公定價格通り(爲替の手數料を暫く措く)の「金」に換へることが出來たのであるから、その金兌換は決して全然其の方途を缺いてゐたのではない。殊に送金爲替の方法は後に盛に利用せられ、爲めに此の制度の再改革を餘儀なからしめた有力な動機の一となつたものであり、寧ろこの方法による金兌換の道が一向閉されてゐなかつたことが此の制度崩壞の一つの原因となつた程であるから、逆に云へば、圓銀及び臺灣銀行券の金兌換性はこの制度が間もなく維持困難となつた事實が最もよく之を立證してゐた、とも云へるのである(後述、「幣制改革の改革」の項を參照)。更に假に其の兌換性が全然なかつたとしても、それが直ちに金本位制を全的に否定する根據になるか。例へば周知の如く獨逸は一九二五年の貨幣法以來兌換規定を全く停止したまゝ今日に至つてゐるが、其のマルクは卽ち金マルクであり、然る限りそれが一種の金本位制であることは疑ない。また自由鑄造に就ては如何？　臺灣の二大金山たる瑞芳（藤田組經營）及び金瓜石（田中長兵衛氏經營）の產金は平價を標準として臺灣銀行が當時買收してゐたし、(4) かゝる方法が實施されなかつたとしても、前述兌換同樣、我が領土の一部に過ぎなかつた臺灣に關しては、何等それは問題でなかつた筈である。かくの如く何れの點より見るも、上述の斷定は改むる必要がないのである。

かくの如く、當時の幣制が一種の金本位制であつたことは全く問題ないのであるが、それが金本位制としては當時極めて特殊の種類に屬するものであつたことも疑なきところである。その特殊性は如何なる點にあつたか。それは先づ一種の金核本位制（ゴールドケルンウェールング）であつた點を擧げねばならぬが、具體的特色は卽ち現實の流通手段が一圓銀貨及び銀兌換券であり、從つて流通手段の額面價値通用が行はれず金圓建時價に換算して通用した點にある。それは國家によつて通用を認められた流通手段が價値單位乃至價格標準たる金圓をそれ自ら體現せず、流通手段自體の計算單位たる銀圓乃至「品位九〇〇、重量一四六グレーン銀」と、價格標準乃至價値單位（金一圓）とが分離し、其の間に金銀比價を基準として定められた公定換算割合を存したまゝ通用に供せられたと云ふことであり、換言すれば流通手段を銀地金の現身に於て金表象、金假象として通用せしめんと企てたことを意味し、更に平たく云へば、即ち金價値(金圓建)にて銀地金を無制限の法貨としたといふことである。而して金本位制下に於て銀地金を無制限の法貨とするには、是非共先づ流通手段たる銀の金による價値表示を必要とするから、金本位制の形態としての特色は、單に「銀地金を流通手段に用ひた」といふ一點に壓縮歸着せしめられる筈である。

曾て山崎覺次郎博士は、明治三十年幣制改革後に於ける我が國の如き金本位國を「金貨の流通せざる金本位國」と呼ばれて、[5] 其の特色に注意され、且金貨の流通が何等金本位制にとり不可缺の條件に非ることを明かにされたが、次で、一九二五年の英國金本位制を始め大戰後に於ける各國金本位制の主潮をば、「金貨を流通せしめざる金本位制」と呼ばれ、[6] 金貨を抑も鑄造せず金塊兌換(賣渡)により、始めから金貨の流通を阻止して金本位制の維持が優に可能であること、否それが大戰後における進歩した金本位國の大勢であることを指摘された。即ち内地に於て明治三十年十月より實施された金本位制が、自ら「金貨の流通せざる金本位制」として運用せられた時、特に臺灣にあつては一步を進めて意識的に「金貨を流通せしめざる金本位制」とせられたのである。と云つてもこれは勿論臺灣の貨幣慣習が進んでゐた爲めでなく、主としては却て一般島民が舊來の銀秤量制から猶脫却し切れなかつた爲めであるから、「金貨を流通せしめざる」理由に至つては、戰後の各國に於ける高度の金本位制と正に逆の性質のものであつた。故にこれと區別する爲めにも別の名稱が必要である。筆者も山崎博士に模して命名しやう。それは「銀地金を流通せしむる金本位制」であつた。領臺後第二期幣制の本質はかゝる概念によつて最も適切に把握表現されると信ずるものである。

「銀塊を流通手段とせる金核本位制」であつたと云ふのが筆者の結論に他ならぬ。而してその意は、「金圓計算による銀(圓銀及び圓銀兌換券)流通制度」といふと同じであるから、當時の事實をそのまゝ表現したもの、從つて其の當否に就て格別の問題はない筈であるが、臺灣の幣制を「銀地金を流通せしむる金本位制」となすことが、事實上貨幣法が臺灣に於ても一部分施行されてゐたと斷定することになるのは勿論であるから、或は貨幣法の施行が當時果して臺灣にありしや、といふ一點に關して、多少の補足を要するかと思ふ。然しそれも上來の論述に於て示された當時の諸事實から見て極めて當然の斷定でなければならぬ。貨幣法の施行なくして、從來銀本位制による貨幣通用の續けられた臺灣に於て何故明治三十年十月より、一圓銀貨が當然「時價」をもち、其の「時價」が當然金價値(金圓であらはされた價値)であつたりすることが出來たらう？　この點には既に述べた如く、本來何等の疑義を生ずべき餘地はない。唯この施行が勅令の明文を以てなされなかつたことと、其の施行が全部的でなく、單に「銀地金を流通せしむる金本位制」の實施に不可缺な程度に止められたこととによつて、法規の上で甚だ漠然たるものがあつたことは事實である。殊に後者即ち施行の程度——「一部分」なるものの具體的限度——如何は其の時々に於ける「實際の必要」に基いて、便宜的に或場合は廣く或場合は狹く解せられたから、臺灣に貨幣法の施行ありや否や、又事實上一部分施行ありとすれば其の程度如何？　に關し、大藏省と臺灣總督府との間にさへ度々解釋の差を生じて甚だ煩はしいものがあつたやうである。當然「金本位制の一種」たる斷定を含む右の如き命名に附隨して、此の問題を明かにして置くことが無用であるまいと考へる理由である。

本來臺灣には有名な「六三法」と稱するものがあつた(現在も制度はそのまゝ存す

るが、此の名稱は用ひられぬ)。それは明治二十九年三月法律第六十三號、「臺灣ニ施行スヘキ法令ニ關スル件」、卽ち臺灣總督の特別立法(委任立法)權を規定した法律であるが、其の第五條に、

第五條　現行ノ法律又ハ將來發布スル法律ニシテ其ノ全部又ハ一部ヲ臺灣ニ施行スルヲ要スルモノハ勅令ヲ以テ之ヲ定ム

とあり、故に前述の如く當時貨幣法施行勅令が發布せられなかつたのであるから、臺灣に貨幣法は假令その一部にせよ施行せられた筈はない、といふのが法律的に正しい解釋である。然るに他方前述の如く臺灣幣制方針を具體的に確立せる明治三十年九月二十一日の大藏省貨幣會議に於て、貨幣法施行勅令の發布は「暫く延期」することに決議したその席上、「極印銀貨時價通用勅令」の發布を實行すべしと決議してゐるのである。然し此の二つ勅令案は論理上本來全く切り離し得ざる性質のものであつた。圓銀の時價通用なるものは、金本位制を前提してのみ成立し得るものであり、前記六三法によれば、施行勅令の發布なき限り、貨幣法は臺灣に絕對に施行なき筈の立前になつて居たからである。此の矛盾を敢て(勿論承知しての事に違ない)冒し、貨幣法の一部施行については何等の手續

を果さずに、極印銀貨使用勅令の一方のみを發布して、暗默の中に「銀地金を流通せしむる金本位制」を臺灣に施いたといふことは、注目に値する擧と云ふの他なく、大藏省當局がかゝる擧に出でた所以は、貨幣法の全部的施行は必要でなかつた(勿論そのまゝ施行すれば圓銀時價通用制と忽ち衝突する)が、施行を要する範圍が豫め明瞭にせられなかつたのか、或は(添田監督局長始め立派な專門家が討議に加はつて居られたことだけから云つてもさういふ失禮な想像は到底許されぬから)、例へば「貨幣法第何條を除き施行す」といふやうな簡單な方法によつては其の必要を滿し得なかつた爲めでもあつたらうか。尤ももし後者ならば貨幣法の一部施行に代へ、別に律令を發布すれば濟んだ筈であるか、兎も角實際にはこれ等に就て何事もなされなかつたのである。

だから此のことが決定せられ臺灣にもその大綱が通知せられるや、總督府側は忽ち種々の疑義に逢着し、其後大藏省との間に煩雜な照會を繰り返してゐるのである。例へば明治三十年九月二十八日臺灣總督府より大藏省に對し、電報を以て、

「本島に貨幣法施行勅令未だ公布なきも、貨幣法は本島にも行はれるものとし

て、十月一日以降諸般の取扱を爲し宜しきや。差向き税關に於ける監理(換算?)に差支ゆ。電報指揮を請ふ」(7)

と照會要請したが之に對し、大藏省は翌日電報にて、

「貨幣法施行の勅令は公布なきも諸般の收支には金貨を標準とし、無傷一圓銀、貨補助貨兌換劵政府紙幣を以て受授すべし」

と回答してゐる。總督府は、右回答を接受するに先立ち、前記六三法との關係に氣付き、重ねて大藏省に打電して曰く、

「貨幣法に付、昨日電報指揮を乞ひしも、再考するに、勅令公布なくして之を行ふことにせば、二十九年法律第六十三號、第五條の明文に抵觸し、他の法律の施行に付ても曖昧となるの結果を來し、不都合を生ずべきに付、勅令發布の取計ひあれ」(8)

此の云はゞ當然の請求に對して、三十日、大藏省の返電は、「貨幣法施行の件、昨日電報の通り」と固執し、「委細郵便」と附加しただけであつたから、勢ひ其の「郵便」なるものをも紹介しなければならぬが、それは、十月六日附になつてゐるのを見ると、此の間六日間相當の討議が此の問題に加へられた上で發せられたも

のに違ない。

「臺灣に貨幣法實施の勅令發布せられざるも、總督府の豫算は勿論、其他稅金の徵收、政府の支拂等は凡て圓と稱するもの(!)を以て取極め、其圓と稱するものは我金圓の事に有之候(!)は從來臺灣に一圓銀を本位貨幣とするの勅令發布せられざるも、尙圓銀を以て計算其他總ての標準とせしに同じ仕組に致度義に有之候(!?)。而して實際に受授するものは、兌換劵幷に五十錢以下の補助貨及引上げ濟舊一圓銀貨に刻印を付し(舊一圓銀は時價を以て受授の見込)たるものを以て之に充て度見込に有之候。右の如くするも二十九年法律第六十三號第五條には抵觸は不致筈義と被存候(??)。此段御回答候也(下略[11])」(圈點及括弧內符號は筆者の附せるもの)

此の最後の文書は種々の點に於て極めて興味がある。大藏省が、貨幣法勅令の公布なきに係らず、臺灣總督府の豫算其他收支一切の計算を事實上貨幣法の施行ありしものとして取扱はしむる意思を表明してゐる點は其の一であり、「圓」の定義を試みて「金圓」の意なりと斷定してゐることは其の二であり、日銀兌換劵補助貨の如き金本位制下の貨幣の額面通用を臺灣に實施する意を明かにした點は其の三であり、それ等一切のことが何等六三法(第五條)の規定と牴觸せずと斷定したことは其の四である。然し最後の認定には勿論何等根據は示されなかつた。「從來臺灣に一圓銀(貨)を本位貨幣とする勅令發布せられざるも、尙圓銀を以て計算其他總ての標準とした」と云ふことは、六三法なるものが明治二十九年三月に公布せられたもので、領臺後その時までは、臺灣の特別立法制度が猶存しなかつたので貨幣法施行勅令の要否とは無關係な事實であつたし、其後明治三十年十月までの期間に於ても抑も我が國の本位制が、當時明治十九年一月一日の銀兌換開始以來「事實上の銀本位制」となつてゐただけで、勅令を以て臺灣に施行すべき本國法規が存しなかつたのであるから、當然其の手續はとりやうがなかつたのであつて、「前例」としても其の性質が異るのである。だから六三法に牴觸しないとの斷定は全く根據なき、獨斷に過ぎなかつた。尤も法規なくして經過した前歷は、明治初年以後貨幣法制定に至る我が國貨幣史に其の例甚だ多かつたから、臺灣幣制も改革の第一着手の段階に於てはかゝる點まで母國の例に倣はしむるつもりであつたのかも知れぬ。

其後、此の制度の實際の運用に際しても貨幣法の施行勅令發布なかりし爲め法規上の根據を缺いてなされた重大な改革は極めて多かつた。例へば前述の如く、貨幣法と同時に發布された、貨幣法補完の勅令第三三八號、即ち一圓銀貨の通用期限を明治三十一年四月一日限りと定めた勅令も、その施行の勅令が發布せられなかつたから、本來なら、臺灣に效力は及ばず、從つて一圓銀貨は永久に臺灣に於ては法貨として從前通り額面價値を以て通用すべき筈であつたが、總督府が十一月十八日電報を以て、

「圓銀の通用禁止に係る勅令の效力は本島に及ばざるも、三十一年四月一日以後本府の歳入に圓銀を受取るは出來難きことと考ふるにつき、同日限り歳入として受取らざる告示を發する見込。差支なきや。指揮を乞ふ[12]」

と問合せたるに對し、即日大藏省は御見込の通り[13]」と回答してゐる(但し實際には、島民の利益を害し總督府の徴税成績に影響あるを虞れ、後政策を變じて一圓銀貨の額面通用を七月末日まで延期した)。然し、施行勅令の發布なくして幣制改革に關する法規は宛かも臺灣に施行せられたと同樣便宜的に取扱ふ、といふこ

の新原則が、時に大藏省自らによつて否定されたこともなかつたではない。例へば、同じ問題に關し、一圓銀貨の引換期限が四月一日限りとせられる不便と、島民一般の手に充分極印銀貨がゆき渡らざる傾向ありしを救ふ目的を以て、兌換券と極印銀貨との自由交換を擴張して、一圓銀貨と極印銀貨との交換をも認むることを總督府が要請した際に、大藏省はそれを許可せず、其の理由として、

「右は兼て大藏省告示第六十一號を以て一圓銀貨は專ら中央金庫に於て金貨と交換し、各地にては各本金庫に於て其取次を爲す旨、公布相成候處、もし臺灣に於て極印銀貨と時價を以ての交換を差許し候ては、特に臺灣に限り引換を許す事と同一に相成、告示第六十一號の主旨に戻り候に付[14]」

と大藏省告示を援用したまでは此の新原則によつたわけであるが、これに對し總督府が、告示第六十一號の主旨に反すると云ふなら、抑も此の告示は臺灣に於ても有效であると云ふことになるから、告示の規定通り臺灣の本支金庫に於ても一圓銀貨と金貨との交換取次をなすべき筈であるが、果して然るか、を重ねて大藏省に問ひ合せたところ、其の結果は、勿論金貨との交換取次は指令されず、單に一圓銀貨の額面通用の延期といふ處置がとられたに過ぎなかつた[15]。

卽ち、一圓銀貨を極印銀貨に引換へるといふ總督府の便宜的處置に對しては其れを不可とする根據に大藏省告示は施行手續なきも臺灣に效力ありとせられたが、同じ告示中一圓銀貨を金貨に引換へる義務に關しては全然臺灣に施行なきものとされ、此の場合には六三法非認の新原則は用ひられなかつたわけである。それは、貨幣法そのものが「銀地金を流通せしむる金本位制」の施行に必要な最少限度に於て暗默の中に(しかも明治二十九年法律六十三號の明文との明かな抵觸を犯して)臺灣に施行され、附則第十六條の如きは施行の必要なしとして始めから實施なきものとせられた「實際主義」乃至「便宜主義」の必然の歸結でしかなかつたらう。

以上比較的詳細に法規制定の上に於ける無秩序、混亂の實際を述べたが、それは一部分制度そのものの矛盾——卽ち母國の採用する「金貨の流通せざる金本位制」と臺灣に施かれた「銀地金を流通せしむる金本位制」との矛盾——に源を發したものであり、結局は「銀地金の流通」と「金本位制」とを結合した臺灣の制度に無理があつたことが重大な原因でなければならぬ。それを述べて、此の制度が如何に弊害百出、終に維持不可能に陷つて、「幣制改革」の「改革」が必要になかつたかを明かにするのは次に殘された課題である。(その際當然此の通用制が本島人間に如何に受容され又されなかつたかに觸れ、其の點から一般島民間に於ける貨幣流通といふ見地より見た臺灣幣制の本質も具體的に示されるであらう。)それにしても、貨幣法が臺灣に明文を以て施行せられなかつたにかゝはらず、貨幣法の一部施行が、實際當時臺灣に存したこと、從つて臺灣の幣制をその一部施行とのみ兩立するところの一種の金核本位制度、即ち「銀地金を流通せしむる金本位制」であつたとなす筆者の見解が、貨幣法施行令の發布なかりしことによつて何等覆るものでないことは充分明瞭にせられたことと考へる。

(1) 木村匡著、臺灣貨幣問題、四三頁。

(2) かゝる見解は殊に現地臺灣の官廳、臺銀等に於ける最も普通の幣制觀であつた。代表的な例として、明治三十四年十一月以降臺灣總督府參事官たりし持地六三郎氏の著「臺灣殖民政策」中に、「……當時臺灣の幣制は形式に於ては金貨本位なるも、實際に於ては銀貨本位にして……」(一四九—一五〇頁)とある。

(3) 山崎覺次郎博士の著書論文中、此の問題に直接間接關係あるものを擧げるとなれば、極めて多數に上る。特に關係深きもののみを算へても次の十數種に達する。

一、法學協會雜誌(第二十六卷、第四號)、「價値ノ單位トハ何ゾヤ」(明治四十一年四月)

一、法學志林、(第十二卷、第四號)、「貨幣法改正ノ結果ニ關スル桂首相及武富時敏氏ノ意見ヲ論評ス」(明治四十三年四月)。後に「貨幣銀行問題一斑」中に採錄(第八篇、「明治三十年貨幣法改正ノ結果ニ關スル謬見」、同書二五三頁以下)

一、國家學會雜誌(第三十一卷、第一號)、「價値ノ單位ノ本質」(大正五年一月)

一、貨幣銀行問題一斑(初版明治四十五年一月、訂正再版同年五月、改訂增補第三版大正七年十月、同四版大正九年一月)、第四編、「價値ノ單位」、就中、第二節「價値ノ單位ノ意義ニ關スル金屬派の謬見」(同書一三一—六頁)及び第三節「價値ノ單位ノ眞意義」(同書一三七—一四七頁)

一、經濟學論集(第四卷、第二號)、「貨幣の數量」(大正十四年十一月)、就中、三、「貨幣ノ數量ト其單位」。此の論文は後に論文集「若干ノ貨幣問題」(初版昭和二年三月——增訂再版、昭和九年九月)中に採錄せられた(同書二〇九—二一六頁)。

一、經濟商業論纂(第一號)、「貨幣法第二條」、就中、三、「『圓』其他の貨幣單位の意義」(昭和六年十一月)。此の論文は後に論文集「貨幣問題雜觀」(昭和八年十月)中に採錄(同書一三七頁以下)

一、經濟商業論纂、(第三號)、「貨幣單位に關する雜考二三」(昭和七年十月)。後に此の論文も「貨幣問題雜觀」中に採錄(同書一八一頁以下)

一、貨幣概論特に第三章第四節、及び第一節(昭和四年三月)。

一、貨幣讀本特に第三章第五節(同書六五—九頁)及び第四章第一節(七五—六頁)(昭和八年五月)。

一、國家學界雜誌(第三十一卷、第十號)、「金地金ノ價格騰貴ニ就テ」(大正六年十月)

一、同上誌(第三十一卷、第十二號)、「金地金ノ價格騰貴ニ關スル福田博士及ビ河上博士ノ論文ヲ讀ミテ」(大正六年十二月)

一、貨幣銀行問題一斑、第三編、「金地金ノ價格騰貴」(同書改訂增補第四版、九七頁以下)
一、若干の貨幣問題、第七編、「金地金の騰貴」(同書增訂再版二五三頁以下)
一、國家學界雜誌、(第四十四卷、第十號)、「金の價値及び金本位制の意義」(昭和五年十月)。同論文は後に「貨幣問題雜觀」に採錄、(同書三頁以下)(昭和八年五月)

猶同博士の此の同題に關する論作に就き一層詳しくは、山崎教授還曆記念、經濟學研究(昭和四年四月)金融編、附錄、山崎博士著作目錄、を參照せられ度い。

(4) 臺灣銀行二十年誌、二九四頁。

(5) 始めに「金貨の流通せざる金本位國」なる語を山崎博士が用ひられたのは、明治四十四年五月、法學協會雜誌(第二十九卷第五號)に於ける、同名の論文に於てである。次で、大正五年四月、同誌(第三十二卷第四號)に、「再び『金貨の流通せざる金本位國』に就て」と題する論文を掲載せられたが、此の兩者は後に、「貨幣銀行問題一斑」の增補第三版(大正七年十月)に收錄せられた。

(6) 「金貨を流通せしめざる金本位制」なる語は、昭和三年十月、國家學界雜誌に掲載せられた同名の論文に於て山崎博士が始めて用ひられたもので、其の後此の論文は、「貨幣概論」(昭和四年)の附錄とせられたが、最近改めて「貨幣問題雜觀」(昭和八年十月)中第二編(同書五一頁以下)として同書に收錄せられてゐる。

(7)、(8)、(9)、(10)、(11) 大藏省理財局編「貨幣法制定及實施報告」六四七—八頁。

(12)、(13) 貨幣法制定及實施報告、六五八同。

(14)、(15) 同書、六六四—七頁。

新幣制の運用とその結果

――圓銀公定相場と銀塊投機――

「銀地金を流通せしむる金本位制」の特色は、前述の如く、一圓銀貨(及びそれで兌換する臺灣銀行券)が、時價卽ち金圓計算を以て、換言すれば銀地金として取扱はれつゝ、しかも無制限の通用を認められた點にある。時價は政府の公定相場として命令せられたから、此の制度は、圓銀の公定相場の決定とその變更を中心として運用せられたものである。此の制度の實際上に於ける利弊の悉くが、直接間接公定相場をめぐる問題として生起したのは當然であつた。

先づ「公定相場」とは抑も何であつたか。其の實質及び其の必要であつた所以に就ては、この制度の輪劃を述べた際既に闡說したところであるが、再びこゝでそれを一層明瞭にして置かう。卽ちそれは一圓銀貨及びその一枚以上を代表する臺灣銀行券を金價値(金圓計算)に於て通用せしむる制度の建前にもとづき、これ等の「銀地金」の或る期間に於ける通用價値を政府が公けに定めたものに他ならぬ。一圓銀貨及び銀行券(銀券又は銀票)は此の制度の下に於ては「銀塊」としての資格しか與へられなかつたから、其の市價(卽ち金圓であらはした價格)は本來日々變動すべき筈のものであつた。然しながら、これを通貨として日々授受するに際し、其の時々の「時價」によらしむるといふことでは、到底其の煩に堪えず、各地の銀市場によつて同じ時に於ても市價には差異があるから、第一其の時價は何を標準として定むべきかに就て種々の紛議を生じたであらうし、更には期限内に一樣に納稅義務を果す者も、納期中に於ける銀相場の變動乃至その地方的差異により、同一稅額に圓銀の異る枚數を支拂はなければならぬといふ結果になつても、もとより租稅負擔の公平は期せられず、かくてはまた常に官民間に多大の紛議を惹起したであらう。實際問題として、一圓銀貨の金圓換算額を文字通りの「時價」によらしむ、といふことでは、一圓銀貨及び銀劵の金價値流通なるものは結局全く行はれなかつたに違ない。政府が進んで或る期間内に於ける其の金圓價格を一定して、圓銀、銀行劵の通用力を確定し、又その流通もこれに準據せしめんとしたことは、この制度の運用上云はゞ絕對的必要にもとづいて行はれた處置であつた。寔に一圓銀貨の公定相場なるものは、價値單位乃至價格標準と實際の流通手段とを結果に於て金と銀との間に分裂せしむる此の貨幣制度を臺灣に實施せんとした時、即ち銀地金といふ商品貨幣を金本位制下に於ける支配的流通手段たらしめんとした時、必然的に含意されてゐた筈のものであつた。繰り返して云へば、この制度の下に於て一圓銀貨及び其の代理たる臺灣銀行券はそれ自體としては通貨ではなかつた。それが或る金量の表象たる限りに於て、始めてそれは通貨となつた。それが金量の表象となるには金銀比價を前提した。故に一圓銀貨一枚が具體的に幾何の金量の表象たるかを確定した此の公定相場なるものは、商品としての銀(及び其の票券)に通貨としての機能を、即ち現實に通用し流通することを、可能にしたところの、前記勅令の運用上に於ける不可缺の補完者であり、この意味で「銀地金を流通せしむる金本位制」の中核をなすものであつたと云ふべきである。

　では公定相場は如何にして決定せられたか。明治三十年十一月十三日告示(第六七號)の「金貨千圓に付圓銀千三十七枚」及び其の建方を單に變更せるに過ぎぬ十二月五日告示(第七〇號)の「圓銀一枚に付金九十六錢四厘」なる最初の公定相場は、香港に於ける墨西哥銀と圓銀との間の相場を基準として定めたものであつた。當時圓銀は我が國に於て額面を以て金貨と交換せられてゐた(貨幣法第十六條前段の規定により)から、圓銀一枚は、香港其他の海外市場に於て、現送費用を考慮の外に置けば卽ち我が金貨の一圓と同價値と看做され、墨西哥銀と圓銀との間の相場も實質上一種の金銀比價となつてゐた。貨幣法の施行前後偶々銀塊相場が低落し金銀比價が金に有利に變化すると共に、墨西哥銀に比して銀分やゝ少なき我が一圓銀貨が、却て墨西哥銀よりもこれ等の市場に於て高き價値を認められることとなり、例へば十一月初旬には香港市場に於て圓銀千圓に對し墨西哥銀千三十二弗前後の相場を生じたのは、全く右の事情に基くものであつたし、一見銀貨相互間の相場に過ぎぬ墨銀と圓銀との間の相場を臺灣の圓銀公定相場(金圓を以てする銀地金の相場)に其の標準として利用し得た理由もそこにあつたのである。卽ち第一回の公定相場は、香港市場に於ける圓銀千圓に對し墨銀千三十二弗を基準とし之に兩者間の銀純分の差と現送費用を考慮に加へて、金貨千圓は圓銀千三十七枚(圓銀一枚の價格金九十六錢四厘)とせられたのである。[1]

　然し公定價格決定の際準據すべき原則は當時猶明確に定められてゐなかつたので其後三十一年二月七日大藏省内に臺灣貨幣制度調査會なるものが設置せられ、專ら臺灣幣制問題の審議に當るに及び同調査會はその原則の原案を作製その報告に基き貨幣會議は公定價格決定の原則として、一、倫敦、香港及び臺灣に於ける銀相場を參酌して定むること、二、三ヶ月毎に改訂すること、三、銀塊相場に非常の變動ある時は三ヶ月以內と雖も隨時改訂すること、の三條を議決した。大藏省議は、標準銀相場として倫敦相場の代りに上海相場を參酌することに改め、且三ヶ月毎に改訂すべしとの原案を、前六ヶ月の平均銀相場に依り定むることに變更して、四月十三日[2]それを閣議に提出したのである。然るに閣議に於て更に修正を蒙り、閣議決定事項として最後に確定を見た公定價格決定の原則なるものは結局、

「時價は上海香港臺灣等に於ける前四ヶ月の平均銀相場に依り、毎四ヶ月之を定む」

といふのであつた[3]。

此の原則は明治三十三年八月に至るまで實行せられ、公定相場は、上海、香港、臺北に於ける銀相場を參酌して四ヶ月毎に改訂された(尤も四ヶ月後銀塊相場に大なる變化なき時は勿論そのまゝ据置かれた)のであるが、三十三年六月北清時變の勃發後、銀塊相場の變動漸く頻りとなり、四ヶ月改訂制度の持續困難

となつたので、同年八月右原則に例外を認め、

「尤も銀價に非常の變動ある時は、右平均相場に依らず、何時たりとも之を改定することを得」

としたのである。猶公定相場改定の權限は當然大藏大臣に屬したが、それでは機宜の處置に差支を生ずるとて、同年九月には其の權限が臺灣總督に委任せられ、又初期に於ては公定相場の發表は數日前に之を爲したが、後には前日發表することに改め、更に後に至つては前夜諸般の取引終了を待ち發表することに改められた[4]。


かくの如く、公定價格の決定には、始めは甚だ嚴密なる標準を定め、又其の變更は六ヶ月に一回即ち年二回程度以上に亙らざるやう、考案されたものであつたのであるが、實施に際しては四ヶ月に一回變更の原則として確立し、後にはこれさへ不便なりとて修正され、實施後二ヶ月有餘にして、それは準據すべき何等の標準も指定せらるゝことなく、全く臨機應變、單に臺灣總督の妥當と考へるところに基いて、如何やうにも、又何時でも、全く自由に變更し得ることとなつたのである。

抑もこの公定相場の決定たる、圓銀及び銀券を以て現實の流通手段となさしむる制度の下では、其の變更は卽ち人民の財產、債權債務等を忽ち增減せしむる結果をもつ點に於て實に重大なる事項であつた。例へば其の引下げは、何等租稅法規の改正なくして、納稅者に對し增稅と毫も異らぬ負擔の重加を結果するものである一點に思ひ至つても、總督に許された權限が其の性質上如何に重大なものであつたかを知り得るであらう。諸般の取引の終了を待つて、夜中卒然翌日よりの時價を變更したと云ふことは、云はゞ全くの「闇討」に他ならぬ。かくの如き運用が止むに止まれぬ必要に發したものであつたことは、これだけのことからも當然推定せられる筈である。それを必要ならしめた事情は、では何であつたか。それは當時臺灣に於て銀が(より適切には金銀比價の變動に應じて、金銀共に)投機の對象となり、公定相場そのものも、その變更の有無及び將來の高さ如何に關して、投機の有力な材料となつたこと、これである。それは抑も公定相場制度が、換言すれば「銀地金を流通せしむる金本位」そのものが、包藏してゐた本質的な難點の如何なる性質のものであつたかを、最も明瞭に暴露せるものでもあつたから、それに就て少し全面的な論究を加へねばなるまい。

一體「銀地金を流通せしむる金本位制」なるものは臺灣に於ける貨幣通用制に着目すれば確かに當時實際に行はれた制度として之を認むることに何等の躊躇を要せぬが、臺灣の貨幣流通の實際がかくの如き國定貨幣通用制度にそのまゝ遵つたかと云へば、もとより然らずと斷定せねばならぬ。前に當時の臺灣の貨幣流通が全體としては多元的であつたと云つたのもこの爲めである。抑も圓銀及び銀券時價通用制度なるものに本來含まれた課題は、

第一に、在來の雜多な銀元以下の貨幣（銀貨）種類を圓銀の一種類に統一すること、（就中外國銀貨、殊に chopped dollar を流通から驅逐すること）、

、第二に、計算單位「圓」の慣行を確立し、後の支那幣制改革に於ける「廢兩改元」の過程に比すべき、「廢元改圓」を實現すること、

第三に、その「圓」とは三十年十月以來金圓であつたから、舊來の銀價格標準制を金價格標準制[5]に改むること、

第四に、銀行券の流通を普及せしめて、本島人未經驗の紙券の授受に慣熟せしむること、

最後に、以上の過程が全て實現せられた曉には、其の當然の結果としてさう

なるのであるが、第五に、所謂名目的貨幣流通――そこでは流通手段が其の固有の素材價値(地金價値)流通を脱却し、「(金貨の五圓も)銀行券又は補助貨幣の五圓も、貨幣の一定量たる五圓としては全然同じで其の價値に差異はない」[6]ものとして流通する――を成立せしむること。換言すれば、銀貨、銅貨、銀行券等、「之を構成する物質の如何を問はず、又預金貨幣の如く全く形態を具へないもの」[7]も「各個並に各種の貨幣が融解結合し」[8]、そこに成立する「統一的一體としての貨幣」[9]の一定量、即ち質の差を止揚し量に於ける大小以外には全く無差別にして平等な貨幣の一定量として、個々の流通手段が額面價値を以てする完全な相互代替性を實現すること。最も簡單に之を表現すれば、即ち「秤量貨幣制の廢止」を實現すること、

この五點にあつた。この最後の點は勿論「銀地金を流通せしむる金本位制」が直接目指した目標ではなかつたが、究極の到達點がそこにあつたことは明かである。又、以上の五點が全て此の制度の實施に際し意識的に追求せられた目的であつたといふのは當らぬが、もし此の通用制にして臺灣に於ける貨幣流通を完全に貫徹し之を支配することが出來たとすれば、其の場合にはかゝる結果が自ら實

現された筈だ、といふのである。

然らば流通の實際は如何であつたか。先づ内地人間に於ては以上五點の殆ど全部がそのまゝ實現せられたと云つて過言でなかつた。そこでは此の制度に含まれぬ日本銀行兌換券と補助貨の流通があり、また一圓銀貨及び臺灣銀行兌換券(銀券)は政府の公定相場通り、金圓計算を以て授受せられ、粗銀其他日本政府の貨幣以外は全然流通しなかつたからである。次に内地人と本島人との間の取引も其の大部分は圓銀の時價通用に準據して行はれたと云ふ。[10] 然るに最も肝心な本島人相互間の流通に一度眼を轉ずるや、事情は全く別であつた。前編に詳述した如き、本島人の間に於ける、緩和せられた秤量制(既に多少名目制への漸次的轉向が認められなかつたではないが然かも原則上は飽くまで秤量制に從つて各種通貨の流通が行はれてゐた)の牢固たる慣行は、到底一片の法令のよく動かし得るところでなかつたから、本島人は依然として「元」を價格標準となし、一圓銀貨と政府が補助貨として其の額面通用を認めたところの五十錢以下の小額銀貨との間に流通上何等の差異を認めず、一圓銀貨は其の地金價値庫平七錢二分四厘一毫餘に着目して、地方的慣習の差異に應じ、或は七三銀(庫平七錢三分又は七二銀(七錢二分)、又は七錢銀(これ等の異る銀量が各地に於て夫々一元の銀量とせられたことは前篇に詳しく述べた)に換算せられ、夫々九角九點二文、一元七文、一元三點四文餘の價値に於て流通した。卽ち圓銀の金圓計算を以てする流通制、換言すれば流通過程に於て圓銀を金表象(ゴールドツアイヘン)たらしめんとした國家の命令に、臺灣流通界に於ける銀秤量慣習が頑として反撥し、あくまでその現身の商品性に卽してそれを過したのである。

これは全く自然の事理と云ふの他はなかつた。既に領臺當時から我が一圓銀貨は臺灣に比較的多額に流入して居つたが、それは、一切の銀貨を「貨幣の一定量」としてではなく「銀の一定量」に還元して流通價値を定むるところの、銀秤量制中に取り入れられての事であつた。雜種秤量貨幣の段階に於ても各種銀貨は、如何なる意味でも「統一的一體」を形成しなかつたといふのではない。各種銀貨は、もとより銀地金としては統一的一體をなし、各種銀貨は、無差別にして平等な銀の一定量として其の價値を定められたのである。其れと、名目的貨幣流通の場合に於けるとの差異は、一方が各種流通手段の統一により「類」としての「貨幣」を新生するに反し、他方は、各種銀貨が其の附加物たる國民的制服を脱ぎ棄て「自然の姿」に還元せられることにより、本來の地金としての同一性を回復する點にある。前者は「高次なるものへの統一」を意味し、後者は單に「本來的なる同一性」への還元」を意味する。これ名目的乃至票券的貨幣流通と金屬主義的貨幣流通との差異に含まるゝ根本の意味でなければならぬ。臺灣の流通界に投ぜられた一圓銀貨は名目的貨幣流通を創造する代りに、從來の地金主義的流通の坩堝に取入られそこで地金に「熔解」(!)せられたのである。それは此の制度によつて達成せらるべかりしものが金圓を基礎とする名目的貨幣流通(そこでは「金一圓」の代りに單なる「一圓」が「統一的一體としての貨幣の數量單位」として機能する)であつたに對し、其れへの楷梯として金貨流通乃至金貨兌換を實行することなく、現實の流通手段として指定せられたものが特に彼等の多年慣用せる「銀元」の一種たる一圓銀貨であつたといふことから見て、寧ろ當然至極の結果であつたらう。

凡そ如何なる流通手段を以てするも、銀秤量制下の島民をして卒然それを金表象として授受する新慣習を創生せしむることは、容易ならぬことであつたに違ない。それは二段の飛躍卽ち、銀價格標準より金價格標準への推移と更に根本に於ては金を基礎としつゝ流通の表面に於ては「圓」が金屬價値を止揚せる貨幣數量單位として妥當する段階への轉向とを含むが故である。換言すればそれは先づ「銀元」を「金圓」に轉化し、更に金圓を(國内流通に關する限り)單純なる「圓」に再轉化する二段の過程によつてのみ實現し得べかりしものであつた。蓋し「金圓」と云つても當時「金貨を流通せしめざる金本位」として實施された臺灣の制度の下にあつては當然金秤量制は實現さるべくもなかつたからである。況や一圓銀貨——抑も墨西哥銀に則つて鑄造せられた我が一圓銀貨を流通手段とした此の制度に於てをや。それを從來なし來つた如く「銀元」として授受し、「元」建制を依然持續することは島民に何等の苦もなかつた筈である。かくて、名目的貨幣流通と「廢元改圓」と金計算制とは三者共に島民間には當然なる如く、實現し得なかつたのである。

卽ち、政府が圓銀は時價を以て、補助銀貨は額面を以て通用せしむと定めたにも拘らず、それが行はれなかつた事實を示すものとして、例へば明治三十三年十一月初旬臺中市街及び其の附近にに於ける兩替相場を擧げて置かう。それは二十錢以下の補助銀貨の一圓は金一圓四錢とし、又五十錢銀貨の一圓は金一圓二錢となし、粗銀 clopped dollar 一枚を金一圓四錢とした。此の時日本銀行兌換券も額面價値以上の相場をもち一圓に就き二錢の打歩をもつたから、五十錢銀貨二枚が金一圓二錢とせられたといふことは、即ち日銀兌換券との間に差異を置かれなかつたことを意味したが、二十錢以下の小銀貨との間には明かに開きを存したし、日銀兌換券も補助銀貨も全て額面通りに流通しなかつたことに變りはなかつた。(日銀兌換券及び五十錢銀貨が打步を要求したのは兩替業者の手數料であつたといふことは何等反對の理由とはならぬ。兩替相場が成立つことそれ自體が既に額面價値流通の否定である)。一體三十三年十一月初旬に於ける政府の圓銀公定相場は、後掲表の如く、圓銀一枚に付金一圓〇五錢であつて、此の時銀は高かつたのであるが、市中相場に於ては、この時の公定相場通り圓銀及び銀券の一圓は金一圓五錢とせられたから、それと日銀兌換券及び五十錢銀貨との比價は、前者の一圓が後者の一圓三錢弱(後者の一圓こそ即ち本來の金一圓であつた筈)にしか當らなかつたわけであり、又二十錢以下の銀貨に對しては、その一圓九厘六毛餘にしか相當しなかつたわけであつて、內地人が混住する市街地に於ても、圓銀一枚金一圓五錢の公定相場による流通と、日銀兌換券及び補助銀貨の額面通用とは共に實現し得なかつたのである。

上述の如く、銀地金を金圓計算にて流通せしむる制度が、「金貨を流通せしめざる金本位制」の一種であつた點より、實際にもし「金圓」計算が行はるゝに至つたとすれば、それは最早秤量制の基礎の上に立つ金價格標準の成立ではなしに、一層高度の、「名目的貨幣單位」の成立と相表裏するものでなければならなかつた。換言すれば、「金圓建」なるものが結局抽象的な「圓建」をその現象形態としてもつといふことが、制度そのものの仕組から必然的に命せられてゐたものであつた。更に云ひ換れば、同じ「圓」で表現されても圓銀及び銀券の「一圓」は單なる流通手段銀の一定量(圓銀一枚の重量)をあらはすものに過ぎなかつたが、これに反し、日銀兌換券補助貨等の數量單位たるのみならず、同時に圓銀と銀券の時價もそれで表示せらるゝ(流通手段の價値表示に用ひらるゝ)貨幣單位乃至計算單位としての圓は、それと全く別個の觀念であり、貨幣法によつて金の一定量との間に等價の確立維持せられし點で「金圓」と呼ぶべきものは卽ちこれであつたから、「金圓」計算の確立とはとりもなほさず、統一的抽象的貨幣單位「圓」が流通過程に計算單位として君臨することでなければならなかつたのである。このことは內地人の間に於ては事實上實現されたことでもあつた。然るに此の課題は銀元價格標準制の傳統をもつ本島人には二重の飛躍を意味した難題であつたのみならず、他方殊に一圓銀貨を流通手段に用ひたそのことが、何よりも先づ「確定せられた一定銀量」たる舊來慣用の「元」の同類として「圓」を受容せしめたから、とりもなほさずそれは本島人の間に「圓」計算單位制度の成立を絶對に不可能ならしむる最も有力な要素として作用するといふ效果を生じた。即ち本來高度の金本位制の形態たる「金貨を流通せしめざる金本位制」を、臺灣の低き通貨慣習に適應せしめて「銀地金を流通せしめる金本位制」としたことは、結局「課題」とその實現の「手段」とを絶對不可避な矛盾に置いたものであつた。これが「銀地金を流通せしむる金本位制」の包藏せる最も根本的な矛盾であつた。つまりそれは始めからそのまゝは本島人に受容せらるることなきものとして構成された「制度」であつた。本島人によつて易々と受け入れられたものは「流通手段」そのもの(銀塊としての一圓銀貨)であつて、政府が希望した「その流通價値に關する原理」では斷じてなかつたのである。

唯こゝで一層精細の論をなすならば、この制度が本島人の間に於ける元建銀秤量制の基礎に全然何等の影響も與ふることなく、一圓銀貨が單に元建秤量制中に取入れたことを以て結末をつげた、とのみ斷定して止むべきではない。それはそれによつて粗銀即ち chopped dollar を或る程度まで臺灣の流通界から驅逐することに成功したことと密接な關係がある。(前述の如く、明治三十六年九月に輸入粗銀に對する禁止的課税の制度が設けられたことからも其の完全なる驅逐は容易でなかつたことを認めなければならぬが)。例へば、前に度々引用した臺灣銀行員の視察復明書は、當時の地方廳であつた各辨務處[12]の、明治三十三年上半季間に於ける、臺南、嘉義、鹽水港、蕃薯寮、蔴豆、東港、恒春、大目降等各地方に關する調査をもととして、外國銀元殊に粗銀が政府への公納に用ひられなくなつた爲め、一般に之が授受を不便とし、其の流通量も臺南市の例外を除いては僅少となつてゐたことを報告してゐる[13]。又同書が引用してゐる臺南の一本島人砂糖商[14]の調査によれば、比較的粗銀の流通が大であつた當時の臺南市街地に於ても、銀の流通總額中四割は我が圓銀及び銀券(臺灣銀行券)であり、鑿印の全然なき又は甚だしからぬ墨西哥銀が二割、日本圓銀及び外國銀元にして鑿印を施され粗銀となり居るものが四割であつたと傳へて居る[15]。又臺中地方の實例として同書は、「日本圓銀及び臺灣銀行券は何れも適宜流通し、而して圓銀、銀券及び補助貨は流通上最も便利とせられ、粗銀及臺灣錢は土人と雖も大口の取引を營む者に在つては自ら之を不便と認むるものの如し[16]」と誌して居り、又新竹(市街地)の實狀としては、「當地方市街に於て通貨の最も多く流通するものは銀券にして、政府極印付(圓銀)之に次ぎ[17]、無傷圓銀、臺灣錢及び粗銀又之に次ぐ」と述べてゐる。かゝる傾向が總督府所在地たる臺北に於て一層顯著であつたことは云ふまでもなかつたから、圓銀及び銀券によつて、雜多な銀元が相當統一せられたことは認めざるを得ないのである。而して銀流通の主流がかくの如く圓銀(及び銀券)となれば、元建制は依然として行はるゝ共、現實に流通する銀貨幣を價格標準「銀元」(前記七三、七二、七錢、六八等の價格標準)に換算することの煩はそれだけ簡單となり換算率は益々確定的となる。例へば庫平七錢を以て一元とする臺中地方の慣習に例をとれば、圓銀一枚は前揭の如く一・〇三四元として授受せられたが、授受する銀貨が殆ど常に圓銀であるといふことになれば標準銀元への換算率一・〇三四の用ひられることが壓倒的に多くなり、それに應じて秤量の必要は減ずるのである。極端な場合としてもし圓銀が授受せらるゝ唯一の銀貨となれば、最早秤量は何等必要でなく、流通手段としての銀元と價格標準としての「元」との換算率は慣習的に一・〇三四に固定する。その場合果して庫平七錢を以て一元とする制がながく維持されるか、恐らく、舊單位の一・〇三四倍(七錢二分四釐弱、それは即ち圓銀の庫平による重量)の觀念的銀量が新しき「元」價格標準として確立せられたであらう。假に確立せられないにしても實際にはそれと何等變りなき結果が實現されたに違ひない。かくの如き「元」の内容に關する慣習の變化は決して架空のものでなく、現に淸國時代末期臺南地方に於て、主要流通銀貨が庫平七錢二分の西班牙弗より六錢八分の老公仔銀、如意銀に、更にそれより外國銀元就中墨西哥銀に移つた爲め、それに應じて價格標準「元」の内容も庫平七錢二分(七二銀)より六錢八分(六八銀)を經て七三銀に變化したことは、前篇に於て詳しく見た如くであつた。又、昭和十年の今日に於ても、一般の島民は依然として、其の臺灣銀行券によつて授受するや補助貨によるやを問はず、價格(貨幣額)一圓を常に「一元銀」と稱し、百圓を「一百元銀」と稱して怪しまず。それは嘗て金兌換時代を通じ、金兌換停止時代に入つても何等の變化がないのである。尤も文字の上では「元」に「圓」を置きかへ、屢々「一圓銀」と書くこともあり、今日では却てその方が普通かと思はれるが、「一元銀」も「一圓銀」も全く同じに「チッコーグン」と讀み、文字通り夫々「イッグワングン」又は「イッイェングン」と讀むことは決してない(「銀」の字を附せず、「一元」、「一圓」と書いた時は、本來の厦門音通り、「イッグワン」、「イッイェン」と讀む)と云ふ。「コー」といふ音のあらはす本來の意味及び其の起源は必ずしも明確でないが、清朝時代以來永く「元」の字を「一元銀」の場合にかく發音して來たことは明かで、「圓」の字をもこの發音に當てるやうになつたことは主として領臺後我が幣制改革に起源する新しき傳統に違ない。何れにしてもそれは「當て字」であり、「一圓銀」の「銀」が文字通りには最早絶對に當らないことも、現在の我が金何圓の「金」が然ると同樣である。而して今日に於ては「元」の文字こそ依然使用するが、その內容は全く我が「一圓」以外の何物をも意味せざる、名目的な貨幣數量としての性質を獲得して居るのである。故に問題の明治三十年代に於ては、猶未だ外國粗銀の驅逐、圓銀にする流通銀元の統一は完全でなかつたが、その現實に達成せられた程度に應じては、此の時代に於ても亦、銀元・秤量制はそれだけ影響を受けたものと見なければならぬ。卽ち元を價格標準とすることには變化がなかつたが、銀元授受の際に於ける現實の秤量の必要は大いに減せられ、それだけ秤量制が緩和せられたと論斷して誤なからう。それは旣に清國政府時代に於ても西班牙銀貨、六八銀元、墨西哥銀貨等夫々當時の主流貨幣の推移に伴つて認められた傾向であつたから、突然新に生じた傾向であつたと云ふのではないが、それだけに圓銀及び銀券の流通增加は秤量制の修正、名目的貨幣流通への一步前進にとり、推進力として作用したことを不自然なくして認め得るのであつて、凡そ金屬秤量制より票券的貨幣流通への轉化といふ貨幣流通の發展に於ても、それは一朝にして突然變異として成就されたものでなく、極めて漸次的な地金秤量の緩和が、漸次累積せる結果自然的に推移せるものであり、そこには「貨幣(又は價格)の連續性」(山崎博士・ウィーザー)に對して「貨幣流通制の連續性」とも名付くべきものあるを見るのである。何れにせよ臺灣の幣制改革過程に於て、圓銀流通により銀元の統一、秤量の必要の漸減が達成せられたといふことは、後に此の制度の使命を總觀する際にも觸れるであらう如く、甚だ重要な效果であつたのである。

かくの如く、粗銀の驅逐は或る點まで達成された。然らば銀券の流通によつて紙券授受の慣習を樹立するといふ點は如何であつたか。前述の如く、臺北其他或る都市に於ては銀券が最も多く流通したと云ふことも事實であつたが、その流通の總額は次の表(第三、及び第六欄、流通高)が之を示す如く、明治三十三年半頃から漸く二百萬圓を越えた程度で此の期の最後(明治三十七年六月末)に至

銀券（臺灣銀行券）流通高[1]

年　月　末	發行高	民間流通高[2]	年　月	發行高	民間流通高[2]
	圓	圓		圓	圓
明治三二年九月	449,098	0	明治三五年二月	3,215,825	2,627,779
一〇〃	1,050,000	34,229	三〃	3,525,451	2,689,006
一一〃	1,523,337	197,828	四〃	3,695,158	3,125,327
一二〃	1,307,940	904,003	五〃	4,987,910	3,945,449
明治三三年一月	2,698,252	999,025	六〃	5,010,345	4,209,005
二〃	2,755,131	1,362,549	七〃	5,368,186	40,25,817
三〃	2,600,070	1,653,376	八〃	5,210,657	4,304,074
四〃	3,016,100	1,908,559	九〃	4,943,272	4,197,412
五〃	4,443,071	2,310,264	一〇〃	4,644,152	4,108,745
六〃	5,682,204	2,666,269	一一〃	4,496,916	3,983,417
七〃	3,855,707	2,355,779	一二〃	5,099,166	4,804,759
八〃	5,623,287	2,446,928	明治三六年一月	4,804,341	3,631,914
九〃	4,452,608	2,327,363	二〃	4,297,987	3,732,187
一〇〃	4,828,750	2,205,180	三〃	4,409,073	3,875,900
一一〃	3,797,401	1,966,030	四〃	5,536,363	4,917,915
一二〃	3,583,390	2,348,955	五〃	5,314.785	4,488,360
明治三四年一月	3,697,522	2,146,921	六〃	5,677,464	4,542,209
二〃	3,130,867	2,166,538	七〃	5,559.538	4,923,653
三〃	3,422,442	2,093,201	八〃	5,424,778	4,806,400
四〃	3,368,964	2,329,978	九〃	4,507,197	3,792,241
五〃	3,408,490	2,613,565	一〇〃	4,376,006	3,322,569
六〃	3,750,433	2,772,375	一一〃	3,838,288	2,937,620
七〃	3,616,956	2,898,553	一二〃	4,623,514	3,240,152
八〃	4,035,296	3,118,748	明治三七年一月	4,434,498	3,422,895
九〃	3,566,173	3.001,452	二〃	4,168,259	3,334,111
一〇〃	3,167,312	2,876,073	三〃	4,243,487	3,153,070
一一〃	3,194,221	2,825,671	四〃	6,093,250	3,977,872
一二〃	3,199,729	2.866,048	五〃	6,351,430	4,066,408
明治三五年一月	3,212,803	2,493,169	六[3]	5,526,816	4,075,407

1）臺灣銀行編臺灣金融事項參考書（第四次）による。
2）流通高は發行高より金庫在高を控除せる差引流通高。
3）明治三十七年六月までが幣制改革第二期。

るまで終に五百萬圓に達したことは一回もなかつた。當時一圓銀貨の流通總額は少くとも一千萬圓以上と推定せられたから、銀券の流通額はその五分ノ一から精々三分ノ一前後を往來してゐたといふ狀態であつた。故に紙券流通の慣熟といふ使命も粗銀驅逐同樣充分には達せられなかつたと云はねばならぬ。殊に其の流通量は特に三十五年頃からは增減常なく、極めて動搖的であつた。それは卽ち銀券が圓銀と共に投機の對象とされた爲めに他ならず、もとよりそれは公定價格制度の缺陷に關聯して起つたものである。そこで筆を再び公定相場の問題に戻さなければならぬ。

旣に述べた如く圓銀流通價値(價格)の公定制度なるものは、圓銀を金圓計算にて流通せしむる制度に於てはその實際に於ける授受を可能ならしむる爲め、殆ど絕對的な必要に基いて採用された制度であつた。だがその相場を公定したといふことが金圓計算を以てする銀地金流通に當然伴ふべき煩雜乃至不合理を緩和することにどれだけ役立つたであらうか。それには殆ど何等の效果がなかつたと云はなければならぬ。それによつて毫も救はれなかつた困難は、第一に公定相場が圓銀一枚に付き或は九十四錢六厘とか、九十二錢とか、九十七錢とか一圓〇五錢とか、殆ど常に端數のついた價格となつてあらはれた爲めに、それを多額に授受するものの煩雜は凡そ非常なものであつたことである。それは圓銀と全く同じに取扱はれた臺灣銀行券に於ても何等變りなく、額面五圓とある銀行券が、公定相場九十七錢の時は、四圓と八十五錢の價値に於て通用したに過ぎぬ。租税其他の公課はもとより內地人間及び內臺人間の取引に於ては商品の建値も圓建であり、其の現實の納付又は支拂にはこの半端な價値をもつ圓銀又は臺灣銀行券を用ひたのであるから、多額な支拂に際しては抑も支拂額に該當するこれ等の支拂手段の數量を算定する爲めに算盤か筆算が是非共必要であつた。

第二は流通價値公定制度が銀塊相場の變動と共に當然變更されねばならぬ筈のものであつたから、前者の變動が頻繁なるに從ひ公定相場の改訂も亦勢ひ盛に行はれ、それに應じて、圓銀及び臺灣銀行券を以て所持する財產に其の都度不當の利得又は損失を生じ、又租税其他の公課が故なくして加重乃至輕減され、圓建の債權債務も其の度每に事實上增損されるといふ、全く以て不合理極まる結果が常に隨伴した。公定相場一割の引下は、圓銀を以て納むる租税に就て云

一圓銀貨公定相場

回數	年月日	價格	回數	年月日	價格	回數	年月日	價格	回數	年月日	價格
	明治年月日	圓		年月日	圓		年月日	圓		年月日	圓
1	30・(11・14 / 12・5)	.964	21	35・11・5	.810	41	36・11・13	.880	61	37・11・25	.950
2	31・8・1	.920	22	〃 11・18	.800	42	〃 11・29	.850	62	〃 12・15	.970
3	〃 12・1	940	23	〃 11・29	.750	43	〃 12・25	.870	63	〃 12・31	.980
4	33・4・1	.950	24	〃 12・23	.780	44	〃 12・31	.900	64	38・1・29	1.000
5	〃 8・1	.970	25	36・1・18	.760	45	37・1・7	.930	65	〃 2・15	.980
6	〃 9・24	1.000	26	〃 2・18	.780	46	〃 1・13	.950	66	〃 2・24	.960
7	〃 10・27	1.050	27	〃 4・3	.800	47	〃 1・21	.930	67	〃 3・7	.930
8	〃 11・26	1.030	28	〃 4・26	.830	48	〃 2・25	.950	68	〃 3・29	910
9	34・2・1	1.000	29	〃 4・29	.860	49	〃 3・12	.930	69	〃 4・18	.930
10	〃 4・24	.970	30	〃 5・24	.840	50	〃 3・25	.910	70	〃 9・19	.960
11	〃 7・7	.950	31	〃 6・1	.820	51	〃 4・3	.900	71	〃 11・14	.980
12	〃 11・17	.940	32	〃 7・15	.840	52	〃 4・12	.870	72	〃 11・23	1.000
13	〃 11・30	.920	33	〃 7・22	.870	53	〃 5・5	.880	73	40・12・17	.880
14	35・2・21	.910	34	〃 8・15	.900	54	〃 5・12	.900	74	41・5・15	.950
15	〃 3・12	.900	35	〃 8・27	.920	55	〃 7・5	.920	75	〃 12・2	.820
16	〃 4・5	.880	36	〃 9・2	.950	56	〃 8・5	.930	76	42・1・15	.860
17	〃 4・19	.860	37	〃 9・10	.920	57	〃 8・19	.910	77	〃 2・21	830
18	〃 4・30	.830	38	〃 9・18	.900	58	〃 9・28	.930			
19	〃 5・28	.850	39	〃 9・27	.930	59	〃 10・15	910			
20	〃 10・3	.830	40	〃 11・5	.900	60	〃 11・12	.930			

（第七次臺灣金融事項參考書ニヨル）

へば、一割の増税と同じ結果になつたのであるが、かゝる不合理は、抑も銀地金を金圓計算にて通用せしむる制度をとる以上、其の通用價値を公定すると否とに係りなく、金銀比價の變動と共に當然起るべきもので、もとより公定制度が生んだ不合理ではなかつたが、公定制度によつて排除し得なかつたところの不合理であつた。殊に政府にしても銀行にしても其の收入を金圓建で計算し記帳してゐたので、公定相場の變動ある毎に帳簿を一々訂正し、差損差益の計算を立てなければならなかつた[18]から、會計の衝に當る者及びこれを監督する者の其の煩雜は到底想像の外であつた。では公定相場は一體どの位變更されたかと云へば、前掲表の如く、明治三十年十二月實施より三十三年四月までは概して稀にしか改訂されなかつたが、同年八月臺灣總督に改訂の權限が委任せられ臨機の處置が認められてからは、次第に頻繁に改められ、殊に明治三十五年以來は俄然めまぐるしき改訂を蒙つて一年間に十一回、更に三十六年には一躍年二十回の頻々たる變更となり、三十七年中(其の下半期から幣制改革の第三期に入つたが既に流通界に存した圓銀及び銀劵は猶第三期中時價を以て通用授受せられたので)には十九回變更されてゐる。尤も甚だしかつた月は明治三十六年九

一圓銀貨公定相場毎月平均（第七次臺灣金融事項參考書による）

月別＼年別	明治三十年	三十一年	三十二年	三十三年	三十四年	三十五年	三十六年	三十七年	三十八年	三十九年	四十年	四十一年	四十二年
一月		.96400	.94000	.94000	1.03000	.92000	.77097	.92935	.98194	1.00000	1.00000	.88000	.84194
二月		.96460	.94000	.94000	1.00000	.91714	.76786	.94034	.98643	1.00000	1.00000	.88000	.85143
三月		.96400	.94000	.94000	1.00000	.90355	.78000	.93258	.93387	1.00000	1.00000	.88000	.83000
四月		.96400	.94000	.95000	.99300	.87367	.80567	.88167	.91867	1.00000	1.00000	.88000	.83000
五月		.96400	.94000	.95000	.97000	.83258	.85484	.89161	.93000	1.00000	1.00000	.86355	.83000
六月		.96400	.94000	.95000	.97000	.85000	.82000	.90000	.93000	1.00000	1.00000	.85000	.83000
七月		.96400	.94000	.95000	.95387	.85000	.84065	.91742	.93000	1.00000	1.00000	.85000	.83000
八月		.92000	.94000	.97000	.95000	.85000	.88968	.92032	.93000	1.00000	1.00000	.85000	.83000
九月		.92000	.94000	.97700	.95000	.85000	.92400	.91200	.94200	1.00000	1.00000	.85000	.83000
十月		.92000	.94000	1.00806	.95000	.83129	.93000	.91903	.96000	1.00000	1.00000	.85000	.83000
十一月	14日以降 .96400	.92000	.94000	1.04667	.94467	.80500	.89008	.92667	.97667	1.00000	1.00000	.85000	.83000
十二月	.96400	.94000	.94000	1.03000	.92000	.75876	.85548	.96129	1.00000	1.00000	.98065	.82097	.83000
年平均		.94733	.94000	.97098	.96929	.85349	.84409	.91935	.95163	1.00000	.99839	.85871	.83278

月で一ヶ月に四回、之に次では三十五年四月、同年十一月、三十六年四月、同年十一月、三十七年一月の各三回といふ月があり、前者は凡そ一週間に一回、

後者は十日に一回の割合で公定相場が變更せられた勘定で、制度開始以來明治四十二年十二月圓銀及び銀券が引上げられてこの制度が全く終末を告ぐるまでの十二年餘りの期間に、前後七十七回、而して其の變動の幅は、最高一圓〇五錢(明治三十三年十月二十七日公定)より最低七十五錢(明治三十五年十一月二十九日公定)まで、上下三十錢即ち額面の約三分ノ一に達したところの大幅の變更であつた。而して前後七十七回の中の五十回は實に三十五・六・七の三年間に行はれ、前記月三回乃至四回といふ記錄も悉く此の間に含まれたのであるから、此の制度のクライマックスは正しく此の三年間であつた。前記の煩雜と不合理とは、此の頻繁な變更の事實と併せ考慮した時、始めて其の實情を髣髴たらしむることが出來る。かくの如き激しき公定相場の變動が忽ち利に敏き者を投機に導いたことは云ふまでもなかつた。

第三の難點はかくの如く屢々公定相場を變更したにしても、到底公定相場を日々變動常なき銀塊の市場相場に一致せしめることは本來不可能なことであつたから、常に實際相場と公定相場との間には多少の開きが存し、これが一方に於て公定相場による授受を阻害したと同時に、殊に圓銀及び銀券の上に利鞘稼ざを企つる者の極めて好ましからぬ操作を發生せしめ、前記投機と相俟つて、流通手段は純粋な流通の爲めの需要の増減によるよりも、専ら投機及び鞘取操作の爲めに、或は急激に需要され又は流通を阻害せられるといふ現象を生じたのである。

而して第一、第二の煩鎖乃至不合理は政府を一方の相手方とする支拂流通と内地人相互間及び内臺人間に於ける圓銀及び銀券の授受に際して發生したもので、租税其他の公納に於ける不合理は内臺人共々其の影響を蒙つたところであるが、計算の不便と煩雜、財産及び債權債務の不當な動搖になやまされた者は、獨り金圓建を實行してゐた政府と内地人とのみであつて、賣買取引、契約、記帳等全て銀元建の慣習を守つてゐた本島人は殆どこの點では何等の影響を蒙ることがなかつた。寧ろ、銀塊投機や鞘取の操作に先鞭をつけた者が本島人であつたことから見れば、内地人の如く此の制度の單なる被害者であつたのとは異り、本島人の間からは積極的に制度の弱點を利用してその弊害を堪え難きものにした立役者さへも輩出した程であつた。尤も頻々たる公定相場變動の結果、内地人も終には自衛上公定相場の動きに重大な關心をもたざるを得なくなつたから、後には渦中にまきこまれた傾向もあつたやうである。例へば臺灣總督府民政部財務局調査書は、次の如く語つてゐる。「其の始めは損益の計算に敏なる本島人と二三外商等が折に觸れて之(投機)を試むる者あるに止まり、內地人の如きは殆ど無頓着の者多かりしも、數次の改定を實驗し其の都度意外の損益を被むるや、先づ(內地人)商人を覺醒し漸次一般(內地人)に波及し、遂には老幼婦女に至るまで公定相場の變動に熱心なる注意を爲すに至れり[19]」と。然しそれは主として金圓建の生活をなす者が當然損失を免れんとして赴くところの「自衞權の發動」に過ぎず、本來銀元建の生活をなし公定相場の變動から影響を受くることが絕無でなかつたにしても內地人に比し甚だ尠かつた本島人が、しかも大規模の投機及び鞘取を積極的に試みたのとは、到底同日に談ずべき性質のものでなかつた。勿論かく云ふとも投機者をとがむ意ではなく、投機を容るゝ餘地を存した制度そのものの缺陷にこそ其の責は歸せらるべきであつたのである。

公定相場によつて圓銀(及び銀券)を流通せしむる制度に本來內在的な缺陷は大體右の三點であり、これに基いて生じた弊害の根本的なものも上述せるところに盡きるが、實際にはこれ等の根本的な缺陷及び弊害に直接間接源を發した更に多くの派生的弊害が、種々の方面に色々の形で顯現した。例へば公定相場の變動性は商取引をなす者に不安を與へ、爲めに取引に多大の澁滯を來した如きその一である。蓋し内地人間の全部及び内臺人間の大部分の商取引は圓建であつたから、商取引を營む者は取引商品の相場に對してのみならず、流通手段の相場に就ても同樣將來の見透しを缺くことを許されなかつたので、商人は常に商品と通貨とに二重の關心を要求せられたこと、宛かも金と銀と本位を異にする國の間に於ける貿易を業とする者の銀塊相場に注意を拂はざるべからざると何等異らず、公定相場が近く引下げらるゝと豫想せらるゝときには、買手は其の以前に買はうとするが賣手は公定相場の引下を待つて徐々に賣らんとし、反對に間もなく公定相場が引上げらるゝと豫想せらるゝ時は、賣手は賣急ぐも買手は敢て之に應せず、兩者の一致は中々困難であつたのである。公定相場改訂の豫想は、實際の銀塊相場とそれとの差を注意してゐれば何人にも大體の見當はついたので、かくの如き結果になつたのである。又商品價格(圓建)が正常的な需給關係に關係なき不自然且急激な變動を來したことは其の二である。それは右の如き公定相場の思惑に基く賣手と買手の利潤鬪爭に於て、「賣急ぎと買控へ」、「賣惜しみと買急ぎ」が、夫々常に同時に衝突する結果、前の場合(公定相場騰貴傾向の際)には急激なる商品價格の低落が、又後の場合(公定相場低落傾向の際)には逆に商品價格の騰貴が起らざるを得なかつたのである。更に商業取引の澁滯に於ける例と同樣の理由に基き、金錢貸借の圓滑なる成立遂行を阻碍し、支拂流通を澁滯せしめたことは其の三である。蓋し銀行はもとより內地人間及び內臺人間に於ける金錢貸借は、金額を金圓建で定め、實際の授受は圓銀及び銀券を用ひたから、公定相場騰貴傾向にある際は貸手は融通を好まず、債務者また支拂を遲延せんとし、逆の場合には借手は急がず、債權者は公定相場改訂後に於て支拂を受けんことを希望したからである。更にまた、圓建にて價格を定めた內臺人間に於ける取引に於て、もし銀の市場相場が公定相場よりも低くなり、而して二者の懸隔やや大なる時は、本島人が概して公定相場を以て圓銀を受領することを拒み、內臺取引者間に屢々紛爭を生じたことは其の四である。當時漸く內地より臺灣への商品移出が增加したが、臺灣より內地への移入共內臺直接取引は猶發達せず、在臺內地人商人が殆ど常に移出入取引の中間に位して、本島人商人との間に商談が行はれてゐた。然るに本島人商人が買手即ち支拂者の側に立つ場合(主として內地よりの商品移出)、公定相場が假に市場相場より高過ぎれば本島人商人は易々として公定相場に遵つたが、もし逆に市場相場よりも安過ぎる時は市場相場による授受を主張して止まなかつたし、反對に本島人商人が賣手卽ち圓銀受領者の側に立つ場合(主として內地への商品移入)、公定相場の安過ぎることは問題でなかつたが、逆に高過ぎる時には右同樣市場相場によつて圓銀を授受せんことを要求した。要するに賣買共、銀塊市場相場によるを本島人が有利とする際(從つて相手方の在臺內地人商人は當然それを不利とする際)、公定相場に從つて圓銀及び銀券を授受することは、本島人の容易に肯んぜざりしところ。しかも前述の如く明治三十三年夏以來次第に公定相場は頻繁に騰落したので、內臺人間の取引に於て本島人が圓銀及び銀券を公定相場によつて授受することを拒まんとしたことは殆ど後には常態となり、常に兩者間に紛議が絕えなかつたのである。[20]

然しながら、此等種々の惡結果中、その筆頭とも云ふべきものは、銀投機と市場・公定兩相場間の鞘稼の操作に關聯して發生せるもので、それに就て當時行はれた具體的方法と其の規模とを明かにすることなくして、此の制度の弊害の及ぶところが何の程度に甚だしいものであつたかを、如實に理解することは困難である。それは主として臺灣銀行其他の銀行の預金及び貸出と、香港(又は厦門)・神戸・臺北間に於ける送金爲替とを利用して、甚だ大規模になされた投機乃至鞘取り操作であり、其の結果に於て島内流通通貨の不自然なる増減を生じ、殊に預金及び爲替を投機の具に供せられた各銀行に多大の損失を蒙らしめ、營業の繼續を困難に陷れたところのものであり、終にはそれを直接の動機として此の制度の改革斷行を政府が決意したところのものであつたからである。先づ當時これが爲めに最も多くの困難を經驗した臺灣銀行自らが、之に關して述べてゐるところを聞かう。卽ち投機預金と其の取付、及び貸出に關して次の如く述べてゐる。

「投機心の焦點となりて其の影響の最大なるものは銀行營業者にして、公定相場の將に騰貴せんとする傾向あるや、各銀行とも預金は一時に引出され貸出は增加するも、之に反して其の下落の兆候を示すや、預金は俄かに增加し貸出は返却せらるゝの狀態なりしかば、各銀行は一は以て其の損失を轉嫁せんとし、一は以て銀行自ら公衆と同樣の手段に依り利益を占めんとする目的を以て、本行に對し同樣の取付と預金とを行ひたる爲、本行は常に其の損失を被ることとなれり」と。[21]

もともと銀行預金と貸出とが投機目的の爲めに利用せられたといふことは、公定相場變動の結果として既に述べた第三卽ち「金錢貸借の圓滑なる成立遂行を阻碍し、支拂流通を澁滯せしめた」といふ弊害が、單に形を變へてあらはれたものであつて、其の本質は卽ち一であつた。蓋し當時の如く圓建で貸借を行ひ公定相場で圓銀及び銀券を授受する制度の下に於ては、公定相場の變動に際し貸借者及び支拂者が當然めぐらすであらう考慮の內容は既に述べた如くであつた。然るに、公けの金融機關たる銀行は一般私人と異り、一方に於て公定相場低落の傾向が存し一般私人が打算上新たに金錢債務を負ひ又は貸金の返濟を受くることを暫く延期せんと企つる場合にも、預金の受入は拒むことが出來ず、例へば當座貸越の如き無期限の貸出に就ては其の返濟を避くる方法もなかつた。又、他方逆に公定相場が騰貴の傾向にある場合にも、一般私人が債務の辨濟を成可く延期し新なる貸金を自由に躊躇し得たのとは異り、預金の引出しはもとより拒み得るところに非ず、預金者が當座貸越の如きを利用する場合は勿論、正規の擔保を以て新たに貸出を求むる取引先に對して故なく之を拒絶することもなし難き立場にあつた。云はゞ一般人が金錢貸借、債務辨濟に於て、當然打算上又は自衛上とり得たところの普通の手段が、獨り銀行には許されて居なかつた。もし銀行が斷乎として其の打算自衛の手段を實行するならば、其の結果大規模の金融梗塞、支拂流通の凝滯、換言すれば「金融恐慌」をも惹起することを覺悟しなければならなかつたからである。故に公定相場の變動に際し、金錢貸借者乃至支拂者が一般に赴くを當然とした防衛の道が銀行にのみ閉されてゐたと同時に、一般人は其の逆に出で、そこから巨利を占むるの道が、銀行に對してのみ公然と開かれてゐたのである。同じことは或る點まで臺灣の中央銀行たる立場にあつた臺灣銀行と他の一般銀行との間に就ても妥當した。これ、銀行を相手とする預金の預入と引出、及び貸出と其の返濟を、一般人が投機的に行ひ得た理由であり、又特に臺灣銀行が此の操作の多くの部分を轉嫁集中せらるること を免れ得なかつた所以でもあつた。勿論格別解説を要せぬことと思ふが、例へば公定相場騰貴の傾向存する場合に銀行預金の取付によつて引出された銀券は、愈々豫想通り公定相場の引上げが行はれるや、忽ちより高き換算割合にてそのま丶銀行に預け入れられ、反對に公定相場低落の傾向存する場合に急據銀行預金として預け入れられた銀券又は圓銀は、これまた相場改訂後直ちに新換算率により引出され、その出し入れの手間だけから、前の場合には預金者は圓建預金を公定相場の引上げられた割合に應じて殖やすことを得、又後の場合には、公定相場の引下げ率と同じ割合で増加せる圓銀銀券を回收し得たこと、これが預金投機を發生せしめた動機であつたが、かくの如き預金者の利益が銀行の側に於ける正にそれと同額の損失負擔に基いて成立したものたるは云ふまでもない。貸出の場合に於てもこのことには何等の變りなく、公定相場の騰貴率が利率以上に及んだ場合には、銀行から融通を受けた者の利益は銀行に支拂ふ金利を控除して猶餘りがあつたから、何等運用の必要なく唯金融を受けさへすればそのま丶返濟して充分利益があつたのであつて、反之銀行側は受取る金利よりも大なる差損を蒙つたわけである。

次に銀の市場相場と公定相場との開きを利用して營まれた鞘取操作に就て、同じく臺灣銀行の曰く、

「神戶・廈門及び香港等に取引上の聯絡を有する外國人及び本島人等は、銀相場

の變動に乘じ、本島を利用して一時に巨利を博せんとするの計畫を爲せり。即ち公定相場が時價より低きときは内地より送金爲替の取組高俄かに增加し、本行は巨額の準備銀貨を取付けられ、又之に反し公定相場が時價より高きときは厦門、香港、上海等より本島に銀貨を輸送するか、送金爲替を取組み、銀券銀貨を受取り、更に之を内地に送金爲替として取組み、以て其の差益を占めんとする者多く、所謂投機爲替の弊日を追ふて甚しきを加ふるに至れり」と。[22]

既に述べた如く圓銀の公定相場とは「金本位國に於ける銀塊相場」の一種であり、公定せられた金銀比價であつた。例へば「圓銀一枚金一圓〇五錢」といふ公定相場は、一圓銀貨の全量四一六グレーンを其の品位千分の九百に基き換算せる純分三七四・四グレーンと、五圓金貨の純分三・七五グヲムから換算せる金一圓〇五錢當りの金純分〇・七八七五グラムとによつて間接に算定せらるべき一定の金銀比價を意味するものであつた。他方香港・上海・厦門等に於ける銀相場はそれ自體直接に金銀比價を意味するものでなくとも、當時金銀比價の別の表現に過ぎなかつた倫敦銀塊相場の密接な影響下に立てる本來地方的な銀相場であつたし、又當面の問題との關聯に於て云へば、それを神戶向對日爲替相場を用ひて換算することにより、直ちに金銀比價として幾何にそれが該當するかを算定することは極めて容易であつた。此の兩者の計算は如何やうであつたにせよ、兎も角公定相場に含まる丶金銀比價と、香港其他の市場に於ける銀相場を金本位國宛爲替相場により換算せる金銀比價との間に、相當の開きがあれば、爲替又は地金の現送によつて其の間に利を射る可能性の存することは自明の事に屬する。

銀の一定量を金圓であらはした公定相場が低すぎる場合にはそれは臺灣に於てこれ等の市場に於けるよりも銀が金に比し低き價値を公定されてゐるといふ意味であつたから、前記臺銀の記述の如く、神戸に於て金圓を支拂つて臺北宛送金爲替を買ひ、之を臺北に送附し、臺銀より圓銀を以て支拂を受くれば、より高き價値を認むる香港其他の市場にそれを輸出して差利を獲得し得べく、逆に、公定價格が高過ぎる場合には、臺北に於てこれ等の市場に於けるよりも銀が金に比し高き價値を認められてゐたわけであるから、これ等の土地より圓銀を臺灣に輸入するか乃至は臺北宛送金爲替を取組んで、先づ圓建の價値に換へ、それを用ひて臺北より神戸に更に送金爲替を組み、神戸に於て金に換へる—即ち銀に低き價値しか認めぬ外國市場から比較的高き價値を認める臺灣へ銀が流入するといふ自然の結果を生んだだけのことに過ぎない。

當時本島人又は外商が其の換算を立つるに際し一々金銀比價算定の迂路を辿つたか、單に香港乃至上海賣神戶宛爲替相場との比較といふ一層簡單な計算に賴つたかは何れでもよい。彼等射利の據り所は正しく右說明に示したところ以外には出でなかつたのである。而して公定相場と時價の開きは槪ね微少であつたから、[23] 投機爲替によつて相當多額の利益を得る爲めには、勢ひ取組まるゝ爲替は巨額でなければならなかつたこと、及び公定市場兩相場間に開きの存する限り、例へば香港→臺北→神戶→香港→臺北→神戶……といふ具合に三地間に順繰りに送金爲替を取組んでゆけば、同じ資金を以て何回でも鞘嫁が出來たことは、一般に投機爲替の例に於けると異るところがなく、事實に於ても公定相場と市場相場との間には殆ど恒常的に上下何れかの差が存したから、[24] 送金爲替の方向を時に應じて適宜「逆コース」に轉せしむることにより、投機者の利益は殆ど不斷に繼續したと云ひ得る。何れにしても同じ資金が何度でも臺灣を出入し其の度每に臺灣銀行の準備銀を急激に增減せしめ、銀券の民間流通高を不自然に動搖せしめたわけで、この目的の爲めに當時幾何の資金が動いてゐたかは今日知る由もないが、その絕對額の割に作用力の大であつたことは、一般に投機資金の例に於けると異るところがなかつた筈である。

猶投機爲替を營むには、必らずしも對岸に連絡を有することを必要とせず、單に內地例へば神戶に連絡あるを以ても足りた。それは公定相場の變動を豫想して投機的に送金爲替を取組む場合であつて、其の方法は、

「銀貨下落の模樣あるときは彼等は臺灣の銀行に銀貨を拂込みて、神戶に送金爲替をする、即ち銀貨下落の損失は銀行に負擔せしめ、神戶にて下落以前の割合を以て金貨又は(日銀)兌換券を受取るのである。若臺灣の銀行にて爲替を斷れば、神戶に本支店を有する彼等は、當座尻へ拂込ましむることをやる。之に反して銀貨騰貴の模樣あるときは、彼等は逆に神戶より電信爲替にて送金を受取る。即ち銀券又は銀貨にて銀行より送金を受取り、公定相場の騰貴を待つのである。是亦預金取付と同じく一夜にして巨額の利益を得、翌る日再び騰貴の見込なきときは再び神戶に送金するのである。此手段に罹らぬ樣にするには、臺灣銀行は勿論、他の銀行も頗る困難の渦中に陷入つた[25]」。

即ちこの場合は預金の出し入れと同樣の「金還銀」又は「銀還金」を內臺間の送金爲

替を借りて行つたものである。文中「彼等」なる代名詞の註に「臺灣及內地特に神戶に聯絡を有する支那人」[26]とあるが、內臺兩地に聯絡を有する者なれば、內地人たると本島人たるとを問はずそれを實行することが出來たわけで、敢て「支那人」のみに歸する必要はなかつたらう。また各銀行が投機爲替を警戒するやうになつてからは、郵便爲替を利用して同じ效果を收めんとするものも現れ、「郵便局も其の弊に堪えず、爲替取組は一人一日五百圓を超ゆることを得ず、との制限を付するの止むなきに至」つたと云ふ。[27]

更にまた「金より銀へ」及び「銀より金へ」の轉換は必らずしも預金又は送金爲替を利用せずとも可能であつた。一層簡便な方法としては、臺灣に流通してゐた補助貨又は日銀兌換券と、圓銀又は臺灣銀行券との交互轉換により、同樣の結果を得ることが出來たから、預金や送金爲替を利用して行はれた大規模の操作の他、一般人が誰しも簡單に行ひ得る方法として、この金圓對銀圓の貨幣種類間の轉換が公定相場の變動に際しては盛に行はれた。現に明治三十三・四年頃の事實として臺灣銀行員が、

「(臺灣銀行券は)土人間に信用あつて、流通圓滑なるが如しと雖も、對岸銀相場

の變動を見ては、直ちに公定相場の下落あらんことを察し、人心不安の念を起し、一日も銀券の爲めに損失せざらんことを欲し、爭ふて補助銀貨と交換し、又銀相場の騰貴を見ては、直に銀券の爲め利せんと欲し、競ふて補助貨を支拂ひ、以て銀券を得んことを計る故に、銀券は常に投機の具に供せられ、其流通を妨ぐるの嫌あるを免れず」

と報告してゐる[23]のを以て見ても、其の然りしを知ると共に、寧ろこの方法が投機預金及び投機送金爲替の始源的形態であつたことを論斷し得るのである。かかる自衞的な小規模の金銀轉換に止つてゐた間は其の弊ももとより著しくなかつたが、それが明治三十五・六・七年頃になると銀塊相場の變動が漸く激甚となつたのにつれて、前記の如き大規模な積極的操作にまで發展したのであつた。

其の結果臺灣銀行始め各銀行の蒙る損失は夥しく、圓銀及銀券の流通量の增減も全く不自然に歪曲されたものと化した。總督が委任せられた公定相場改訂の權限を其の極度まで濫用したかの外觀も、かくして全く止むを得ざる必要に出でたもので、從來公定價格の改訂を數日前より豫め發表してゐたのを改めて、夜中忽然翌日よりの公定相場を變更發表せる「闇討」的處置も、投機者の策動の餘地を減少する爲めには絕對に必要な處置であつたのである。而して銀行自らが投機操作に對抗して種々の方途に出づべく考慮をめぐらしたことも當然であつた。一般銀行、と云つても此の時代に存在したのは日本中立銀行[29](明治三十二年一月まで)、第三十四銀行[30](明治三十二年一月以降)商業銀行[31](明治三十五年より三十七年一月まで)等の島內支店と、舊臺灣貯蓄銀行[32](明治三十二年十一月以降)、臺灣農商銀行[33](明治三十六年十一月以降)等の島內小銀行があつたに過ぎないが、これ等の諸銀行が臺灣銀行に對し一般民と同樣預金貸出の投機的操作を實行した如き、又特に明治三十四年上半季より臺灣銀行が實行したところの「金銀較差勘定」の設置——卽ち主として公定相場の變動によつて得たる利益を直ちに損益勘定に入れず、別途に積立てて置いて他日同じ原因で損失を生じた場合の補塡に充てたこと[34]——の如き、全てかゝる對策の一種であつたと見られるが、此の他臺灣銀行と一般銀行とが一樣にとつた自衞手段は、貸出はもとより預金受入に就ても警戒を嚴重にして、いやしくも投機的と認められる預金の受入及び送金爲替取組の請求を拒絕したのみならず、進んで「巨額の取引ある得意先に對しては(公定相場騰貴の際取付けらるゝことを豫防する爲め)預金を制限することにした[35]」

ことこれである。この中投機的預金及び送金爲替の拒否に就ては本來問題は存しない。然し「投機的」と否との區別は然かく明瞭でなかつた場合もあつたであらうから、銀行が警戒を嚴重にすればするほど善意の預金者乃至送金爲替依賴者までもが、その拒絶に遭つて營業上困難を來したであらうことも容易に推測せられる。況や、右引用の如く、大口の預金者に對しては、其の動機の如何を問はず、一樣に預金制限を實行した、といふに至つては、當時銀行營業に當つてゐた者自らが、「銀行の本能(本分?)に適せざるや否やを一考せねばならぬ」[26)]と云つてゐる通り、正しく重大な問題であつた。但しそれとても銀行が自衞上全く止むを得ざるに出でたものであることは明かであるから、問題の重點は寧ろ、云はゞ銀行が其の損失を免れやうとすれば金融機關としての本來の職分と背馳し其の機能を著しく制限又は停止せねばならぬ仕組みになつてゐた、といふ點にあつたのであつて、これによつて我々は此の制度が實際の運用に當つて生んだ弊害の極點が如何なる種類のものであつたかを知ると共に、抑も本來此の制度の根本に包藏せられた矛盾の重大性をも、同時に具體的に諒解することが出來るのである。

しかも、か丶る非常手段に出でても猶且銀行は其の損失を免る丶ことが出來なかつた。損失を完全に免れるといふことは本來銀行機能の制限によつては不可能なことで、極端に云へば機能の「停止」とのみ兩立し得たのであつたから。尤も其の機能を「完全に停止」して公定相場の變動と預金者等の操作より來る損失を永久的に免れた銀行もあらはれた。明治三十六年中の公定相場の激動(前述の如く公定相場の改訂が年二十四回に達し、月四回及び三回改訂といふ記錄をもつた年であつた)に堪え難き傷手を受け、翌三十七年一月二十日には遂に支拂を停止し破產の悲運に立至つた商業銀行の實例が卽ちそれである、35)

今一つ自衞策として臺灣銀行が明治三十六年頃案出した方法のことを述べて置かう。それはかうであつた。

抑も銀行が「投機的災禍を招くのは、畢竟臺灣總督の定むる公定相場に依つて取引するが故に、實相場と公定相場との差あるを害用せらる丶に依るのである。故に今後は公定相場に依らず、每日臺灣銀行自ら相場を定めて取引すれば、卽ち預金の引出には相場を高くして拂ひ、預金の預入には相場を安くして預るが故に、叨りに取付するものを防ぐことになる。庶幾くは此災禍を免かるを得べし」と。[38]

即ち「公定相場の否定」であり、流通價値は時價をもととした取引相場により、其の取引相場たるや、臺灣銀行に有利なやうに圓銀及び銀券の拂出と受入とに區別を附さうといふのであつた。これならば臺灣銀行は先づ大なる損失なきを保し得たであらうが、臺銀以外の者がそれを承知する筈がない。此の方策案が外間に洩るゝやそれに對して猛烈な反對が起つたのは當然である。事の序に臺北商工業者有志の團體であつた「臺北商工相談會」の之に對する反對意見の要旨をも紹介して置かう。

「一、銀貨は臺灣の法貨である。而して法貨の公定相場は臺灣總督之を定むるので、人民は苦情なく流通して居るのである。今此公定相場の外に臺灣銀行に於て取引相場を定むるは、妥當ならざるべしと云ふこと

二、商取引の不安固といふこと

(イ)一般商取引は公定相場によつて履行し、其の受けたる金錢を銀行に預くるときは(取引相場は公定相場より低廉なりと假定し)常に銀行の爲めに利益を減殺せらるゝことになる

（ロ）價格に二種あるときは、一般は取引毎に其の孰れの相場に依るかを協定せざるを得ぬ面倒がある

（ハ）臺灣銀行にして取引相場を定むるを得べしとせば、他の銀行、會社、商館、其他有力なる商工業者も各箇の相場を定め得ることを推定せらる（下略）[39]即ち反對の主たる理由は、臺灣銀行のみが公定相場以外に取引相場を定め得るといふことでは預金者たる一般商工業者等の利益が全く害されるから不公平であるし、さりとて臺灣銀行同樣全てのものが勝手に取引相場を設くるといふことになれば、其の結果は全然公定相場が行はれぬと云ふことになり、事毎に紛爭を生じて取引の圓滑は根本的に阻害される、といふにあつて、全く尤も至極の意見であつた。實際には、かゝる反對と丁度其の頃幸にも銀塊相場の騰貴が漸く弱くなつた爲めと二つの原因で、臺灣銀行も此の名案を實行しないで濟んだのであるが、もし假に實行してゐたら、其の結果は公定相場の全的否定にまで至らなければ止まなかつたであらうし、此の煩雜な制度が何等據るべき公定相場なく、全く其の時々の「時價」や一般取引者各箇が相對で協定する取引相場に換算率が委ねられたとしたら、其の當日から圓銀及び銀券は通貨の用をなさなく

なつたか、或は金圓建を廢して一切の契約が一圓銀貨一枚の一圓を標準として締結せらるゝ「銀圓建」に移されたか、何れかであつたに違ない。何れにしてもその結果が「銀地金を流通せしむる金本位制」の終末であつたことには變りなかつたのである。

要するに既に明治三十六年頃此の制度の弊害は終に極まつて自然に拋つて置いても早晩此の制度は實際に行はれなくなるか、或は銀行が「機能を停止する」か（前記破產銀行の如く）の瀨戸際に達してゐたのである。通貨流通が自然の流通原理に遵はず、前記投機乃至自衞的手段によつて全く不自然に流通量を變動せしめられたことは申すまでもなし。これ等の現象は「銀地金を流通せしむる金本位制」の命數が早くも盡きたことを示すものであつた。「極れば通ず」の理にたがはず、明治三十七年六月を限りとして、「幣制改革の改革」が愈々實施せらるゝこととなり、臺灣幣制史は同年七月以降第三期に入ることになつた。

(1) 貨幣法制定及實施報告、六五四—五頁。猶墨西哥銀の品位は我が一圓銀貨よりやゝ高く、九百二位であつたから、香港に於ける墨銀千三十二枚に付金千圓といふ相場から、圓銀の金圓換算割合を算定するに際し、之を考慮に入れると

$$1032 \times \frac{902}{900} = 1032 \times 1.00222 = 1034\text{強}$$

卽ち金千圓に付圓銀千三十四枚といふ數字が出て來る。この他に臺灣香港間の現送費用を考慮して定められたのであるとすれば、第一回の公定相場「千三十七枚」とこれの差卽ち圓銀三枚は、千三十四枚の圓銀の現送費用と看做したものであらうか。或は現送費のことは措いて問はず、單に將來の銀塊相場低落にそなへる爲めに、三枚の余地を殘したものか。其の邊のことは筆者の斷定し得るところではない。

(2) 臺灣總督府民政部財務局編「臺灣ノ貨幣制度ニ就キ」一〇頁、及びそれを明かに踏襲せる臺灣銀行二十年誌（四三頁）は、公定相場算定標準の決定を六月の閣議に於てであるとしてゐるが、暫く「貨幣法制定及實施報告」（六七六頁）の記す日付に遵つた。

(3) 貨幣法制定及實施報告、六七一―六頁。

(4) 臺灣總督府民政部財務局編、「臺灣ノ貨幣制度ニ就キ」、一〇―一頁。

(5) 金圓計算制が當時事實上名目的な「圓」計算單位制以外のものとなり得なかつた事實に就いては直ぐ後で述べた通り。こゝでは金屬秤量制の基礎に變化なきものとして、假に「金價格標準」なる語を用ひただけである。

(6) 山崎覺次郎博士著、貨幣問題雜觀、一四七頁。

(7)、(8)、(9) 山崎覺次郎博士著、貨幣讀本、第一章第三節、「統一的一體としての貨幣」、一二一―三頁。

(10) 明治三十六年三月、臺灣銀行頭取、柳生一義氏がこの制度を改革することの必要を大藏大臣に上申した事由書中にも、內地人間、內臺人間、本島人間の三つの場合に於ける圓銀流通の方法が同じくなかつたことを述べてゐる（臺灣銀行二十年誌、五〇頁）。

(11) 第一次臺灣金融事項參考書附錄、二三五頁。

(12) 辨務署なるものは、明治三十年五月始めて設けられた下級の地方廳で、其後三十一年六月兒玉總督時代の地方制度改正により、全島を三縣四廳に分つたが、その下に四十四の辨務署が置かれた。それが廢されたのは、明治三十四年十一月の地方制度大改正に際し、全島十二廳制が實施された時のことである。「臺灣時報」、昭和十年一月號所載、(拙稿「臺灣財政の回顧と展望」、附錄、「臺灣財政史年表要」、九頁及一二頁參照)。

(13) 第一次臺灣金融事項參考書附錄、一四九―一五七頁。

(14)、(15) 同書、一五八頁所載、雪農(氏名)なる糖商の調査。猶、外國銀貨就中墨西哥銀は從來の慣習で依然砂糖や米の取引には殊に多く用ひられてゐたが、臺南は其の重要な市場であつたから、同市街に特別多額の舊銀元がながく流通して居たのであらう。

(16) 同書、二三三頁。

(17) 同書、二四三頁。

(18)、(19) 臺灣總督府民政部財務局編「臺灣ノ貨幣制度ニ就キ」一四頁。

(20) 臺灣銀行二十年誌、四七―八頁。

(21) 同書、四八―九頁。但しその記述は前記「臺灣ノ貨幣制度ニ就キ」と題する明治三十七年の財務局の小冊子の文章(一四―五)を殆どそのまゝ轉載せるものの如く思はれる。

(22) 同書、四九頁。これまた「臺灣ノ貨幣制度ニ就キ」一五頁の記述に殆どそのままである。

(23)、(24) 當時公定相場が現實の市場相場との間に殆ど常に開きを存したといふことは、公定相場が如何に頻繁に改訂されたにしても、結局一度定められた以上再び改訂されるまでは固定的であつたといふことと、他方この明治三十年代(十九世紀末より二十世紀初頭にかけて)といふ時代は、世界市場に於ける銀相場が極めて激烈な變動を來した、銀にとつて寔に「歷史的」な時期であつたといふことを併せ考慮しただけで、充分諒解し得ることではあるが、念の爲めに臺灣に於ける公定相場が、市場相場からどの位離れ勝ちであつたかを實證して置かう。

先づ倫敦銀塊相場は、此の制度が實施された明治三十年十一月十四日には、一オンス（標準銀位）二六ペンス$\frac{5}{8}$で、それによる一圓銀貨の金圓換算額は一枚九十一錢三厘三毛餘であつた（この時の公定相場は九十六錢四厘）。然るに其後倫敦銀塊は明治三十三年十月二十四日の三〇ペンス$\frac{3}{16}$まで（この時の換算額は一圓三錢五厘五毛餘、公定相場は一圓丁度）殆ど鰻上りに騰貴したが、これを頂點として其後時に多少の反撥を見せたこともなかつたではないが、概して低落の一途を辿り、三十五年十一月二十八日の二一ペンス$\frac{11}{16}$まで慘落した。この最低値を以てする圓銀の換算額は一枚七十四錢三厘九毛餘であつた（この時の公定相場は八十錢丁度であつたから、翌日あわてて一擧七十五錢に引下）。其後暫時保合を續けたが、三十六年春からまたまた倫敦銀塊は騰勢に轉じ、四年十一月二日には、三七ペンス$\frac{5}{8}$まで回復した（此れによる換算額、九十四錢七厘六毛、公定相場は九十三錢）。然し其後直ちに二六ペンス臺に下り、十二月二五ペンス臺、翌年一月は大體二六ペンス臺と三十七年六月頃まで一騰一落をつゞけたのである。倫敦銀塊の騰落は勿論上海、香港其他東洋市場の銀相場を常に嚴密にこれに應じて一騰一落せしめたわけではないが、之等の市場の大勢は之に從つたから、これが公定相場を度々變更しなければならなかつた究極の原因である。

其の間の開きが微少であつたことゝ、公定相場が此の市場相場を克明に追ひながら、それに常に正確には及ばなかつたことは次の實例が示す如し。

年月日	公定相場	倫敦銀塊相場 一オンスニ付英貨	倫敦銀塊相場 それによる圓銀の價値	神戸參着香港賣
三六年・四月・廿一日	八〇・〇錢（同月三日公定）	三三片 3/8	八〇錢・一八三	七九圓・七五錢
廿二	←	二三 7/16	八〇・三九七	八〇・二五
廿三		不變	不變	不變
廿四		二三 3/4	八一・四六九	―
廿五		二四 1/8	八二・七五七	八〇・七五
廿六	八三・〇	―	―	―
廿七	←	二四 1/2	八四・〇四二	八一・七五
廿八		二四 13/16	八五・一一四	八三・二五
廿九	八六・〇	二五 1/16	八五・九七一	八四・〇〇

（第五次臺灣金融事項參考書三二七―八頁）

(25) 木村匡著、臺灣貨幣問題（明治三十六年）、五〇―一頁。

(26) 同書、五〇頁。

(27) 臺灣總督府、「臺灣ノ貨幣制度ニ就キ」、二二頁。

(28) 第一次金融事項參考書附錄、一七二頁。

(29)、(30) 明治三十八年九月、基隆に出張所を設け、臺灣に於ける銀行業に先鞭をつけた（日銀よりも先）大阪中立銀行が、翌二十九年三月改稱して日本中立銀行となつた。三十二年一月、三十四銀行が之を合併し、其の基隆、臺北、臺南の三支店は三十四銀行支店となつた。これが三十四銀行が臺灣に支店を持つた始め（臺灣總督府財務局金融課編、臺灣の金融、一八六頁）。

(31) 商業銀行の支店が臺北に設けられたのは明治三十五年のこと。本文に述べた如く銀價激動の結果損失を蒙り三十七年一月には早くも破産した（同書二一三頁）。

(32) 明治三十二年十一月資本金十五萬圓を以て臺北に設立せられたもの。現在の同名の貯蓄銀行（大正十年十一月資本金百萬圓を以て臺北に設立）とは別物にして、後に明治四十五年七月臺灣商工銀行に合併されて消滅した（同書一三五頁及一七九頁)。

(33) 明治三十六年十一月、臺南に社員四名を以て資本金十萬圓の合名會社として設立されたものであるが、明治四十年の恐慌に際し、營業停止の止むなきに至り、間もなく解散した(同書、二一一頁)。

(34) 其の實數は明治三十四年上半季以降の臺灣銀行半季報告を參照。

(35) 木村匡著、前掲書、五七頁。

(36) 同書、五七頁。

(37) 同書、五二―四頁。

(38) 總督府「臺灣ノ貨幣制度ニ就キ」、二二頁。

(39) 木村匡著前掲書、五二頁。

三　「幣制改革」の改革——「金貨の流通せざる金本位制」へ

前期幣制改革の企てが失敗に歸した最大原因は金本位制の基礎の上に現實には銀地金を流通手段としたこと、卽ち本來の貨幣單位從つて價値單位と流通手段(從つてその數量單位)とを夫々金圓と銀(銀圓)との間に分裂せしめた爲めであつたことは既に充分說明したところである。從つてこれが再改革の主眼も此の矛盾の除去といふ點に向けられたのは勿論である。然らば二者の統一は銀によつてなさるべきであつたか、それとも金によつて行はるべきであつたか。論理上其の統一には勿論此の二つの可能性があつた筈であるが、明治三十六・七年當時の實際問題としては、その統一の道は唯一つしか許されてゐなかつた。當時世界各國幣制改革の主潮及び銀塊相場激動常なかりし實際より云ふも、母國(金本位制實施)との關係上より云ふも、更には明治三十年秋以來數年間極めて特殊な方式に於てであつたとは云へ既に兎も角通用制上及び一部分流通制上金本位をとり來つた臺灣自身の歷史より云ふも、明治三十年當時に於てさへ不適當とせられた銀本位制を今更採用するといふことは全く實際問題として不可能なことであつたから、內臺流通手段の實質的統一、即ち具體的に云へば圓銀及び之を以て兌換する臺灣銀行券の流通を廢して、金貨又は金票券(日銀兌換券又は之と同性質の金兌換券及び補助貨)を之に代へるといふことより他に其の方向はなかつたのである。

故に當時臺灣銀行其他の銀行が前記投機の弊に堪えかね、又內地人はもとより內地人商人との間に常に取引を行ふ立場にあつた本島人商人中の一部も亦、公定相場による銀地金流通制を煩鎖なりとして、第二次幣制改革を要望するに及んでは、殆ど異口同音に、內地同樣正常的な金本位制の實施をもとめたのである。それには、領臺當時臺灣の輸移出入の壓倒的部分を占めてゐた支那其他銀貨使用國との間の貿易が、其後「銀地金を流通せしむる金本位制」の實施や、政府の關稅政策即ち內臺關稅統一[1]の效により、急激に改められて、我國始め金本位國に對する貿易額が數年の間に全くそれと主客の地位を逆にしたこと左表の如くであつたことも、その有力な論據となつた。即ちそれだけ臺灣の經濟は貿易上金本位國との關係密接となり、銀貨使用國との關係は稀薄となつたわけであるから、臺灣自ら正式な金本位制を採用して最早差支なしと主張せられたのである。[2)]

臺灣輸移出入割合

年次	輸移出入總額	對金本位國價額	同上%	對銀貨使用國價額	同上%
明治三十一年	三八、一一二、一四一圓	一五、〇六八、三三三圓	三九・五四%	二三、〇四三、八〇七圓	六〇・四六%
三十二年	三七、〇五〇、三一五	一八、一一八、四九二	四八・九〇	一八、九三一、八二三	五一・一〇
三十三年	三六、九八三、〇九二	一八、四一三、四九一	四九・七九	一八、五六九、六〇一	五〇・二一
三十四年	三七、二三六、四〇九	一九、九一三、一〇六	五三・四八	一七、三二三、三〇三	四六・五二
三十五年	四〇、五六〇、一八八	二五、五二五、一四四	六二・九三	一五、〇三五、〇四四	三七・〇七
三十六年	四二、七七四、二四一	二六、七六五、七三二	六七・二五	一四、〇〇八、五〇九	三二・七五

（臺灣總督府編「臺灣ノ貨幣制度ニ就キ」三五頁）

更に明治三十六年夏頃日露兩國間の暗流漸く激し、戰爭の危機間近に迫り來つたことを何人も痛感するやうになつたので、臺灣銀行に對する銀貨兌換の請求次第に增加し、臺灣銀行は其の準備銀貨補充の必要に迫られて大藏省に銀貨回送方を請求したが、大藏省は「時局の進行如何によつては滿韓地方に於て巨額の銀貨を要すべきを慮り、政府自ら其の準備に急なるの故を以て拒絶[3]したので、臺銀は甚だしく窮地に陷り[4]、益々改革は焦眉の急となるに至つた。

然しながら本島人の銀に對する愛好の念はもと數百年來の根强き傳統であつたから、正式の金本位制實施にとつてこれが猶一つの難關として愼重な考慮を要求してゐたことも事實であつた。明治三十年十月の第一次幣制改革に當り、上述の如き特殊な方法を敢て實行しなければならなかつたのも歸するところは其の爲めであり、それの六年後に於ても猶完全に解消してゐなかつたことは、前述の如く當時本島人が一圓銀貨を依然「元」建の下に授受する舊慣をすてなかつたことからも明であつた。明治三十六年三月臺灣銀行頭取柳生一義氏が大藏大臣に建議して內地同樣の金本位制施行をもとめた時にも、だから「本島數百年來の舊慣を一朝にして打破するの利害は深く講究を要するものあり[5]」と云つてゐるのである。尤もこの點に對しては、同じく當時臺灣に於て銀行營業に從事してゐた者の中にも次の如き異る意見があつた。「臺灣人は銀貨の使用に慣れ、銀貨を嗜好するが故に金貨本位制となすに及ばずと云ふ者がある。是は事情に迂なる見である。支那人は畢竟利に敏なる者、金に利あれば金を愛し、銀に利あれば銀を好むのである。金銀比價變動の際に、爲替作用を投機的に利用して能く利を得る者は支那人である。臺灣人も支那人と系統を一にする者である以上は、必らずしも銀のみを好まざるは、斷じて保證する所である」[2]と。此の言たる、確かに一面の眞理を含み、殊に營利に眼覺めたる貿易商其他にはそのまゝ最もよく當り、都會の本島人にも多少當て嵌る點があつたと解せられる。それはこれ等の者がもとめたものは「銀」よりも先づ「利潤」であつたからである。然しながら、大部分の住民卽ち地方農民等の文字通りの愛銀思想の核心に觸るゝものではなかつた。蓋し內地同樣の金本位制の施行と云へば、事實上「金貨の流通せざる金本位」である。これを敢て强行すれば、金屬貨幣をもとむる一般本島人をして銀を金に乘りかへしむることが出來なかつたし、さりとて反對に、もし一般本島人が眞に「愛銀」を「愛金」に轉じ、金貨を兌換してこれを從來の銀の如くどしどし蓄藏せんとするに當り、無制限に兌換を認むるといふことであつたならば、當時一億二千萬圓前後の日銀正貨準備を以て、到底臺灣に金兌換制度を實施することは不可能であつたからである。

更に又一層周到な考慮をめぐらせば、領臺當時から漸次意識的に形成されつつあつた我が南方發展の使命の自覺と南進政策の見地よりすれば、南支其他への我が經濟發展にはその地方に日本圓銀の流通を增加ずることが最も有利なる方法であつたし、臺灣銀行をして我が南方發展を援助促進せしむる有力な機關たらしめやうとの趣旨は、前掲臺灣銀行法理由書にも又創立總會の際になされた大藏次官の演說にも明かに示されて居り、同行が設立後間もなく厦門、香港に支店を設置しその地方に先づ圓銀の流通を圖つたのもこの使命の自覺に基いたものに他ならなかつた。既に內地に於て通用を廢された一圓銀貨を南支より新嘉坡南洋方面に繼續流通せしむる爲めには、臺灣銀行をして其の任に當らしむることが便であつたから、臺灣に於てその流通を全然廢するに際しては當然この問題も同時に考慮せられねばならなかつたであらう。前記柳生臺銀頭取の建議書が、此の問題にも觸れ、「淸國との關係上卽時に銀の使用を停止するの難事たるのみならず、淸國幣制の將來に一步を進めんが爲めには、統一したる銀貨銀券の流通區域を擴張するの急務なるを信ずと雖も」と斷つてゐるのもこれが爲めであつた。

これ等の諸條件を考慮した結果明治三十六年九月十六日附を以て、兒玉總督は具體的改正案を提出したが其の要點は次の如くであつた。[8)]

一、臺灣銀行法を改正し、明治三十七年より新たに一圓以上の金券を發行せしめ、從來の銀券と引換をなさしむ。

二、一圓銀貨は政府自ら引換を爲さず、臺灣銀行銀券と共に、當分の內公定相場を以て政府の公納に收納す。

三、他日政府に於て一圓銀貨を公納に收納することを止むるに至る迄の期間は、右の公定相場に依り一圓銀貨及銀券を法貨として流通せしむ。

四、政府に收納したる一圓銀貨及び銀券は再び之を拂出さず。

五、必要に應じ時機を見計ひ一圓銀貨の輸入を禁止す。

六、臺灣銀行金券の普及を見計ひ、一圓銀貨及銀券を公納に收納することを止む。

七、人民相互の合意に依り圓銀を受授することは政府關涉を爲さず。

而して其の運用の見透に關しては、

「大體右の順序に依り來る三十七年以降約三箇年を期し改制を完了するの方針を以て著手相成候はば、本島既往の變遷と現況とに照らし、急激に失するの弊を避け、政府に於ても格別の費用と手數とを要せず、民間に於ても一時に改制の影響を感ずることなく、極めて圓滑に本島の幣制を內地と同一ならしむるに至るを得べくと存候。而して一度改制せられたる以上、金貨制度の維持に付ては、金貨國に對し、常に輸出超過の傾向を有するのみならず、將來少くも年々百五十萬圓內外の金を產出すべき見込ある本島に於て、格別の懸念無之儀と存候[9]」

と附言したのである。

此の總督の提案を容れて大藏省は第十九議會に臺灣銀行法改正法律案を提出することに內定したが、議會が解散されたので目的を果さず、翌春開かれた臨時議會も亦日露戰爭中であつた爲めに、軍事關係以外の議案は一切提案せぬ方針がとられた爲め、臺灣銀行法の改正は次第に遲れ、不止得同法改正までの應急措置として、明治三十七年六月四日律令第八號を以て終に第二次の改革が斷行を見たものである。[10]

臺灣銀行券發行ニ關スル件（明治三十七年六月十四日律令第八號）

第一條　臺灣銀行ハ金貨ヲ以テ引換フヘキ券面金額一圓以上ノ銀行券ヲ發行

スルコトヲ得

前項ノ銀行券ニ關シテハ臺灣銀行法ニ依リ發行スル銀行券ニ關スル規定ヲ準用ス但其發行高ノ制限ニ付キテハ臺灣銀行法ニヨリ發行スル銀行券ノ發行高ト併算シ、其引換ハ臺灣銀行本店及臺灣總督府管轄地方内ノ同行支店ニ於テ之ヲ爲スモノトス

第二條　臺灣銀行法ニ依リ發行シタル銀行券ハ臺灣銀行本店又ハ臺灣總督府管轄地方内ノ同行支店ニ於テ臺灣總督ノ告示スル一圓銀貨ノ時價ニ依リ金貨又ハ本令ニ依リ發行スル銀行券ト引換フルコトヲ得

附　則

本令ハ明治三十七年七月一日ヨリ施行ス

此の律令に基き着手せられた第二次改革の主旨は、前掲臺灣總督の稟議書の要項が示す如く、臺灣銀行をして新たに銀券と竝んで、「金券」なるものを發行せしめたこと、從來發行の銀券を金貨又はこの「金券」を以て兌換することをも認めたこと、而して漸次(當初の計畫としては大體三年計畫を以て)一圓銀貨及び銀券を引上げ臺灣の特殊通貨を「金券」一種に改めんとしたこと、の三點にあつた。「金

券」とは、従來の「銀券」が地金としての一圓銀貨を以て兌換する銀行券であつたから、其の通貨としての價値は額面によらず、政府の公定相場によつて定められ且屢々變動したに反し、金貨を以て兌換し、直接金圓によつて價値が表現され、その一圓は金一圓として額面通りに通用する銀行券であつたこと、簡單に云へば日本銀行兌換券と同じく金本位國に於ける「普通」の銀行券であつた。從來補助貨を除けば臺灣には金圓を以て其の金額を表示せらるゝものは、唯制度前、及び其後內地より旅行者等によつて偶々齎らされた日本銀行券があつただけで、其の流通量は限られてゐたから、今や臺灣の爲めに此の種の銀行券がつくられ、政府及び臺灣銀行は積極的に其の流通の促進に努め、漸次從來の銀券及び一圓銀貨に代らしめんとすることとなつたことは、確かに臺灣の幣制上劃期的な改革の第二步を意味するものであつた。

金券の流通は如何であつたか。臺灣銀行はこれに就て、「金券發行の當初は恰かも北部は製茶の季節に際したれば、先づ北部地方より中南部地方に及ぼした結果何れも良好[11]」であり、その流通は「頗る圓滑にして山間僻地に至る迄流通せるより、發行の際に於ける杞憂は幸に實現せず、流通上何等支障なきのみならず金貨交換拂出も亦極めて尠[12]かつたと誌してゐる。金兌換の請求が概して少なかつたことは、本島人が金よりも銀を愛した結果であつたとして説明は簡單であると考へられるが、金券の流通がしかく無雜作に一般島民によつて受入れられたとはいさゝか信じ難く思はれる。然し統計數字の示すところによつて見ても左表の如く、金券の流通高が極めて急激に増加し、同年末には早くも臺灣銀行券流通額五百二十八萬餘圓中、金券は四百二十二萬餘圓、即ち略々金券八割銀券二割の割合となつてゐたといふことは疑ふべからざる事實であつた。

臺灣銀行券金券銀券別流通高

年月末	總流通高	金券流通高	銀券流通高	百分比	
				金券	銀券
二七年・六月	三、六六七、八六六圓	—	三、六六七、八六六	—	一〇〇
七	三、二六二、九六三	二一八、五九三	三、〇四四、三七〇	七	九三
九	三、四二五、〇七三	一、六六二、六七一	一、七六二、四〇二	四九	五一
一二	五、二八五、一六〇	四、二二六、四七二	一、〇五八、六八八	八〇	二〇
三八・三	五、二三一、七一五	四、八六六、七七四	三六四、九四一	九三	七
六	五、四二六、一七五	五、一八〇、一九五	二四五、九八〇	九五	五

九	五、五二九、九五九	五、三七四、九三五	一五五、〇二四	九七	三
一二	六、〇八〇、六七〇	六、〇一四、五六九	六六、一〇一	九九	一
三九・三	六、三四三、九三二	六、三〇一、九六三	四一、九六九	九九	一
六	七、九二六、七一三	七、八九一、二七二	三五、四四一	一〇〇	—
九	八、一〇二、九九六	八、〇七一、〇一九	三一、九七七	一〇〇	—
一二	八、九三二、七四一	八、九〇二、六三二	三〇、一〇九	一〇〇	—
四〇・三	七、八七三、三六九	七、八四五、二六二	二八、一〇七	一〇〇	—
六	九、一八二、四七八	九、一五五、二〇五	二七、二七三	一〇〇	—
九	九、四七三、三一一	九、四四六、五一九	二六、七九二	一〇〇	—
一二	九、六四〇、七八五	九、六一七、八五三	二二、九三二	一〇〇	—
四一・三	七、六六四、一〇一	七、六四一、二九九	二二、八〇二	一〇〇	—
六	七、八五二、〇五〇	七、八三〇、一七四	二一、八七六	一〇〇	—
九	八、一三四、六五一	八、一一二、九一四	二一、七三七	一〇〇	—
一二	九、〇二六、六八七	九、〇〇六、三六三	二〇、三二四	一〇〇	—
四二・三	一〇、〇〇三、九八五	九、九八三、九二六	二〇、〇五三	一〇〇	—
六	一一、八八六、〇四五	一一、八六六、一一八	一九、九一七	一〇〇	—
九	一〇、六六二、七〇五	一〇、六四三、〇五四	一九、六五一	一〇〇	—
一二	一一、二〇七、六〇〇	一一、二〇七、六〇〇	—	一〇〇	—

（注意、銀券は其の當時の公定相場により、金圓に換算せるもの、臺灣銀行編、第八次臺灣金融事項參考書、二四—六頁）

その説明はかうであらう。第一に金券と銀券との右流通高の變化は、必らずしも自然に實現せられたものではなく、臺灣銀行が一度復歸せる銀券を再び出さぬやうに極力努力し、政策的に金券の流通を圖つた結果生じたものであるといふこと。右の如く、發行後直ちに「山間僻地に至る迄」金券が圓滑に流通したと臺銀自ら誌してゐる直後に、「本島人間には其の取引尚銀勘定なりしかば、(金券を用ひる時は建値や契約價額を)金價に換算せざるべからざるを以て、之を不便と爲す者多かりしが[13]……」と同時に矛盾したことを述べてゐるのも其の故であらう。銀券をどし／＼引上げて其の代りに金券を流通界に押しつけた、從つて銀券流通高が急に減じて其の代りに金券流通高が急增した。これが其の眞相に違ない。第二に、從來發行の銀券中には一圓券が相當多かつたが、金券は最初五圓券のみを發行したのであるから[14]、それは、如かく「山間僻地」の流通に適したものでなかつた。だからそれは主として都會地にて流通したものであることは疑ない。政府及び都會地に於ける內地人經濟がその運行上絕對に必要とした「最低流通必要量」は金券の總流通高五・六百萬圓の恐らく大部分に當つてゐたであらう。第三に、本島人の中でも內地人と取引する商人等は從來もその取引に概して金圓建を用ひてゐた關係から彼等の中には金劵を歡迎した者が相當にあつた。これ等の者は常に内地人商人との間に比較的大口取引を營む者のみならず、内地人を主たる顧客とする中小商人まで含めると、當時に於ても其の數は相當に多かつたに違ない。要するに金劵流通高の急速なる增加、其の半面に於ける銀劵の急激な減少といふ事實は、一つは强制の結果であり、一は既に金圓計算を行つてゐた者の間にそれが吸收された、といふ點から主として說明せらるべきもので、「山間僻地」說は推服し難いのである。

かく云ふも金劵發行といふ事實が銀劵引上と相俟つて結果したところの、その流通强制が、從來銀元建を用ひてゐた本島人の間に圓建の新慣習を植えつける效果を全然持たなかつたと云ふ意味ではない。かゝる效果は此の制度が始めから目指してゐたところであり、それがもし全然得られなければ、三年計畫は十年計畫に延長しても、内地同樣の金本位制に移ることは出來ぬ筈であつたし事實に於ても、比較的その傾向を既に從來から持つてゐた都會の商人等の間には、相當早くかゝる效果を生じたのでもあつた。「北部及び南部地方の土民間には此の通貨の交替に應じ、從來の銀勘定を金勘定に改めんとの協議を爲し、漸次實行する者多きを加へた[15]」と云ふのは卽ち此の種の例であつた。

要するに第二次幣制改革の使命は、漸進的に臺灣の通貨を金兌換銀行券(金券)に置きかへやうといふのであつたが、それは本島人の銀元建の慣習を改めさせなくては達せられず、その爲めにも一圓銀貨や銀券の如き、從來の銀通貨を流通界から漸次引上げ、是非共金券を用ふるの他なからしめるように仕向けざるを得なかつたのである。此の制度の原案が定まり、愈々方針が確定するや、明治三十六年九月二十六日臺灣總督府が早くも輸入粗銀の課税に關する律令(律令第五號)を發布して、對岸より輸入せらるゝChopped dollarに五分の課税を行ひ、其の流入を阻止する方針をとつた(此の時同時に律令第四號を以て歹錢輸入禁止令も發布された)のは、云はゞ其の準備行動であつた。

次で此の制度の實施と同時(三十七年六月)に律令九號を以て、

臺灣ニ於テ一圓銀貨幣及政府ノ極印ヲ施セル一圓銀貨幣ハ時價ヲ以テ公納ニ使用スルコトヲ得但シ時價ハ臺灣總督ノ告示スル所ニ依ルヘシ

本令ハ明治三十七年七月一日ヨリ之ヲ施行ス

明治三十一年律令第十九號ハ之ヲ廢止ス

と規定し、一圓銀貨及極印銀貨から公納の場合を除き法貨たる資格を奪つたことは、其の第二步であつた。(猶、これによつて最早銀行は巨額の一圓銀貨を受入るゝ義務を解除せられたわけであるが、急激に之を實行するときは忽ち一般に打擊を與へることになるので、臺灣銀行は當分從前通り公定相場によりそれを受入るゝ方針をとつたやうである。同年七月一日より金券發行を實行するに際し、豫め島內各支店に發した通牒中に、「一圓銀貨は本行に於て當分公納相場により之を受入れ得ること」と[16]注意してゐるのは其の爲めであつた)。

更に、金券の流通高が次第に增加し、其の流通が益々圓滑なるを見定めるや、明治四十一年十月二十日、益々一圓銀貨及び極印銀貨の公納使用を同年末限り廢止し(律令第十六號[17])、又一圓銀貨の引換期限を翌四十二年四月末までと定め(律令第六十號[18])、その公定相場による引換を開始(府令第十七號)したのは其の第三步であつた。猶當時銀市場に於ける相場低落の結果、臺灣の公定相場を有利なりとして對岸より一圓銀貨の流入あり、これと共に粗銀も亦流入する傾向があつたので、同時に圓銀及び外國銀貨の輸移入を金圓換算百圓までに制限し、粗銀の輸入をば全然禁止する方策に出で(律令第十五號[19]——此の時外國補助貨の輸移入も三圓までと制限された)、更に、臺灣銀行の銀券に就て、明治四十二年三月法律第一號[20]を以て同年末までに引換方請求を命じたのはその第四步であり、圓銀及び銀券の引換期限(明治四十二年三月末及び十二月末日)の滿了を以て、臺灣の銀通貨整理過程は悉く完了を見たのである。[21]

かくの如く、當初の三年計畫よりは多少延びたが、第二次改革が實施せられた明治三十七年七月一日より僅々五ヶ年半、金標象として通用せしめた銀地金(一圓銀貨及び銀券)と金兌換券たる金券との併行時代といふ、過渡的段階を經過して、明治四十三年一月より臺灣の通貨は全く金兌換券(臺灣銀行券)と政府の補助貨とより成ることとなり、「銀地金を流通せしむる・金本位制」は其の特異なる煩はしき形容句を棄てて單なる「金本位」に脫化し、この形容句と共に當然また通貨・支拂・會計・金融に隨伴した一切の煩雜、弊害をも一掃することが出來たのである。而して流通手段として金を使用した經驗の殆どなかつた(絕無ではなかつたにしても)本島人は、兌換を請求して銀行券の代りに金貨を流通せしめやうとはしなかつたから、金秤量制の新慣習を發生せしめなかつたのは勿論、「金貨本位制」の過程をも省略して、「金本位」は始めから我國同樣「金貨の流通せざる金本位制」となつたのである。かくの如く一切の過程を完了し正常の形に於ける金本位制が四十三年以來完全に臺灣に施行された後一年三ヶ月を經た時、「貨幣法を臺灣に施行す」といふ無用にして必要な勅令（四十四年四月第六四號）が發布されて、明治三十年十月以來應急措置に應急措置を重ね來つた貨幣法規上の混亂もこゝに全く終りをつげ、法制的にも臺灣の幣制は完備を遂げたのである。

もとより第二次の改革過程僅か五年半を以て、島民全部が忽然と銀元計算を廢し金基礎の上に圓建名目貨幣流通を實現したといふならばそれは奇蹟を信せよと云ふに等しい。現に政府は島民が一圓銀貨を合意に基いて授受することは敢て干渉せざる方針を以て此の改革過程を進めたこと、上述總督の建議書要項中第七に示された如くであつた。合意貨幣としては引換期限滿了後も暫らく一圓銀貨は地方本島人間の流通場裡より跡を絶たなかつた。それ等が最後的に姿を沒したのは、だから歐洲戰爭中後、殊に大正七・八年頃銀が銀塊相場の歴史あつて以來の大暴騰を來した際、鑄潰され又輸出せられた時に於てであつた。それにしても本島人は、今日の一圓に對して、未だに「一元銀（チッコーグン）」なる呼稱と「一元（イッグワン）」なる記帳法とを改めぬことによつて、其の銀元秤量制の最後の遺物を今に猶存してゐる。其の守奮の性強きによるは敢て否定せず、それを政策の强制に對する慣習の反撥抵抗と解する時、自ら第二次改革の性質を如實に察することも出來るのではなからうか。

(1) 臺灣の關税は、明治二十九年一月廿九日、政府が締盟各國に對し、臺灣に條約施行を宣言した時、早くも内地と同率適用の原則が樹立されたのであるが、明治三十二年九月、勅令第二三號を以て、關税定率法の臺灣施行が實行せられた。これが臺灣と支那との間の貿易を内地との間の貿易に轉換せしむるに役立つた效果は極めて大であつた。兒玉總督も大藏省への稟議書中にそれを認めてゐる（臺灣總督府、「臺灣ノ貨幣制度ニ就キ」、二〇頁）。

(2) 輿論の一例。「臺灣が我が國に歸して八箇年である。貿易の有樣は漸次對岸より内地に轉じ、今や内地貿易と對岸貿易とは兩〻二千萬圓となつた。是實に臺灣が内地に同化せられつゝある現象である。然れども内地と臺灣と幣制を異にしてゐる故に、商業上の不便少からず、動もすれば、此好機運を沮まんとするは殘念である。如何んとなれば、内地と臺灣と幣制異る故に、各般の取引に混雜を致すのみでなく、爲替の作用も圓滑ならず、内地臺灣間商業の連絡を阻隔し、又資本の共通を妨ぐるからである。故に今後臺灣及内地の間の商業を密接ならしめ、貿易の趨勢を内地に轉向せしむるには、幣制の統一といふことは最も必要である」（明治三十六年十一月、木村匡著、臺灣貨幣問題、五六頁）。總督府調査書は、當時臺北商工會が決議して幣制改革の急を建議し、又臺南の有力本島人商人よりも同一の建議があつたと述べてゐる（「臺灣ノ貨幣制度ニ就キ」、一八頁）

(3) 臺灣銀行十年誌、六四―五頁。

(4) 日露戰爭の切迫に伴ひ、準備銀貨の補充困難に陷り窮地に立つた臺灣銀行は、明治三十六年八月二十一日、大藏省に自衞策なる一書を提出した。其の要旨は、「現幣制は臺灣銀行の存立の基礎を危からしめ、延て本島經濟界の發達を阻碍するや必せり。故に一日も早く改正を要するも、時機未だ到らずとせば、（一）臺灣の歳出入を銀勘定とすること、（二）一般の取引も銀勘定に依るを以て原則とすること、（三）公定相場を廢止すること。若し各國皆金本位制に統一せられんとする今日に際して、此の方法不可なりとせば、現行幣制の不備より生ずる本行の損失は、政府に於て負擔せらるゝこと。又若し之をも行ふべからずとせば、止むを得ず必要手段として、（一）政府所有の銀塊は何時にても相當代價にて拂下らるゝこと、（二）銀行券引換に對し、金貨又は粗銀を拂渡し得ること、（三）銀行券を以て圓銀と交換を請求する者に對し、交換打歩を取り得ること」（「臺灣銀行十年誌」、六六—七頁）を許され度しと要請したものである。要するに（イ）銀本位制を採用するか、（ロ）臺銀の損失を政府が補償するか、（ハ）然らずんば現行制度の運用上種々の便法を認めよ、といふのであつて、前二案は全く其の實行不可能なるを期してゐたものであらうから、主としては最後の便法を要請せるものであつた。その中、銀塊の拂下は兎も角、銀券の兌換に金貨又は Chopped dollar を用ふること及び、一圓銀貨との兌換には打歩をとることの許可をもとめた點は、もし許可されて實施したならば殆ど全く此の制度を破壞し去る結果を生じたであらうから、其の要請の無理であつたことは云ふまでもなかつた。寧ろ此の書の全體が如何にも常規を外れた要請から成るものであつたといふことは、これによつて當時臺灣銀行が如何に焦慮してゐたかを知り、更に其の原因として當時の臺灣の幣制の弊害が如何に甚だしかつたかを窺ふに足る一つの資料と見て置くのが妥當である。

(5) 「臺灣ノ貨幣制度ニ就キ」、一七頁。

(6) 木村匡、前掲書、五八頁。

(7) 「臺灣ノ貨幣制度ニ就キ」、一七頁。

(8) 同書一八頁。

(9) 同書二二頁。

(10) 臺灣銀行法改正法案は、翌年の通常議會にも提出されず、律令第八號の發布後一年八ケ月を經た明治三十九年二月十七日に、漸く法律第三號を以て改正された。

(11)—(16) 臺灣銀行二十年誌、六七頁。

(17) 明治四十一年十月二十日律令第十六號。

明治三十七年律令第九號ハ明治四十一年十二月三十一日限之ヲ廢止ス

(18)(イ) 明治四十一年十月二十日律令第十七號。

政府ハ時價ヲ以テ一圓銀貨幣ノ引換ヲ爲スヘシ但シ時價ハ臺灣總督ノ告示スル所ニ依ル

前項ノ引換期間ハ臺灣總督之ヲ定ム

附　則

本令ハ公布ノ日ヨリ之ヲ施行ス

(ロ) 明治四十一年十月二十四日府令第六十五號

明治四十一年律令第十七號ニ依ル一圓銀貨幣ノ引換ハ明治四十二年四月三十日限トス

附　則

本令ハ公布ノ日ヨリ之ヲ施行ス

(19) 明治四十一年十月二十日律令第十五號

帝國貨幣ニ換算シテ百圓ヲ超過スル一圓銀貨幣及外國銀貨幣參圓ヲ超過スル外國補助貨幣竝粗銀ノ移入及輸入ハ之ヲ禁止ス

一圓銀貨幣及外國銀貨幣ニシテ通シテ百圓ヲ超過スルモノ亦同シ

[illegible]

種別 / 年次	臺灣ヨリ					
	金貨	金地金	一圓銀貨	同極印付	補助銀貨	墨西[illegible]
	圓	圓	圓	圓	圓	
明治二十九年	—	5,618	35,317	—	—	1[illegible]
三十 〃	—	—	345,592	—	—	20[illegible]
三十一 〃	—	—	321,050	1,185,610	—	101,1[illegible]
三十二 〃	—	—	486,952	1,431,182	—	
三十三 〃	—	24,800	1,020,849	943,612	—	6[illegible]
三十四 〃	—	600	166,786	966,339	85	12,4[illegible]
三十五 〃	—	—	34,696	101,230	—	285,9[illegible]
三十六 〃	—	—	270,534	82,509	—	1[illegible]
三十七 〃	2,000	—	222,855	21,006	—	3[illegible]
三十八 〃	74,940	—	757,556	2,156	—	2,8[illegible]
三十九 〃	60,400	—	1,709,446	30,036	6,854	3,8[illegible]
四十 〃	24,660	—	111,714	2,502	75,608	1[illegible]
四十一 〃	12,000	—	13,732	—	3,502	1,8[illegible]
四十二 〃	—	—	113,898	692	—	[illegible]
累計 〃	174,000	31,018	5,610,977	4,766,874	86,044	788,[illegible]

備考，※印明治三十年金貨中には邦貨換算 98 圓の英國金貨を含む

臺灣金銀輸出入趨勢

臺灣ヨリ輸出									臺灣へ輸入										差引出入(△)超
貨	金地金	一圓銀貨	同極印付	補助銀貨	墨西哥銀貨	香港銀貨	銀地金	計	金貨	金地金	一圓銀貨	同極印付	補助銀貨	墨西哥銀貨	香港銀貨	其他外國銀貨	銀地金	計	
圓	圓	圓	圓	圓	圓	圓	圓	圓	圓	圓	圓	圓	圓	圓	圓	圓	圓	圓	
—	5,618	35,317	—	—	[illegible]	—	—	211,277	—	7,507	4,040,600	—	—	1,353,300	—	—	—	5,401,407	△ 5,190,130
—	—	345,592	—	—	[illegible]	—	77,700	631,853	※ 133	4,183	4,662,743	—	—	1,245,400	1,500	—	17,210	5,931,079	△ 5,299,226
—	—	321,050	1,185,610	—	101,173	—	503,134	2,110,967	—	21,619	348,640	3,650,059	34,863	877,426	—	19,303	856,652	5,808,562	△ 3,697,595
—	—	486,952	1,431,182	—	—	—	569,647	2,487,781	—	4,934	749,371	2,141,373	21,405	[illegible]	—	6,155	514,890	3,543,519	△ 1,055,738
—	24,800	1,020,849	943,612	—	611	—	806,696	2,796,568	—	8,181	426,880	833,655	13,546	90,305	—	—	94,305	1,466,872	1,329,696
—	600	166,786	966,339	85	12,438	—	359,047	1,505,290	—	5,764	27,601	591,001	19,740	44,950	—	—	244,511	933,567	571,723
—	—	34,696	101,230	—	285,937	—	529,011	950,874	—	2,153	920,475	1,697,621	8,633	—	—	—	1,801,973	4,430,855	△ 3,479,981
—	—	270,534	82,509	—	135	—	587,052	940,230	—	592	22,583	162,471	1,925	—	—	—	1,266,752	1,454,323	△ 514,093
,000	—	222,855	21,006	—	354	—	949,758	1,195,973	150,170	—	124,583	4,812	—	9,257	55,585	21,284	124,110	489,801	706,172
,940	—	757,556	2,156	—	2,823	23	391,559	1,229,057	7,760	—	200,689	913	2,033	210,085	5,950	2,861	24,769	455,060	773,997
,400	—	1,709,446	30,036	6,854	3,850	—	377,726	2,188,312	—	—	19,066	163	809	—	334	—	3,956	24,328	2,163,984
,660	—	111,714	2,502	75,608	100	—	44,286	258,870	2,210	—	211,906	5,062	107,700	397	5,089	3,541	3,590	339,495	△ 80,625
,000	—	13,732	—	3,502	1,896	31,669	5,302	68,101	3,630	—	1,775,477	12,816	123,182	598	811,332	31	24,315	2,751,381	△ 2,683,280
—	—	113,898	692	—	564	25,340	17,031	157,525	※ 1,709	—	—	—	5,449	—	—	—	—	7,158	150,367
,000	31,018	5,610,977	4,766,874	86,044	788,784	57,032	5,217,949	16,722,678	165,612	54,933	13,530,614	9,099,946	339,285	3,937,109	879,790	53,175	4,976,943	33,037,407	△ 16,314,729

印明治三十年金貨中には邦貨換算 98 圓の英國金貨を含む。又明治四十二年金貨は全部英國金貨なり。第十六次臺灣金融事項參考書による。

臺灣金銀輸出入趨勢

種別 / 年次	臺灣ヨリ輸出									臺灣ヘ輸入								
	金貨	金地金	一圓銀貨	同極印付	補助銀貨	墨西哥銀貨	香港銀貨	銀地金	計	金貨	金地金	一圓銀貨	同極印付	補助銀貨	墨西哥銀貨	香港銀貨	其他外國銀貨	銀地金
	圓	圓	圓	圓	圓	圓	圓	圓	圓	圓	圓	圓	圓	圓	圓	圓	圓	圓
明治二十九年	—	5,618	35,317	—	—	[illegible]	—	—	211,277	—	7,507	4,040,600	—	—	1,353,300	—	—	—
三十〃	—	—	345,592	—	—	[illegible]	—	77,700	631,853	※133	4,183	4,662,743	—	—	1,245,400	1,500	—	17,210
三十一〃	—	—	321,050	1,185,610	—	101,173	—	503,134	2,110,967	—	21,619	348,640	3,650,059	34,863	877,426	—	19,303	856,652
三十二〃	—	—	486,952	1,431,182	—	—	—	569,647	2,487,781	—	4,934	749,371	2,141,373	21,405	105,[illegible]	—	6,155	514,890
三十三〃	—	24,800	1,020,849	943,612	—	611	—	806,696	2,796,568	—	8,181	426,880	833,655	13,546	90,305	—	—	94,305
三十四〃	—	600	166,786	966,339	85	12,438	—	359,047	1,505,290	—	5,764	27,601	591,001	19,740	44,950	—	—	244,511
三十五〃	—	—	34,696	101,230	—	285,937	—	529,011	950,874	—	2,153	920,475	1,697,621	8,633	—	—	—	1,801,973
三十六〃	—	—	270,534	82,509	—	135	—	587,052	940,230	—	592	22,583	162,471	1,925	—	—	—	1,266,752
三十七〃	2,000	—	222,855	21,006	—	354	—	949,758	1,195,973	150,170	—	124,583	4,812	—	9,257	55,585	21,284	124,110
三十八〃	74,940	—	757,556	2,156	—	2,823	23	391,559	1,229,057	7,760	—	200,689	913	2,033	210,085	5,950	2,861	24,769
三十九〃	60,400	—	1,709,446	30,036	6,854	3,850	—	377,726	2,188,312	—	—	19,066	163	809	—	334	—	3,956
四十〃	24,660	—	111,714	2,502	75,608	100	—	44,286	258,870	2,210	—	211,906	5,062	107,700	397	5,089	3,541	3,590
四十一〃	12,000	—	13,732	—	3,502	1,896	31,669	5,302	68,101	3,630	—	1,775,477	12,816	123,182	598	811,332	31	24,315
四十二〃	—	—	113,898	692	—	564	25,340	17,031	157,525	※1,709	—	—	—	5,449	—	—	—	—
累計〃	174,000	31,018	5,610,977	4,766,874	86,044	788,784	57,032	5,217,949	16,722,678	165,612	54,933	13,530,614	9,099,946	339,285	3,937,109	879,790	53,175	4,976,943

備考，※印明治三十年金貨中には邦貨換算 98 圓の英國金貨を含む。又明治四十二年金貨は全部英國金貨なり。第十六次臺灣金融事項參考書による。

銀地金の輸移出入表(類別)

	外國銀貨							銀地金							合計							年次
出入超	輸出	輸入	差引輸出入(△)超	移出	移入	差引移出入(△)超	合計出入(△)超	輸出	輸入	差引輸出入(△)超	移出	移入	差引移出入(△)超	合計出入(△)超	輸出	輸入	差引輸出入(△)超	移出	移入	差引移出入(△)超	合計出入(△)超	
圓	圓	圓	圓	圓	圓	圓	圓	圓	圓	圓	圓	圓	圓	圓	圓	圓	圓	圓	圓	圓	圓	明治二十八年
	170,342	1,353,300	△1,182,958		—	—	△1,182,958	—	—	—	—	—	—	—	205,659	5,393,900	△5,188,241	—	10,835,401	△10,835,401	△25,004,528	二十九〃
,864	108,561	1,245,400 / *1,500	△1,038,339	—	—	—	△1,038,339	77,700	17,120	△60,580	—	—	—	△60,580	631,853	5,926,763	△5,294,910	—				三十〃
	101,173	877,426 / ×19,303	△795,559		—	—	△795,559	503,134	856,652	△353,518	—	—	—	△353,518	2,110,967	5,786,943	△3,685,976	—				三十一〃
,405	—	105,391 / ×6,155	△111,546		—	—	△111,546	569,647	514,890	54,757	—	—	—	54,757	2,487,781	3,538,585	△ ,050,804	—	—	—	△1,050,804	三十二〃
,546	611	90,305	△89,694	—	—	—	△89,694	856,696	94,305	712,391	—	—	—	712,391	2,771,768	1,458,691	1,313,077	385,000	1,107,000	△722,000	591,077	三十三〃
,660	12,438	44,950	△32,512	—	—	—	△32,512	359,047	244,511	114,536	—	545,757	△545,757	△431,221	1,504,690	927,803	576,887	99,950	1,919,477	△1,819,527	△1,242,640	三十四〃
,367	285,937		285,937	—	—	—	285,937	529,011	1,801,973	△1,272,962	—	—	—	△1,272,962	950,874	4,428,702	△3,477,828	350,000	643,372	△293,372	△3,771,200	三十五〃
,925	135	—	135	—	—	—	135	587,052	1,266,752	△679,700	—	—	—	△679,700	940,230	1,453,731	△513,501	—	2,284,091	△2,284,091	△2,797,592	三十六〃
,000	354	9,257 / *55,585 / ×21,284	△85,772	—	—	—	△85,772	949,758	124,110	875,648	800	242,289	△241,489	634,159	1,[illegible]3,973	339,681	854,342	800	366,289	△365,489	488,853	三十七〃
033	2,823 / *23	210,085 / *5,950 / ×2,861	△216,050	—	—	—	△216,050	391,559	24,769	366,790	—	—	—	366,790	1,154,117	447,300	706,817	189,000	545,000	△356,000	350,817	三十八〃
955	3,890	*334	3,517	—	—	—	3,517	377,726	3,956	373,770	—	—	—	373,770	2,127,912	24,361	2,103,551	200,000	340,000	△140,000	1,963,551	三十九〃
758	100	397 / *5,089 / ×3,541	△8,927	—	—	—	△8,927	44,286	3,590	40,696	1,000	—	1,000	41,696	234,210	337,285	△103,075	413,849	565,000	△151,151	254,226	四十〃
320	1,896 / *31,669	598 / *811,3[illegible]2 / ×31	△778,396	17,958	—	17,958	△778,396	5,302	24,315	△19,013	11,842	—	11,842	△7,171	56,101	2,747,751	△2,691,650	321,800	—	321,800	△2,369,850	四十一〃
551	564 / *25,340	—	25,904	—	—	—	25,904	17,031	—	10,873	2,291	—	2,291	13,164	157,525	5,449	152,076	545,473	230,000	△315,473	△163,397	四十二〃
56	788,784 / *57,032	3,937,106 / *879,790 / ×3,175	△4,024,258	17,958		17,958	△4,006,300	5,217,949	4,976,943	241,006	15,933	788,046	△772,113	△531,107	16,527,660	32,816,8[illegible]8	△16,289,198	2,405,872	18,835,630	△16,431,108	△32,720,306	累計

臺灣に於ける銀貨銀地金の輸移出入表(類別)

	同上極印付							補助銀貨							外國銀貨							銀		
合計出入(△)超	輸出	輸入	差引輸出入(△)超	移出	移入	差引移出入(△)超	合計出入(△)超	輸出	輸入	差引輸出入(△)超	移出	移入	差引移出入(△)超	合計出入(△)超	輸出	輸入	差引輸出入(△)超	移出	移入	差引移出入(△)超	合計出入(△)超	輸出	輸入	差引輸出入(△)超
圓	圓	圓	圓	圓	圓	圓	圓	圓	圓	圓	圓	圓	圓	圓	圓	圓	圓	圓	圓	圓	圓	圓	圓	圓
△16,645,024	—	—	—	—	—	—	—	—	—	—	—	516,001	△516,001	△550,864	170,342	1,353,300	△1,182,958	—	—	—	△1,182,958	—	—	—
	—	—	—	—	—	—	—	—	—	—	—				208,561	1,245,400 * 1,500	△1,038,339	—	—	—	△1,038,339	77,700	17,120	△60,580
	1,185,610	3,650,059	△2,464,449	—	2,024,400	△2,024,400	△4,488,849	—	34,863	△34,863	—				101,173	877,426 × 19,303	△795,559	—	—	—	△795,559	503,134	856,652	△353,518
△262,419	1,431,182	2,141,373	△710,191	—	—	—	△710,191	—	21,405	△21,405	—	—	—	△21,405	—	105,391 × 6,155	△111,546	—	—	—	△111,546	569,647	514,890	54,757
187,969	943,612	833,655	109,957	—	—	—	109,952	—	13,546	△13,546	—	326,000	△326,000	△339,546	611	90,305	△89,694	—	—	—	△89,694	806,696	94,305	712,391
△1,007,585	966,339	591,001	375,338	—	—	—	375,338	80	19,740	△19,660	—	127,000	△127,000	△146,660	12,438	44,950	△32,512	—	—	—	△32,512	359,047	244,511	114,536
△1,529,151	101,230	1,697,621	△1,596,391	—	—	—	△1,596,391	—	8,633	△8,633	350,000	—	350,000	341,367	285,937		285,937	—	—	—	285,937	529,011	1,801,973	△1,272,962
△1,996,140	82,509	162,471	△79,962	—	—	—	79,962	—	1,925	△1,925	—	40,000	△40,000	△41,925	135	—	135	—	—	—	135	587,052	1,266,752	△679,700
98,270	21,006	4,812	16,194	—	—	—	16,194	—	—	—	—	124,000	△124,000	△124,000	354	9,257 * 55,585 × 21,284	△85,772	—	—	—	△85,772	949,758	124,110	875,648
745,867	2,156	913	1,243	—	—	—	1,243	—	2,033	△2,033	—	545,000	△545,000	△547,033	2,823 * 23	210,085 * 5,950 × 2,861	△216,050	—	—	—	△216,050	391,559	24,769	366,790
1,890,380	30,036	163	29,873	—	—	—	29,873	6,854	809	6,045	—	340,000	△340,000	△333,955	3,850	* 334	3,517	—	—	—	3,517	377,726	3,956	373,770
187,507	2,502	5,062	△2,560	—	—	—	△2,560	75,608	107,700	△32,092	25,150	565,000	△539,850	△507,758	100	397 * 5,089 × 3,541	△8,927	—	—	—	△8,927	44,286	3,590	40,696
△1,761,[illegible]45	—	12,816	△12,816	—	—	—	△12,816	3,502	123,182	△119,680	292,000	—	292,000	172,320	1,896 * 31,669	598 * 811,332 × 31	△778,396	17,958	—	17,958	△778,396	5,302	24,315	△19,013
353,080	692	—	692	—	—	—	692	—	5,449	△5,449	304,000	230,000	74,000	68,551	564 * 25,340	—	25,904	—	—	—	25,904	17,031	—	10,873
△19,728,989	4,766,874	9,099,942	△4,333,068	—	2,024,400	△2,024,400	△6,357,468	86,044	339,285	△253,705	971,150	2,813,001	△1,941,851	△2,195,556	788,784 * 57,032	3,937,106 * 879,790 × 31,175	△4,024,258	17,958	—	17,958	△4,006,300	5,217,949	4,976,943	241,006

モノハ第十

。輸出入外國銀貨中無印ハ墨西哥銀貨，＊印ハ香港銀貨，×印ハ其ノ他ノ外國貨幣ヲ示ス。

年次	壹圓銀貨							同上極印付							補助銀貨						
	輸出	輸入	差引輸出入(△)超	移出	移入	差引移出入(△)超	合計出入(△)超	輸出	輸入	差引輸出入(△)超	移出	移入	差引移出入(△)超	合計出入(△)超	輸出	輸入	差引輸出入(△)超	移出	移入	差引移出入(△)超	
	圓	圓	圓	圓	圓	圓	圓	圓	圓	圓	圓	圓	圓	圓	圓	圓	圓	圓	圓	圓	
明治二十八年	—	—	—	—				—	—	—	—	—	—	—	—	—	—	—			
二十九〃	35,317	4,040,600	△4,005,283	—	8,295,000	△8,295,000	△16,645,024	—	—	—	—	—	—	—	—	—	—	—	516,001	△516,001	△
三十〃	345,592	4,662,743	△4,317,151	—				—	—	—	—	—	—	—	—	—	—	—			
三十一〃	321,050	348,640	△27,590	—				1,185,610	3,650,059	△2,464,449	—	2,024,400	△2,024,400	△4,488,849	—	34,863	△34,863	—			
三十二〃	486,952	749,371	△262,419	—	—	—	△262,419	1,431,182	2,141,373	△710,191	—	—	—	△710,191	—	21,405	△21,405	—	—	—	△
三十三〃	1,020,849	426,880	593,969	385,000	781,000	△396,000	187,969	943,612	833,655	109,957	—	—	—	109,952	—	13,546	△13,546	—	326,000	△326,000	△
三十四〃	166,786	27,601	139,185	99,950	1,246,720	△1,146,770	△1,007,585	966,339	591,001	375,338	—	—	—	375,338	80	19,740	△19,660	—	127,000	△127,000	△
三十五〃	34,696	920,475	△885,779	—	643,372	△643,372	△1,529,151	101,230	1,697,621	△1,596,391	—	—	—	△1,596,391	—	8,633	△8,633	350,000	—	350,000	
三十六〃	270,534	22,583	247,951	—	2,244,091	△2,244,091	△1,996,140	82,509	162,471	△79,962	—	—	—	79,962	—	1,925	△1,925	—	40,000	△40,000	△
三十七〃	222,855	124,583	98,272	—	—	—	98,270	21,006	4,812	16,194	—	—	—	16,194	—	—	—	—	124,000	△124,000	△
三十八〃	757,556	200,689	556,867	189,000	—	189,000	745,867	2,156	913	1,243	—	—	—	1,243	—	2,033	△2,033	—	545,000	△545,000	△
三十九〃	1,709,446	19,066	1,690,380	200,000	—	200,000	1,890,380	30,036	163	29,873	—	—	—	29,873	6,854	809	6,045	—	340,000	△340,000	△
四十〃	111,714	211,906	△100,192	287,699	—	287,699	187,507	2,502	5,062	△2,560	—	—	—	△2,560	75,608	107,700	△32,092	25,150	565,000	△539,850	△
四十一〃	13,732	1,775,477	△1,761,745	—	—	—	△1,761,745	—	12,816	△12,816	—	—	—	△12,816	3,502	123,182	△119,680	292,000	—	292,000	
四十二〃	113,898	—	113,898	239,182	—	239,182	353,080	692	—	692	—	—	—	692	—	5,449	△5,449	304,000	230,000	74,000	
累計	5,610,977	13,530,614	△7,919,637	1,400,831	13,210,18	△11,809,3[illegible]	△19,728,989	4,766,874	9,099,942	△4,333,068	—	2,024,400	△2,024,400	△6,357,468	86,044	339,285	△253,705	971,150	2,813,001	△1,941,851	△

備考　第八次及第十六次臺灣金融事項參考書ニヨル。二者ノ數字ノ相異スルモノハ第十　。輸出入外國銀貨中無印ハ墨西哥銀貨，＊印ハ香港銀貨，×印ハ其ノ他ノ外國貨幣ヲ示ス。

臺灣金銀移出入趨勢

種別／年次	臺灣ヨリ移出 金貨及金地金	臺灣ヨリ移出 一圓銀貨	臺灣ヨリ移出 補助銀貨	臺灣ヨリ移出 銀地金	臺灣ヨリ移出 計	臺灣ヘ移入 金貨及金地金	臺灣ヘ移入 一圓銀貨	臺灣ヘ移入 補助銀貨	臺灣ヘ移入 銀地金	臺灣ヘ移入 計	金銀移出入(△)超
	圓	圓	圓	圓	圓	圓	圓	圓	圓	圓	圓
明治 自二十八年 至三十一年	60,138				60,138		8,295,000 ※2,024,400	516,001		10,835,401	△10,775,263
三十二 〃	135,380				135,380						135,380
三十三 〃	279,491	385,000			664,491		781,000	326,000		1,107,000	△ 442,509
三十四 〃	1,189,552	99,950			1,289,502		1,246,720	127,000	545,757	1,919,477	△ 629,975
三十五 〃	1,688,165		350,000		2,038,165		643,372			643,372	1,394,793
三十六 〃	1,359,637				1,359,637	100,000	2,244,091	40,000		2,384,091	△ 1,024,454
三十七 〃	1,784,876			800	1,785,676	1,101,700		124,000	242,289	1,467,989	317,687
三十八 〃	2,063,799	189,000			2,252,799	2,501,800		545,000		3,046,800	△ 794,001
三十九 〃	1,874,196	200,000			2,074,196	96,300		340,000		436,300	1,637,896
四十 〃	1,622,316	287,699	25,150	1,000	1,936,165	679,300		565,000		1,244,300	691,865
四十一 〃	※1,390,437		292,000	×29,800	1,712,236	180,300				180,300	1,531,936
四十二 〃	1,064,752	239,182	304,000	2,291	1,610,225			230,000		230,000	1,380,225
累計	14,512,738	1,400,831	971,150	33,891	16,918,610	4,659,400	13,210,183 ※2,024,400	2,813,001	788,046	23,495,030	△ 6,576,420

備考　移入一圓銀貨欄中※印は政府極印付銀貨。移出金貨及金地金欄中※印(明治四十一年)中には英國金貨 10,811 圓を含む。移出銀地金欄中×印（明治四十一年）中には外國銀貨 17,958 圓を含む。
第十六次臺灣金融事項參考書及ビ第十一次同上書ニヨル。

附　則

本令ハ公布ノ日ヨリ之ヲ施行ス

明治三十六年律令第五號及明治三十七年律令第五號ハ之ヲ廢止ス

(20)　明治四十二年法律第一號

臺灣銀行ニ於テ發行シタル一圓銀貨ヲ以テ引換フヘキ銀行券ヲ所持スルモノハ、明治四十二年十二月三十一日迄ニ其ノ引換方ヲ臺灣銀行ニ請求スヘシ

前項ノ場合ニ於テハ銀ノ時價ニヨリ金貨又ハ臺灣銀行ニ於テ現ニ發行スル銀行券ヲ以テ之ヲ引換フヘシ但シ銀ノ時價ハ臺灣總督府ノ告示スル所ニ依ル

附　則

本法ハ公布ノ日ヨリ之ヲ施行ス

21　此の過程に就て一層詳しくは、例へば「臺灣銀行十年誌」、(七二―八頁) 又は「臺銀行二十年誌」(八二―六頁) を參照せられ度し。

四　總觀――幣制政策の必然性と合理性

以上臺灣に於ける我が國の政策としての幣制改革の跡を、その出發點と到達點との距離に卽して總觀するに、それは

一、雜種貨幣の段階より統一的幣制へ

二、銀秤量制より金本位制へ

三、商品貨幣流通より名目的貨幣流通、就中紙券(銀行券)流通へ

の三點に盡きる。從つてこれが我が幣制政策の效果として實現せられた貌になつてゐる。而して此の過程に於て先づ採用せられた方策は一圓銀貨及びそれを以て兌換する臺灣銀行券を金建公定相場を以て無制限に通用せしめんとしたところの、筆者の所謂「銀地金を流通せしむる金本位制」の實施であつた。金本位制度に於て銀塊を流通手段に使用することはそれ自體として本來矛盾である。然しこれが矛盾を避くる方法も亦もとよりないではない。それは銀の地金性を何等かの方法で覆ひ去る(止揚する)ことであり積極的側面より云へば、これを「金標象」に轉化することである。臺灣の場合に於ても金本位制度の下に銀を流通手段

として使用する爲めには、是非共之を「金標象」に轉換せねばならなかつた。金建公定相場による通用を認めたといふことは卽ちその必要に基いたもので、法制上地金に過ぎぬ一圓銀貨は公定相場によつて「觀念上金として」通用し、其の物質を超越した金票券性を獲得したのである。これだけのところでは當時內地に於ける補助銀貨に於けると異るところがなかつた。

然しながら、一圓銀貨が地金であつたといふことは貨幣法といふ法制の上に於て然りしのみに止らず、臺灣に於ては生憎島民多年の銀秤量制によつて、本島人流通社會に於ては慣習的にも亦それは一塊の銀片に過ぎなかつた。そこで政府の幣制政策により一圓銀貨は、通用に關して(從つて公納に際して)こそ、「觀念的金」に昇化せられたりとは云へ、民間一般の流通上其の物質を超越して「經濟上の金」にまで轉化せられ得たのは、僅かに在住內地人間及び內地人對本島人間の取引に於てに過ぎず、一般島民間にあつては一圓銀貨の物質的性質に一物をも加ふることが出來なかつたから、根本の矛盾はそこで貨幣通用と貨幣流通との矛盾となつて直ちにあらはれたのである。またかくの如き特殊な金本位制を我が領土の一部たる臺灣に實施することは、勿論內地が當時採用してゐた常態の金本位制と矛盾した。これが先づ法規制定上に於ける矛盾となつて内臺間に救ひ難き法規と運用との間の混亂を生じた。當時爲政者は強いて矛盾に眼を瞑り唯暗默の中に事を遂行して、幣制政策の實際の運用が如何なる法規上の根據に基いてなされたかは終に何人も明瞭に説明し得ざる結果を生んだのである。

更に公定相場制度に關して見るならば、其の結果は一層重大であつた。抑も銀をして金票券性を實現せしむる爲めには公定相場が市場相場に一致するといふことは何等必要でなく、寧ろ公定相場が銀塊の市場相場より高く維持せられるところに票券性の意義が顯現するのである。それは補助銀貨が通貨としての機能を圓滑に果し得るのは額面價値が銀の地金價値を超えてゐる時に限られ、一旦二者の高下が逆になればもとより、一致した場合にも既に其の鑄潰が可能となり、通貨は地金に還元せられる危險線に立たしめられることとなるのと同じである。然るに公定相場と市場相場とが背離すれば、其の瞬間から種々の問題が發生する。蓋し一圓銀貨は臺灣島内にも早くから流入してゐたのみならず臺灣の對岸及び海峽植民地等にも比較的に多量に流通してゐたから、公定相場が高過ぎればこの幣制施行に際し新たに持ちこまれた圓銀のみならず、これ等隣接地方流通のものをも刺戟して公定相場による還金運動を惹起し、逆に公定相場が低過ぎれば、對岸其他の流通場裡に逃避せしめて利得する爲めに圓銀が流出するのみならず、進んで金資金を銀資金に還元する運動をも觸發する。東洋の一小島臺灣の公定相場に世界市場の銀塊相場を左右する力が全くない以上、一回の公定相場制定によつてよく市場相場との差を消滅せしむる結果を期待することの出來ぬのは勿論、これが一致をもとめて公定相場の改訂を頻々として實行すれば、金圓建經濟をとる(而して一圓銀貨を實際には授受する)政府・銀行・內地人一般をして會計事務を徒らに煩雜ならしめ、財產、債權債務關係を混亂せしむるのはまだしも、內臺人を問はず島民一般の租稅負擔を、何等租稅法規改正の合法的手段によることなしに、其の都度徒らに輕減重課するの結果を生じ、殊に其の變動性を利して投機的に射利せんとの風を發生せしめ、銀行預金、送金手形より終には郵便貯金まで投機の具に供せられ、其の極金融機關をして其の正常機能を極度に制限することなしには存立を得ざらしむるに至る。これ等の諸結果は本來最初から約束せられてゐたところであり、實際に當つても一々これ等の弊害が續出して終に停止するところを知らぬ狀態であつたことは、其の發する源が此の制度本來の機構に存したことと共に前に詳述せる如くである。

かくの如く、「銀地金を流通せしむる金本位制」は理論上多くの缺陷を内含し、實際運用の結果も寔に支離滅裂、慘憺たるものがあつた。然らば、此の制度を臺灣に施行したことは幣制政策上全くの誤謬であり、失敗の一語を以て葬らるべきであらうか。それに最後の判決を下す前に、逆に問ふべきことがある。それは一層望ましかりし如何なる他の政策が當時あり得たかの反問でなければならぬ。

金圓建公定相場を以て圓銀を無制限の法貨たらしむる原案が、大藏省貨幣會議に於て同時に提案された數個の幣制案中より最善として選ばれたものであることは既に見たところである。では銀本位案其他の案が何故排斥されねばならなかつたか。先づ銀本位制案の採用は、當時我が國が金本位を實施することに確定してゐた關係上、内地資本を以て新領土臺灣を開發するといふ目的に越え難き障害を生ずる點に於て不適當とせられた。それは當時政府に提出せられた添田局長や乃木總督等の意見書、稟請書等がこれを明かに示してゐた通りである。而も明治三十年頃は、日清戰後に於ける財政窮乏に伴ひ、母國は新領土臺灣の經營の爲め連年少からぬ支出を續けて來た國庫補助金を多大の苦痛として、臺灣財政の自給獨立が漸く朝野の强き要望となりつゝあつた時であつたが、臺灣財政の獨立は、もとより產業開發臺灣經濟の資本主義化を措いては之を期待すべくもなかつたから、內地資本進出の必要は、政府の財政政策上にも强き根據を有してゐたのである。一層一般的な關聯に於ても、內地と本位を異にする幣制を臺灣に施行し、內臺間に宛かも外國間に於けると同樣爲替相場の變動を生せしむるといふことでは、商品の移出入を促進せしむることを得難く、又新附臺灣の統治政策と矛盾する結果にもなり、かくては淸國との間の多年の經濟的結合を漸次に移して、貿易(移出入)關係其他經濟上內地との結合に轉せしむるといふことは望み得なかつたに違ない。卽ち金本位制の基底に立つて臺灣の幣制政策が樹立せらるべかりしことは、それが明治三十年十月以降金本位を施行せる母國の新領土統治政策の重要な一部分をなすものとして云はゞ自明の原理に過ぎなかつたのである。

然らば、內地同樣の純然たる金本位制を何故施行しなかつたか。それは前編に詳細に述べた清國時代以來のながき臺灣の貨幣慣習が之を許さなかつたからである。改革せらるべきものは猶雜種貨幣の段階から幾何も脫却することのなかつた銀を中心とする商品貨幣流通である。實施すべき內地の金本位制とは、金を基礎とし、紙券、各種補助貨等各〻の貨幣が各流通手段の素材價値を超越して整然たる名目的流通(額面による流通)を實現せる、統一的幣制である。雜種貨幣を統一的貨幣に導くこと自體が既に一つの困難な仕事であつた。しかもその上に本位轉換の問題、卽ち銀元建を金圓建に改むる今一つの課題が加はつてゐる。この二つの課題をば卒然臺灣の流通界に金兌換券たる日本銀行券を押しつけることによつて何等の支障なく果すことが出來ると何人が期待し得たであつたらう。そこに何等かより精緻な工夫の必要であつたことは全く明かなことであつた。

其の工夫として直ちに考へつくのは補助銀貨流通案である。それは貨幣會議に於て添田局長案として提案せられたものでもあつた。勿論貨幣會議の席上如何なる論議が闘はされたかは知る由もないから、それが不適當とせられた理由はこゝで論理を追ふて考へて見るの他ない。卽ち臺灣の通貨を擧げて五十錢以下の補助貨とするといふことは額面餘りに小に過ぎ流通上技術的に不便を生じたであらうし、臺灣銀行を設立して銀行券を發行せしむることによつて其の不便を救ふにしても、其の兌換を小額の補助貨に頼つては同樣交換に不便を生じたに違ない。貨幣會議の席上、特に此の點に留意して、臺灣銀行券は大額券の發行を避け五圓以下のものに限れば可なりとの説も出たやうであるが、かゝる方法が何等不便の緩和に效なきことは兌換の請求が必らずしも兌換券一枚宛に就て起るものでないことを考へれば直ちに明かである。然しこれは猶單なる授受又は交換の際に於ける技術上の便不便の問題に過ぎぬ。それは前述銀地金流通案が實際に生んだ堪え難き諸般の弊害と比較すれば物の數でもなかつたらう。然しそれよりも重大な缺點があつた。それは五拾錢銀貨以下の補助貨が内地に於てこそ補助貨であつたが、臺灣に於ては卽ち然らず、本島人の之を視る、あくまで銀又は銅の地金價値以外の何物でもなかつたこと之である。これ等の貨幣は領臺後既に臺灣に流入して居り、當時既に本島人間の、如何なる貨幣も一視同仁、地金としてこれが包攝消化を拒まぬ獨得の秤量制貨幣流通の坩堝中に取り入れられて居たのである。それは換言すれば、五十錢銀貨に一圓銀貨の半分の價値を認めず、其の含有銀量に相應したそれよりも低い價値を認めたといふことである。卽ち補助貨を臺灣固有の流通界に齎らしても、そこでは決して額面を以て流通せず、政府が金圓建とその額面通用を命じても、それが行はるゝのは、唯政府との間の支拂流通と、精々內地人間の取引に限られ、一步本島人社會に入れば、全く銀元計算又は銀角計算中に取り入れられて終つたであらうことは何等の疑がなかつた。(尤も圓銀流通制下に於て、補助貨は前述の如く官廳所在地、內地人在住都市の兩替相場にあつては、其の實質價値よりもやゝ高き相場を認められてゐたことから推して、もし此の案が實行されたとしても、政府・內地人等との支拂流通が比較的多く存した都會地に於ては本島人間にあつても或る點まで、かゝる用途の影響が流通價値の上に實現したことと想像されはするが)。然らば卽ち五十錢以下の補助貨を以て兌換する銀行券が本島人間に於て額面を以て流通せざることは云ふまでもなかつたらう。殊に銀元經濟にあつては從來存する主たる流通用具が墨西哥銀を始め我が一圓銀貨程度の大型銀貨であつたのであるから、實際五十錢以下の小型銀貨を流通界に多額に投じても、それによつて、これ等の外國貨幣、粗銀等を驅逐することは到底出來なかつたであらう。本島人の嗜好に最も適した一圓銀貨を以て兌換した貨幣法實施前の日本銀行券や後の臺灣銀行の「銀券」さへ、紙券の流通になれてゐなかつた島民は容易に之が授受を好まなかつたのであるから、補助貨の純分に應じた半端な銀價値の補助貨兌換券など、その流通が圓滑に行はれたとは期待されず、況やかくの如きものが外國銀元の驅逐に有力な手段となつたらうとは到底想像し得られない。果して然らば、補助貨及びその兌換券の流通案は、我が國定貨幣及び銀行券を以て外國貨幣に置きかへ、雜種貨幣の流通を整理して流通通貨を統一するといふ目的を達成することの殆ど不可能な方策であつたと云ふの他ない。しかも此の目的さへも達成せられぬならば、本島人多年の慣行たる秤量制は到底改むるに由なく、この案の實施の結果は全く政府及び内地人側に於ける金本位制と本島人側に於ける銀秤量制との全く融合し難き二重制度の發生に終つたと見なければならぬ。それは遺憾ながら免れ難き論理の必然であつた。貨幣會議の決議が「補助貨を流通せしむる金本位制」案に贊しなかつた理由も恐らくかくの如くであつたらう。

一體本島人間に於ける秤量制の慣行は勿論金屬貨幣制の始源的形態として自

然に成立したものであるが、それを永く維持せしめたものは、即ち種々雜多な通貨の併行流通といふ傳統的事實であつた。この條件が清國政府時代以後不斷に存したから、金屬秤量制は依然領臺後までも其のまゝ保存せられたのである。故にもし臺灣の流通通貨が如何なる種類の通貨たるにせよ何等か一種類に完全に統一せられたならば、秤量制は其の瞬間から少くとも島內取引に關する限り無意味に歸したであらう。その場合統一が金を基礎としてなされやうが、銀價値の基礎の上に實現せられやうと、この限りでは、問ふところでない。これが臺灣幣制政策問題の第一の核心であつた。次に通貨の統一に際し實際には漢民族多年の慣習たる愛銀の傾向に背いて之を企つる時は其の實現甚だ難く、實際上は銀貨によつて其の統一を圖るに如かぬことも議論の餘地なきところであつた。これ問題の第二の核心である。しかし此のことが何も直ちに臺灣に銀本位制の施行の必要を意味したものでなかつたことは云ふまでもないのであるが、この最も重大な一點が當時必らずしも明かに認識せられず、二者の區別は一般はもとより大藏省內に於ても全ての論者が之を明確にしてゐたとは斷言し得なかつたやうである。（銀本位案の主張、銀本位法案の起草[2]などありしことは寧ろ此の二つを漫然混同した論者の存した證據であらう。）即ち問題の第三の核心は、根本の本位制の如何を問はず、當時臺灣の實情は、いやしくも新たに銀貨が流通界に投ぜらるゝや、必らず先づ地金としての秤量（大まかな）を經て其の價値を定められた、といふことこれである。これは如何なる銀貨を以て臺灣の通貨統一を企つるにしても、統一の完成せる曉に於ては兎も角、其の途上に於ては、絶對に避け難き鐵則であつた。この限りでは統一に用ひらるゝ銀貨が、補助貨であるか、圓銀であるか、新鑄の銀貨であるか、その何れかの兌換券であるか、を問はぬ。一切の通貨が秤量制に於ては無制限に流通する代りに嚴密な意味で無制限法貨たるものは一も存し得ない。銀貨が用ひられる限り統一途上に於ける本位の問題は、臺灣の通貨統一そのものにとつては、この意味に於て全く無意味でしかなかつた。金兌換（法定と代替性による事實上のそれとを問はず）の補助銀貨を流通せしめても、銀貨は流通界に於て決して金標象（ゴールドツアイヘン）としては流通せず、それは單に銀塊として價値を認められた。結局臺灣に於て銀貨は事實上銀塊として流通するに過ぎぬとあらば、始めより我が法制（貨幣法）上銀塊に過ぎぬ一圓銀貨によつて臺灣通貨の統一を企つるも何等差支なきわけであつた。最後（第四）

に、流通通貨の統一は、技術的にも、又臺灣の慣習との關係から云つても、支拂流通に便利な大さ及び種類の銀貨を以て、之を企つることが合目的であることは云ふまでもない。一圓銀貨はこの點に於て最も適當なものであつた。一圓銀貨及びそれで兌換する臺灣銀行券を通貨の主流たらしめんとの結論はかくの如くにして導き出されたのである。

かく見來れば臺灣幣制の基礎を一圓銀貨流通制と金本位制との結合に求むると云ふことは全く歷史的必然的な政策であつた。然し、それが直ちに「銀地金を流通せしむる金本位制」を意味するものであつたか。此の種の植民地向幣制として外國に於て既に充分經驗濟の金爲替本位制があり、それが正しく此れまで列擧した諸條件に適合してゐることを何人も知つてゐる。臺灣を特殊の貨幣領域となし、そこでは政府も內地人も本島人同樣全て銀建（但し內地人側は銀圓建をとるが本島人は事實銀元建の慣習を守る）を採用し、一圓銀貨の無制限流通を許して、しかも臺灣圓（銀圓）をして日本圓（金圓）に對し常に一定比價を維持するやうに、內地に於ては一定機關をして常に臺灣宛爲替を確定相場を以て賣らしめ、臺灣に於ても內地向爲替を同じ換算率にて賣却せしむる——卽ち臺灣に金爲替本位制を施行するといふことによつても、確かに公定相場を以て圓銀を流通せしめた制度同様、當時幣制政策が直面せる諸條件と矛盾することなくして同じ目的を達し得たであらう。しかもこれによれば公定相場の變動より來る會計其他の煩雑はもとより前記投機による弊害の大部分は除き得たでもあらう。何故にそれが採用されなかつたのか。

一體金爲替本位制を臺灣に施行しては如何？といふ案が貨幣會議に出たといふことは記錄[3]の示さぬところであるが當時何人も之を問題にしなかつたのであらうか。唯僅かに添田局長が貨幣會議に提出せる意見書(明治三十年七月)中各種改革案を列擧するに當り、一圓銀貨の通用を臺灣に限り存續すべしとの說(後掲註(4)參照)を反駁した際その理由中に「彼の英國の印度に於ける……例證の如きは少しく(臺灣に)適中せざる所あり」[4]と印度の金爲替本位制に言及せる以外には、この案が充分の論議を盡した上で退けられたといふ事實は之を示す資料を極力もとめたが終に筆者の發見し得ざりしところである。然しそれが討議に上つたか否かは此制度の適不適を決する理路に關係はない。右の如き金爲替本位制と第一次改革との差は、後者が島内にも内地同様金建制を實施した爲め一圓銀貨を地金として流通せしめたに反し、前者にあつては島內に於ては一圓銀貨を名實共に正しく法貨として額面を以て通用せしめる、その代り後者が島內に於ける圓銀の通用價値を公定することによつて運用せられたに反し、前者は內臺間爲替相場を公定維持することによつて同じ效果を實現せんとするの差であり、貨幣の通用價値か對外價値か何れかを日本金圓に結びつけ、之を中核とする點に於ては、二者共に一種の金核本位制（ゴールト・ケルン・ヴェーリング）たることに相異はない。このことは然し假令臺灣に金爲替本位制を實施したところで、それが銀塊相場乃至金銀比價の變動より來る公定相場改訂に關する問題から何等終局的に逃れ得る效果のないことをも同時に意味するものでなければならぬ。勿論臺灣銀圓と日本金圓との間の比價(換算金額)は圓銀の公定相場と異り、一度定めた以上これを維持しなければならぬ(もし頻々と改訂するならば金爲替本位制は單なる銀本位制に顚落する)。これを確定比價に於て維持するとは金銀比價の變動に應じて生ずべき金圓賣銀圓買、又は銀圓賣金圓買にいくらでも賣應じ又は買向ひ得るだけの充分巨額な金資と銀資とを兩つながら用意して始めてなし得るところ。それは勿論當時我實情の許すところでなかつた。蓋し東洋市場に於ける銀塊相場を內臺間に於ける金圓・銀圓公定比價によつて或程度まで積極的に支配するに足る程度の尨大な金銀資金を擁することなくしてそれは實現し得べき性質のものでなく、もしそれを缺いてゐたのでなかつたのなら、臺灣に於ける一圓銀貨の公定相場の維持とても亦何等困難なしに實現し得た筈であつた。故にそれは其の資力から云つても、又二者間の莫大なる貿易額から云つても、英本國と印度に於けるが如きにして始めて實施し得る制度であり、當時の內臺間の幣制案としては、全く架空の論に他ならなかつた。

かくの如く當時臺灣の幣制改革の實行上採用し得べかりし幣制案としては、銀本位制度も、貨幣法をそのまゝ施行して內地同樣の金本位制を實施する案も、「補助貨を流通せしむる金本位制」案も、金爲替本位制案も、全て皆何れかの點に於て重大な難點を包藏して居た。これは卽ち實行上「銀地金を流通せしむる金本位制」以上の「名案」が當時一も存在しなかつたといふことを意味する。それを立證した右の推論は、同時にまた、臺灣の幣制改革を先づ「銀地金を流通せしむる金本位制」の實施によつて開始した幣制政策の必然性と、而して其の範圍內での合理性とを、當時の歷史的條件から論證したことにもなる。況やそれは臺灣幣制改革の第一歩たりしもの、次の過程の準備的段階として以上の意義を本來もつものでなかつたことを念頭に置いて評價すれば、益々然る所以を發見し得るであらう。即ち何を措いても實現すべきであつた外國銀元の驅逐と雜多を極めた通貨種類の統一を先づ流通界の愛好する一圓銀貨によつて比較的圓滑に實現し、又或る程度まで金圓建の慣習を島民に(一般島民には公納の際に、又一部島民には政府及び內地人との取引を通じ)植えつけて銀元計算制を弱め、更に先づ銀券により兌換券の流通に慣れさせた點など、全て此の制度によつて得たところの大きな效果であつて、これありてこそ明治三十七年七月以降の第二次改革、即ち正常的金本位制施行の過程がスムーズに進行したのである。公定相場の變動をめぐつて頻發した種々の弊害の大であつたことは事實であるが、其の弊に愕いてこの政策の功を全然沒却することは正しき見解とは云ひ得ない。諸々の弊害は臺灣の流通界に他律的に課せられた幣制の飛躍的な變革に伴ふ不可避の犧牲であつた。逆論を用ふれば其の弊が甚だしかつたからこそ、後に一般島民が第二次改革の金券を歡迎し、正常の金本位制實現が比較的急速に進み得たのであるとも云ひ得やう。

「銀地金を流通せしむる金本位制」を必然ならしめた歴史的條件と云ひ、幣制改革の他律性と云ふ。これを必然ならしめた條件として筆者の擧げたものは主として、臺灣が日本資本によつて開發せらるべく、日本商品の販路日本工業への原料供給地たるべく運命づけられた新附植民地であつたこと、及び我國內地の金本位制施行と、當時までに臺灣自らが到達して居た銀貨流通の低き發達段階との相矛盾せるそれであつた(此の外貨幣法施行に伴ひ不用に歸しだ一圓銀貨を改鑄の失費を省いて其のまゝ利用せんとの小さき功利も大藏省を動かした附加的動機であつたことは明かである)。幣制改革の他律性も亦こゝに基いた。要約すれば、それはあくまで日本金本位制と臺灣の多元的秤量貨幣制との苟合の産物である。從つてそれが日本資本主義の封建的植民地臺灣を其の姿に適合せしむる變革過程の一齣たりし點に、其の必然性と合理性の根據のみならず限界も亦存したことに至つては、恐らく贅言を要せざるところと考へる。(完)

(1) 竹越與三郎著、臺灣統治志、二一六―九頁。臺灣時報、昭和十年一月號(第百八十二號)所載、拙稿、「臺灣財政の回顧と展望」、三頁。

(2) 臺灣幣制改革の根本方針が決定せられた明治三十年七月三十日の貨幣會議に提出附議せられた銀本位制(これを大藏省では特別銀貨制と呼んだ)案の內容は、別紙として添附せられた法律草案に最も明瞭であるから、こゝに揭げれば左の如くであつた。(大藏省理財局編、貨幣法制定及實施報告、六三五—七頁。猶明治財政史第十一卷中には此の別紙法律草案は省かれてゐる)。

臺灣貨幣法案

法律第　號

臺灣貨幣法

第一條　臺灣及澎湖島ノ通用ノ爲メ特ニ銀貨幣ヲ製造シ之ヲ臺灣通寶ト稱シ純銀ノ量目六匁四分六厘九毛六三ヲ以テ價格ノ單位ト爲シ之レヲ圓ト稱ス

第二條　臺灣通寶ノ種類ハ左ノ七種トス

銀貨幣
臺灣通寶　一　圓
臺灣通寶　五十錢
臺灣通寶　二十錢
臺灣通寶　十　錢

白銅貨幣
臺灣通寶　五　錢

青銅貨幣
臺灣通寶　一　錢
臺灣通寶　五　厘

第三條　臺灣通寶一圓銀貨幣ノ品位、量目及公差ハ左ノ如シ

臺灣通寶五十錢二十錢十錢銀貨幣、白銅貨幣及青銅貨幣ノ品位、量目及公差ハ明治三十年法律第十六號貨幣法ノ定ムル所ニ同シ

一　品位　純銀九百分參和銅一百分

一　量目　七匁一分八厘八毛四八

一　純分ノ公差　一千分ノ二

一　量目ノ公差　每片……一千每ニ……

第四條　臺灣通寶ノ形式ハ勅令ヲ以テ之ヲ定ム

第五條　臺灣通寶一圓銀貨幣ハ其額ニ制限ナク法貨トシテ臺灣ニ限リ通用ス五十錢二十錢十錢銀貨幣ハ十圓マテ白銅貨幣及青銅貨幣ハ一圓マテヲ限リ法貨トシテ臺灣ニ限リ通用ス

第六條　銀地金ヲ輸納シ臺灣通寶一圓銀貨幣の製造ヲ請フモノアルトキハ政府ハ其請求ニ應スヘシ

但其手數量ノ額ハ勅令ヲ以テ之ヲ定ム

第七條　此法律ニ規定セル事項ヲ除クノ外ハ明治三十年法律第十六號貨幣法ノ規定ヲ適用ス

附則

第八條　從來流通ノ一圓銀貨幣ニシテ明治三十年法律第十六號貨幣法第十六條ニ依リ引揚ケタル銀貨幣ニハ臺灣通寶ナル極印ヲ打チ之レヲ臺灣及澎湖島ノ寶（法？）貨トシテ通用セシム尤再ヒ金貨幣ト交換ヲ爲ササルヘシ

第九條　此法律ハ明治　年　月　日ヨリ施行ス

(3)　貨幣會議に原案として議題に供せられたものは、補助貨幣流通制案と銀本位案との二つであつた。討議の結果補助貨幣流通制案を修正して、銀地金流通制案が採擇せられたのである。從つて金爲替本位制案は其の際少くとも議案として討議に附せられたことはない（貨幣法制定及實施報告六三三―六四〇頁）。

(4) 「貨幣法制定及實施報告」、六三一頁。明治財政史、第十一巻、九六七頁。尤もこゝで添田局長が英領印度の例に言及したことは少しく其の理由の明瞭ならざるものがある。それは同氏の反駁の對象とせる案が複本位制案又は一圓銀貨による銀單本位制案であつたと同氏によつて紹介せられてゐるからである。(尤も原文には銀單本位制案なる文字はない)。原文をそのまゝ引用すれば、「甲説ハ臺灣ハ內地ト事情ヲ異ニセルヲ以テ、依然從來ノ儘ニ放任シ置キ、複本位若クハ銀貨使用國タラシメ、臺灣ニ限リテ一圓銀貨ノ法貨通用ヲ永久ニ存續スヘシ、ト云フニ在リ」となつてゐる。然しながら、此の銀貨使用が金爲替本位制の下に於けるそれの意味でなかつたと解される理由がある。その一は前揭臺灣通貨なる特別銀貨による純然たる銀本位制案とこの案との間に同氏が實質上差異を認めてゐられないことで、それは此の案に對し、「乙説(特別銀貨による銀本位制案)ハ甲説ト大體ニ於テハ同一ナルモ、在來ノ一圓銀貨ヲ用フルコトナク、別ニ特別ナル新銀貨ヲ鑄造シテ臺灣限リ流用セントスルニ在リ。此ノ方案ハ形體ニ於テハ異ナレトモ、其實際ニ於テハ甲説ト同一ノ缺點アルヲ免レス」と斷じてゐられるのでも判る。

更に「甲説」の批評を見ても、「此説ハ一見上頗ル便宜多ク、實際上適切ナルニ似タレトモ、臺灣ニ限リ一圓銀貨ヲ通用セシムルトキハ、之ガ爲メ金銀ノ變動アル毎ニ、本邦ノ幣制マデヲ傷ツケラル、カ如キ虞ナキヲ保セサルノミナラズ、臺灣ニ向テ本土人民ノ企業投資取引ヲ隆盛ナラシメントノ希望ト相容レサルナリ」とありこれが金爲替本位制案に對する反駁理由を述べたものと解するなら、それを維持せんがため內地の幣制まで傷つけられる虞があり事實上維持困難なり、といふことは判るが、金銀の變動ある毎に內地金圓資本の臺灣進出が阻害されるといふのが、不可解になる。　勿論金爲替本位制の下に於て內地より臺灣に投ぜられる資本は一旦銀資に變ぜられるわけである。　然し曾て我が國の投資家が對滿投資に於て金建銀建の交錯により具さになめさせられた銀塊相場變動に基く損失――その最も顯著な例は、大正九年以降に於て、銀勘定では充分何割かの利益を得てゐたにも拘らず、銀そのものがより以上に低落した結果、それを金建に換算すれば結局利益どころか損失に歸したことや、大正八年より九年始めにかけての未曾有の銀塊騰貴（大正九年二月の倫敦銀塊相場は最高八九片$\frac{1}{2}$といふ前後無類の高値を出した）の結果、金建經濟に於ける不自然な物價、賃銀、生活費等々の暴騰になやまされたことなどで、結局日本人の南滿に於ける事業が滿鐵を始め殆ど全部多大の打撃を蒙つた例がそれである――は金爲替本位制の場合には保證せられてゐる。島内に於ては全然銀建をとり、しかも臺灣圓と內地金圓との換算率を確定せる高さに保つといふことが此の制度の特色なのであり、それが保持されなければ、其の瞬間から金爲替本位制ではなくなるからである。これ等の理由により、添田局長の紹介によつては、甲說なるものの中に、金爲替本位制案が含まれてゐるとは認め難い。從つて、其の反駁理由中に何故英領印度の例に言及し、臺灣の場合にそれが當てはまらぬと態々斷られたか、その論理的關聯は全く不明であると云ふの他はない。

――昭和十・二・十五――

マルサスの地代論

――地代學説史の一斷章――

東　嘉　生

目次

第一　序論……1
第二　社會經濟史的背景……9
第三　マルサスの地代論……17
　一　地代の本質及起源論……17
　二　地代變動論……34
　三　地代穀價關係論……45
　四　地主擁護論……50
第四　マルサスとリカアド……55
第五　結論……66

マルサスの地代論

――地代學説史の一斷章――

第一　序論

マルサス（Thomas Robert Malthus 1766―1834）死してより正に一世紀は流れた。（註1）然るに彼れの理論たるや、一はその特有なる而かも常識化せられたる人口理論として、一は主觀的經濟理論によつて再興せられたる經濟學の演繹的な理論構成のための前提として、今尚嚴然として殘存してゐる。

其の人口理論に於ける根本命題が、「人口增加力は、人間に對し生活資料を生産する土地の力よりも、indefinitely により大である。」（註2）然るに「食物は人間の生存に必要である。」（註3）故に「人口は必然的に生活資料によつて制限せられる。」（註4）といふ推理によつて述べられてゐることは既に人よく知る所である。

從來經濟學説史研究上マルサスの人口論はスミス並びにリカアドの經濟理論の中間に位置せしめられ、以て自由主義經濟組織下の經濟法則の理解のために供せられてはきた。だが然し、人口理論乃至人口法則それ自體、經濟學の本來の對象なりや否やの論議は玆には別とするも、尠くともそれはマルサスに於ては彼れの經濟理論の一表現にしか過ぎなかつた。從つて經濟學史上マルサスを取扱はんとする場合今少しく經濟學者としての彼れの特徴を示すことに努むべきではないであらうか。

その人口理論を以て一擧にして不朽の名をなしたるマルサスの經濟學に對する貢獻は、然らば如何樣であつたであらうか。

其業績は一八〇〇年の「食料高價格の原因探求」に始まる。而してそれは一八一四、一五年に於ける穀物關稅法を論じ地代を論じたる三部の小冊子を經て一八二〇年の大著「經濟原論」に至り、更に「經濟原論」の補足とも見らるべき「價値尺度論」（一八二三年）「經濟學定義論」（一八二七年）等を經て遺稿「經濟原論」第二版（一八三六年出版）に至る多數の著書として公にされた。此等の著作、殊に其「經濟原論」は人口論（初版）の如く一氣呵成に書かれたものではなく、變遷し行く時事問題を前にして思索討論を重ねて漸くにして成就せるものであつたにも拘らず、その學說は英國正統學派のそれと相容れざる處多く英國經濟學の傍系を以て遇せられた。

然るにも拘らず後年オーストリア學派等によつて主張せられたる主觀的經濟學說の理論構成のための前提はマルサスのそれの復興であると言つて敢て過言ではない。主觀的經濟學說にあつてその理論的出發點は無限なる欲望と有限なる財貨との關係である。マルサスの理論的出發點は人口と生活資料とであつた。人口は無限を表徵し、生活資料は有限を代表する。この無限と有限との對立關係から經濟が生じ經濟行爲が生れるといふことに於て兩者の理論構成の前提は共通であると言はねばならない。

かゝる研究態度の下に於てなされたる彼れの價値論、地代論、國富論、生產過剩論が、ケインズが、「一百年の間マルサス流の考へ方が殆んど全く抹殺されてリカアドのそれが完全に支配力を保つて來たといふことは、經濟學の進步にとつて災難であつた」(註5)と言ふ程高く評價さるべきものであるかどうかは疑問であるが、尠くとも其等に於てマルサスはリカアドを補つて餘りあることは認めなくてはなるまい。

今日地代論と謂ふとき直ちにリカアドのそれを想起しないものはないが、然し彼れに先立つ數年前既にマルサス及びウエストの地代論が存在してゐた。

「一八一五年マルサスは其の「地代の性質及び增進に關する研究」Inquiry into the Nature and Progress of Rent に於て、及びオクスフォード・ユニヴァシチイカレッヂの一校友(Edward West—東)は其の「土地に對する資本投下に關する論文」Essay on the Application of Capital to Land に於て殆んど同時に地代の眞の學說を世に公にした。」(註6)此の「一八一五年に於ける地代に關する眞の學說の同時再發見は恰かも一八五九年ウォーレス及びダーウィンに依つて成されたダーウィン理論の同時發見と對比することが出來るであらう。」(註7)

吾々は此處に「近代的地代論發見者としてのマルサス」(註8)を見出す。

マルサスの此の「地代の性質及增進に關する研究」に於て開陳せる所論に對し、リカアドが一八一七年その初版を出したる「經濟學及課稅之原理」On the Principles of Political Economy and Taxation 並びに私信を以てこれが批判を試みしを契機とせるこの兩巨匠の地代論爭は經濟學說史上最も華やかなるものゝ一つであつた。今此の論爭初期に於ける主要なる論點を指摘して置かう。

地代學說史上絕對地代の存在は、地味に肥瘠の別がなくても地代は發生すべき理由があるといふ見地から、ロードベルッス、マルクスによつてリカアドに對する批評の形で明らかにせられた。從つて彼等以前のマルサス、リカアドの地代論爭に於ては絕對地代は問題とはならなかつた。それが問題とならなかつたといふのは當時の社會情勢が未だ總體的には資本主義社會の諸矛盾を暴露するに至らなかつたためであり、又彼等がかゝる諸矛盾を認めたとしてもそれをあらゆる一般的社會組織の合則的不可避的現象と見たからであらう。それかあらぬか、マルサスに於ては土地所有の作用といふが如き社會的條件は考察の範圍外にあり、リカアドに於てはそれは指摘せられて居りながらその行論に於ては既に捨象せられてしまつてゐる。從つて彼等が問題とした所のものは所謂差額地代のみであつた。吾々は以下地代を以て差額地代をのみ表現せしむることゝしやう。

マルサスの「地代の性質及び增進に關する研究」によれば、地代は土地生產物價格と耕作出費との差額であつた。從つて地代の硏究は穀物——土地生產物の代表的なもの——の價格高き原因から始まる。かくて彼は其等の原因を、土地の肥沃性、それ自らの需要を創造する食物の力、肥沃地の比較的稀少性の三つに求め、前二者を重視してそれが人類への自然の恩惠であるとし、「若し此等を缺くならば、如何なる程度の稀少性又は獨占も生產費以上に出づる粗生々產物の價格の超過――それはこの地代といふ形式であらはれる――を惹起しないであらう」(註9)といつてゐる。地代は肥沃度の增加と共に騰貴し、その減少と共に下落する、而して生活必需品は他の貨物と異り、それに對する需要の存在及び增加をその必需品自體の存在及び增加に依存せしめてゐるから、その分量が如何に增加してもその價格は生產費以下に下ることはない、と主張するのである。

これに對してリカアドはその「經濟學及課稅之原理」初版第二十九章に於て次の如き論駁を加へてゐる。

一層大なる肥沃度を有する土地が一層大なる地代を生むことは事實である。然しマルサスが地代が肥沃の增加と共に騰貴するといふのは誤つてゐる。何故かなれば、それは肥沃度の劣れる土地が耕作されなければならぬといふ事情が發生することを必須條件とするのであり、而してこれは或る國又は社會の全體よりすれば、土地の肥沃度の遞減を意味するものであるから。「地代は耕作されてゐる土地の絕對的肥沃度には比例しないでその相對的肥沃度に比例するものである、といふことが記憶されなければならぬ。」(註10)更にそれ自らの需要を創造ずる食物の力が地代に缺くべからざるものとはリカアドには思はれないのである。「需要者を出現せしむるものが諸々の必需品の豐富なることなのではなくして、諸々の必需品を出現せしむる者が需要者の多數なることなのである」(註11)と言つてゐるが如く。かくてリカアドはマルサスの最初の二原因を共に否定して結局地代を土地豐度の差等に求むるわけである。

更に兩巨匠の論爭は地代騰貴の原因にも及ぶ。マルサスはこれが原因を、大なる資本蓄積、大なる人口増加、農事改良、及び需要増加に基く農產物の價格騰貴の四つに求めて、資本の蓄積が資本の利潤を低下せしめ、人口増加が勞賃を低下せしめ、農事改良は一定の結果を生產するに必要なる勞働者を減少せしめるから、地代は騰貴するであらう(註12)と述べてゐるのに對し、リカアドは、地代と勞賃とには、しかく直接の因果關係はない、人口増加があつても地代は騰貴するものではない、又利潤の下落は直接には勞賃の騰貴を齎らすだけであり利潤が地代の騰貴に對して何等かの影響を持つとすればそれは利潤の低下ではなくてその騰貴であると言つて前二者を否定し、更に農事改良は地代の騰貴を結果するものではなくして寧ろ反對に其減少を結果するものなること等を以て、(註13)マルサスに對抗してゐるのである(註14)。

此のリカアドの「經濟學及課稅之原理」初版第二十九章のマルサスへの論難に對し、マルサスが反批判を試みしものが即ち一八二〇年初版刊行の「經濟原論」Principles of Political Economy 中に敍述せられた地代論であり、更にこれへの再批判がリカアドの「マルサス評註」Notes on Malthus 及び「經濟學及課稅之原理」第三版第三十二章であるが、何れにもせよ此の論爭は眞に華々しき限りであつた。

從つてリカアドの地代論のみを考察する場合に於てもマルサスを無視することは出來ない。況んやこれを經濟學說史研究の立場からすればマルサスの地代論の研究は是非とも必要でなければならない。

私は以下此の「經濟原論」初版を臺本としてマルサスの地代論を出來るだけ忠實に眺めて行きたいと思ふ。

註1　マルサスは六十八歲を以て西曆一八三四年十二月二十九日忽然として逝いた。昨年は彼の百年忌に當り、彼を記念するための催しがあちこちの學界に行はれた。

註2　Malthus; An Essay on the Principle of Population. 1st ed. p. 13.

註3　Ibid P. 11.

註4　Ibid. P. 140.

註5 J. M. Keynes; Essays in Biography. p.p. 140—141.

註6 D. Ricardo; Principles of Political Economy and Taxation. Gonner's Ed. Preface. p. 1 小泉信三譯「經濟學及課税之原理」三頁。

註7 J. Bonar; Malthus and His work. pp. 221—222. 堀經夫、吉田秀夫譯「マルサスと彼の業績」三〇七—三〇八頁。

註8 E. Leser; Untersuchungen Zur Geschichte der Nationalökonomie. S. 47.

註9 Malthus; Nature and Progress of Rent. p. 9.

註10 Ricardo; Psinciples, 1st ed. p. 557.

註11 Ibid. p. 560.

註12 Cf. Malthus, Nature and Progress of Rent. p.p 22—26.

註13 Cf. Ricardo. Principles, 1st ed. pp. 568—570.

註14 この初期論爭に關しては松浦要氏「地代の本質並に起源に關するマルサスとリカアドとの論爭」（法學新報第三十二卷第十一、十二號、第三十三卷第三號）なる論文がある。又經濟論叢第十七卷第五、六號には谷口吉彥氏の主として「Inquiry」による「マルサスの地代論に就て」の研究がある。

第二　社會經濟史的背景

人知るが如く英國に於て經濟史上最も興味ある部分の一であるかの産業革命は、第十八世紀の初頭にかけて完成された。新發明機械の工業方面への應用—

―家內工業制度の崩壞――新たなる生産方法工場制度の確立――資本主義發展への進展。かゝる産業革命の經過を辿ることが、直ちにマルサス當時英國の社會經濟史的背景を寫き出すことになることは勿論である。だが今かゝる廣汎なるテーマを考究する場合ではあるまい。私はこの産業革命の發展に伴つて發生せる諸々の社會的危機にして地代論に關與するものある限りに於てのみ眺むるであらう。かくてたとひ簡單に止まるとはいへ以下に於ける當時の穀物の狀態更に引いては貧民の生活狀態の描出は、マルサスの地代論が如何なる使命を擔つて生れ出でしやを物語るであらう。

一七九三年二月一日英國が佛蘭西により宣戰を布告せられてより爾來二十數年間かのナポレオン戰爭は英國の慘禍を惹起せしむるの結果となつた。外には對外商業信用失墜のため大陸よりの穀物の輸入は困難となり、あらゆる人爲的努力にも拘らず、打ち續く旱天、寒氣等の惠まれざる天候は、穀物の收穫を困難ならしむるなどあり、かくて穀物價格の騰貴は必至的となり、更にそれが勢ひは益々强烈を極むるばかりであつた。

今當時の小麥平均價格を以てその一例を示すならば、(註Ｉ)

年期	年平均價格	最高價格	最低價格
1780—1789	46志 9 2/10片	52志 8片(1783)	35志 8片(1780)
1790—1799	46 6 5/10	78 7(1796)	43 0(1790)
1800—1809	84 8 5/10	119 9(1801)	58 10(1803)
1810—1819	91 4 8/10	126 6(1812)	65 7(1815)
1820—1829	58 9 7/10	68 6(1825)	44 7(1822)

私は今少しく此穀物價格の騰貴の狀態をツックをして語らしめよう。

「一、食物の價格は一七九九年の初めには一七九三年以前の平均程に低かつたけれども、他の歐洲產出の商品と共に空前の高さに進んだ。これは輸入の實際上及び危惧上の妨害を伴へる一七九九年と一八〇〇年との二大凶作の必然的結果であつた。

二、一八〇一年、二年及び三年の豐作の來復と海外よりの供給の障碍除去とにより、一八〇三年の終に於ける穀物及び他の歐洲物產の價格は前述の季節と、政治的妨害より高められるに至つたところの水準にまで降下した。

三、一七九九年及び一八〇〇年に於ける食物及び歐洲物產の價格の暴騰と共に新大陸よりの物産の價格の暴落が起つた。かくて貨幣の單なる增發といふが如き一般原因の活動の推測を否定した。

四、一七九九年及び一八〇〇年に於ける食物及び一般に歐洲物産の價格の騰貴に銀行通貨の增加、金の價格の騰貴並びに爲替の低落が伴つた。

五、一八〇一年の春以後に於ける穀物及び歐洲物産の低落、金の價格の低落、並びに爲替の上騰に銀行券流通のそれ以上の增加が伴つた。かくて銀行券增加は價格と爲替との前の變更の原因であるといふ推測を否定せしめる理由を與へた。その故は若し右の如くであるとせば銀行券のそれ以上の增加は價格の低落と爲替の回復とを妨ぐべきだからである。

六、食物及び他の多くの消費用品の價格は大掛かりの戰時にして且政府が其の經費支辨の爲めの公債を發行したところの一八〇三年に於ては平和の年たる一八〇二年に於けるよりも低かつた。而して最後に軍需品の價格を除いては此の期間には戰時需要の價格の狀態に於ける痕跡は認められず、また通貨の價値の低減は示されなかつた。但し此の語を以て貨幣の增加に因る價格の騰貴を意味するものとし、商品の比較的稀少による騰貴を意味しないものとする。」（註２）

穀物價格の騰貴たるやかくの如くであつた。こゝに於て農業の改良と擴張とが著しく促進せしめられ、人をして英國の產業革命の時代は同時に農業革命の時代であるとさへ唱へしむるに至つた程である。

當時英國の社會組織は或意味に於ては著しく封建的であり、田舍に廣大なる土地を所有するに非れば、都會に於て貴族となる能はざる狀態であつたがため、商工業によつて富を克ち得たるものはやがて土地を買入れ田舍に廣莊なる邸宅を構へると共に農場の所有者となつた。所謂 Enclosure である。Enclosure の結果は農產物の增收である。處が一方多數小農民の存在の根底は失はれ、彼等は單なる勞働者となつて大農に雇傭せられるか、或は外國に移住し、或は田園を去りて黑煙濛々たる工場都市に集り純粹なる無產勞働者となるの外はなかつた。

かくして故鄕を離れた人々は、永久に賃銀勞働者となつて資本家階級に雇はれねばならなかつたのであるが、不幸にしてかゝる者の需要は當時機械の發明と勞働者の激增とのため甚だ僅少なるものであつた。原野であつた土地を開拓する場合には新たに勞働の需要を增大せしむるであらうが、一旦開墾せられた土地や在來開けてゐた耕地に於ては新農法が勞働を節約するからそれだけ需要を減じて行く。剰へ都會に於ける紡績工場の新設は、田舍の婦人や子供よりその内職を奪ひ、農村に益々打撃を加へることゝなつた。

かくて土地を失ひ資本を有せぬ社會大衆の生活狀態は、たとひ職にありつくとしても、物價の騰貴に苦しめられ、租税の徵收に惱まねばならなかつたのである。固より一七九三年より一八一二年に至る間に「農業勞働者及び手工業者の賃銀は二倍近くになつた」(註3)けれども、而かも尙「必需品の騰貴せる價格に比しては未だ不充分」(註4)なものであつた。況んや職を離れ或は職に耐へ得なくなつた場合の窮境は想像以上であつたと考へなければならない。

玆に大地主と農業勞働者との間には越え難き社會上の鴻溝が横はることゝなり、米騷動(Bread Riots)は前後數回到る處に勃發して社會的不安は全英に漲り渡つた。カニングガムは次の如く言つてゐる。

「穀物の高價格は彼等がよく知つてゐる艱苦であり、それは明らかに彼等の苦痛を重ね、忿怒を高めるものであつた。暴動は或る場合には機械の採用によつて惹起せられると謂はれてゐるが、然し通常暴動の勃發は窮乏の時期に起つたものであり、米騷動は産業改善の行はれない多くの場所に於ても存在したのである。ウォータールウの戰に至る二十五年間に於て、穀物の平均價格は極めて高かつた。而して此の期間に於て飢餓時代(Time of Famine)として正當に記述さるべき時期は二三に止まらなかつたのである」(註5)と。

此等の米騷動の中最も顯著なるものは一七九五年に勃發したものであらう。

「一七九五年は貧民階級にとつて大きな厄年の一つであつた。二ヶ年打ち續いた凶作は、小麥の平均價格を暴騰せしめた。……米騷動は Sussex, Bermingham, Noffengham, Conventry 及び其他の個所に勃發した。……國王の議會開院式への鹵簿を擁して多數の群集は叫號した。パンを與へよ！ 平和を齎らせ！ ピットを葬れ！」と。(註6)

かゝる穀物の暴騰と之に伴ふ勞働者階級の困窮とに對して、地代の騰貴と之に伴ふ地主及び資本家階級の逸樂とが云ふまでもなく事象の背反を物語るものなることは先きに一言した。

「農業に於ける顯著なる事實は、地代の法外な騰貴である。革命以來一七九五年まで地代は或個所に於ては騰貴したけれども他の個所に於ては停止してゐた。然し乍ら一七九〇年と一八三〇年の間に於てポーター(Porter)に從へばそれは尠くとも倍加された。」(註7)此の如き地代の騰貴は地主階級の所得を増加せしめたのみならず、同時に農業企業家の利得を大ならしめたことも事實であつた。「農業家も亦地主の富の分け前に與つた。その結果として彼等の性質は全く變化し、彼等は自己の勞働を以て働き且つ生活することを止めて、特別なる階級となつてきた。」(註8)かゝるものに對する社會大衆の感情の激化は當時の思想家達をしてそれに對して無關心であることを許す筈がない。ゴドウイン(Godwin)の無政府共産主義、スペンス(Spence)一派の土地改革論等々。彼等にあつてはかゝる貧困發生の原因は畢竟私有財産制度に基づく經濟組織の缺陷にありとされた。

以上述べたるが如き社會經濟史的背景の下に、かゝる思想の面が特に當時の一經濟學者ブカナン(Buchanan)によつて述べらるゝに及び、マルサスは敢然起つてこれが排撃に努めた。その駁論が卽ち彼の「地代の性質及び增進に關する研究」であり、これに對するリカアドの批判への批判が彼の「經濟原論」初版中の地代論であることは既に述べた。

註1　K. Marx: Theorien über den Mehrwert. Bd. 2 Teil I. S. 327.

註2　T. Tooke; A History of Prices, and of the State of the Circulation, from 1792 to 1856. PP. 252—254.

註3　Ibid. P. 329.

註4 Ibid. P. 330.
註5 W. Cunningham; The Growth of English Industry and Commerce. Modern Times Part. II P. 703—704.
註6 W. Hunt; The Political History of England. Vol X. P. 376.
註7 A. Tognbee; The Industrial Revolution of the 18th Century in England. 9th imp. PP. 71—72.
註8 Ibid. P. 728.

第三 マルサスの地代論

一 地代の本質及起源論

マルサスは先づ地代を定義して土地耕作者の耕作出費と其の生産物の價値との差額なりとし、いみじくも地代を價値現象であると見てゐる。端的に彼をして「地代の性質及び增進に關する研究」によつて語らしむれば、

「土地の地代は全生産物の價値の中、その種類の何たるを問はず、その耕作に屬する一切の支出——當該時に於ける農業資本の日常且通常の利潤によつて測られた投下資本の利潤を含む——が支拂はれて後に、土地の所有者に殘る所の部分であると定義されやう。」(註1) と。

此の見解は後年の「經濟原論初版中に其の儘用ひられてゐる。(註2) このことは

「地代の性質及び增進に關する研究」と「經濟原論」初版中の地代論とがその大綱に於て異なるなきを物語るものであるが、何れにもせよ彼は此の地代の概念中に二つの分子を含ませてゐる。一は土地に含まるゝ自然力、卽ち土地の純生產性といふ物理的法則。他方では地代はその源泉を土地生產性といふ永久的法則に持つてゐるのみならず、更に或る經濟的法則にも持つてゐる。この經濟的法則とは土地が其の耕作に要する人間よりも多數の人間を養ひ得るといふ土地の能力のことである。茲に於て彼はその地代法則を人口法則に結びつくるのであるが、此等のことに關しては更に後に詳細に眺むるであらう。

だが兎も角マルサスによれば、地代とは普通農業利潤をも含めて、あらゆる耕作費用の支拂はれて後に殘る所の、全生產物の價値部分であるといふのである。かくて地代は價格の構成部分ではなく、價格が先づ決定せられかゝる價格が生產費を超過するために、その差額が地代を形成するのである。故に地代の本質如何並びにその起源如何の問題の考究は先ず穀物——土地生產物の代表的なるもの——の價格高き原因に對する討究から始むべきであると考へる。其處で此の原因を擧げ其の說明を始むるに先立つて著明なる經濟學者の此の問題に對する説を述べてこれに批評を下してゐる。エコノミスト(Economists)スミス(Adam Smith)シスモンディ(de Sismondi)セイ(Say)及びブキャナン(Buchanan)の説がこれであつて此等の著者の見解は何れも地代に獨占性を認むる點に於てマルサスには採用し難く思はるゝのである。卽ち「此等の著述家の殆んどすべての者は地代なるものを以て、其の性質及びそれを支配する法則に於て、普通の獨占商品に特徴である所の、生産費以上に出づる價格の超過と餘りにもよく似たものとして考へてゐる樣に私には思はれる。」(註3)と。

所がかくの如く地主の獨占的地位が地代發生の原因なりとなす說に反對し來れるマルサスも地代の原因として所謂自然的獨占に類似せる事情のあることは認めてゐるのである。卽ち「自然的獨占商品と極めて大なる類似性をもてる地代と連絡する若干の狀態の存在することは容易に許容されるであらう。大地自體の廣袤は有限であり、人類の要求によつて擴大され得ない。土壤の不等性は社會の初期段階に於てさへも最良地の比較的稀少性を惹起せしむる。而して此の稀少性は疑もなく本來の意義に於ける地代の諸原因の一つである。これに對しては部分的獨占なる言葉が適用せられるのが多分適當であらう。然し此の如き意味の土地の稀少性はそれのみにては既にみたる諸效果を釀し出すには決して充分ではない。」(註4)と。

マルサスによれば最良地の稀少性のみを以てしては地代は成立するものではないのである。而して粗生々產物の價格の高いのは他の獨占財貨の價格が高いのと本質に於ても起源に於ても異なるものであるといふ。

然らば前者の價格の高き原因は如何なるものであるとマルサスは言ふのであらうか。

彼はそれが原因を求めて次の三つとなす。卽ち、

「第一に而して主としては、土地に使用せられた人々の生活の維持に要せらるるよりも大なる量の生活必需品を齎らし得る所の土地の性質、

第二、正當に分配されるならば、彼等自身の需要を創造し得るか、或は生產せられた必需品の分量に比例して需要者數を增加せしめ得る生活必需品に特殊なる性質、

第三、自然的にもせよ人爲的にもせよ、肥沃地の比較的稀少性」(註5)

吾々は此の第一原因の探究を比較的長くマルサスをして語らしめよう。それ

はマルサスにとつては地代の存在に必須的なものだからである。

「それは(第一原因—東註)地代の存在には絶對的に本質的なものである。從つてそれなくしては如何なる程度の稀少性も、獨占も、粗生々産物價格の、勞賃及び利子の支拂ひに必要なる所のもの以上の超過分を生ぜしめ得ざる所のものである。……此場合食物及び粗生々産物は明らかに現在よりも稀少であり、土地は個々の所有者によつて同じ方法で獨占せられるかも知れない。而かも尚地代或は高利潤及び高賃銀の形態に於ける土地の如何なる本質的剩餘生産物も共に存在し得ざることは明らかである。」

「一方一定量の土地の生産物が、たとひ其全體が勞働者と資本家に分配されると或は一部分が地主に與へられようと、現實に如何なる方法で分配されやうとも、かゝる地代を生ぜしむる能力は正確に其の肥沃度に、卽ち土地が嚴密に勞働を維持しそれへの投下資本を維持するに必要なる額以上を生産し得てゐる所の一般的剩餘に、比例する。」

「此の剩餘がたとへば一、二、三、四或は五なりとせば、地代を生ぜしむるその能力は一、二、三、四或は五となるであらう。そして如何なる程度の獨占も

――外部的な需要の如何なる增加も、本質的には此等異なる能力を變改し得るものではない。」(註6)

かくて彼は此處に第一原因を説明するに當つて、先づ如何なる地代も剩餘なしには存在し得ないこと、更に個々の特定の土壤の地代支拂力は此の剩餘に比例することを認定し、從つてかゝる土地の肥沃度より發生する剩餘こそ地代であらねばならぬと言ふ。而して此の土地の肥沃性は彼の地代本質觀にはまことに重要なものであつて、如何に土地が稀少であつても、又土地に獨占性があつても、粗生々產物の價格にして生產費を越ゆる過剩を生み出し得なければ地代は絶對に發生し難いといふのである。

だが彼が此處に述べてゐるのは直接には地代の起源ではなくして地代がそこから派生する所の、卽ち地代が其一特殊形態に過ぎぬ所の、農業に於ける剩餘生產物の存在といふことだけではなからうか。彼の言ふ所は結果から見て剩餘は生產物の分量に於けるものゝ如くである。然るにマルサスが最初に此處に説明せんとした本來の主旨は「粗生々產物の價格が生產費を超過する諸原因」(註7)を研究するためであつた。それかあらぬか彼はその説明の行程に於て此分量觀念を直ちに生產物價格並びに生產費なる價値觀念に接合してしまつた。此の兩觀念の接合は非常に重大であるべき筈であるのに、彼に於ては詳細な說明が看過されてゐるのである。剩餘生產物は勿論地代となるべき可能性を持つてはゐるが然し、地代が發生する原因は剩餘が生產せられるといふ事實にあるのではなくして、其發生はこの剩餘生產物をして地代形態を採らしむる所の特殊事情に歸せられなければならぬ筈である。これが詳細なる說明に事缺けるマルサスも一方に於てこのことを全然認めなかつたわけではなく、かゝる剩餘が單に高き勞賃と高き利潤との形態に於て現はるゝに過ぎざる場合を他の各所で說明してはゐる。例へば、

「社會の初期時代に於て、多分より著しくは舊社會の知識と資本が新鮮且つ肥沃なる土地に使用せらるゝときには、土壤の剩餘生產物は主として極度に高き利潤、極度に高き勞賃に於てあらはれ、地代の形であらはれることは尠い」と。(註8)又、

「その最も廣義に於ける耕作者の剩餘生產物は土地に充用せられない社會のその部分の發達の尺度をなし、且つ限界をなすものなることは永遠に眞實でなけ

ればならない。全世界を通じて製造業者、商人、地主及び種々なる文武の職業に從事してゐる者の數は、正確にこの剩餘生産物に比例しなければならず、そして事の性質上それ以上に增加することは出來ない。土地の上で發揮せられる勞働と器用とが、この剩餘生産物を增加せしむるに比例して、其餘はより大なる人々に、文明生活の花たるあらゆる諸發明に彼等を從事せしめる爲に與へられたのである。」(註9)

かく觀じ來るときそれは一見剩餘生産物の增加、勞働の生産力の發展の讚美であるが如くである。然し吾々が「經濟原論」を見るとき、それが必ずしも彼の本意ではなかつたことを知るのである。卽ち

「それ(地代―東註)は神が人類に下し給へる土壤に於ける最も尊き性質――其土地を使用するに必要なるよりもより多くの人間を維持し得る性質――の明瞭なる表章ではないのであらうか？　それはあらゆる力と享樂との源泉であると正當に述べられてきた所の、吾々はその上更に絕對的に必要な部分と見るのであるが、土地からのかの剩餘生産物の一部分ではないのであるか？　そして實際に、それなくしては都會も陸海軍力も美術も學術も精巧な製造品も外國の便宜

品及び贅澤品も或は個人を向上せしめ品格づけるのみならず人類の總體を通じてその有利なる影響を延長せしむる所の文化高き優美なる社會の一つも存在しないであらう所の部分ではないであらうか？」(註10)

茲に讃美されるのが地代であることに疑ひはない。即ち彼は剩餘生産物の讃美は直ちにその特殊形態たる地代の讃美であると考ふるの混亂に陷つてゐることを此處に吾々は知ことが出來る(註11)。

かゝる混亂の中にも彼が次の第二原因の說明の中に「その耕作に使用する人口の生活の維持に要せらるゝよりも大なる量の生活必需品を生ぜしむるその力が、明らかに此の地代の根基であり、その增加の可能性の限界である」(註12)と言つて、剩餘生産物が地代の基礎であり增加の限界であることを認めてゐることは注目すべき事柄でなければならない。

第二原因として擧げられてゐるのは「適當に分配されるならば、彼等自身の需要を創造し得るか或は生産せられた必需品の分量に比例して需要者數を增加することが出來るといふ生活必需品に特有な性質」であつた。それは言はゞそれ自らの需要を創造する食物の力である。

このことは人口増加力は常により優勢な力であるから、増加せる生活資料は直ちにその需要を見出すことを意味するものである。彼はアダム・スミスと共に「食物の供給せらるゝとき、必要な衣服、住居を見出すことは比較的容易である」(註13)ことを認容し、土地は一財貨のみを生産するものにあらずして、又あらゆる財貨の中最も必須的なもの――食物に加ふるに衣服、住居及び薪炭のための材料を生産するものなりと見做し、「されば土地が生活必需品を生産すること、よつて以て而してそれによつてのみ、人口の増加が行はれ維持せられるやうになる所の手段を生産することは嚴密に眞である。此の點に於てそれは人類に知られてゐる如何なる種類の機械とも根本的に異なるものである。」(註14)となし次の如き例を引いてゐる。

「若し活動的にして丹精なる一家族が自分等のためのみならず、他の五家族のための食物及び衣服、住居、燃料を生せしむる様に耕作し得る所の一定量の土地を所有してゐると假定すれば、人口法則から次の如く言ふことが出來る。即ち若し彼等が其等の剰餘生産物を正當に分配するならば、彼等は直ちに他の五家族の勞働を支配し得るであらうし、その土地生產物の價値はそれが增加のために使用せられた勞働の價値の五倍に相當することになるであらう。然し若しあらゆる生活必需品を生ぜしむる一定量の土地の代りに、彼等自らの生活資料以外には五十人に對する帽子と衣服とを生產する機械を所有するに止まるとすれば、其等のなし得る如何なる努力も彼等に帽子又は衣服の需要を保證せしめ得ないであらうし、彼等に代價として其等の製作に費やせし以上の多大の勞働量を支配せしめ得ないであらう。

「久しきに亙つて此の機械はその家族のための帽子又は衣服の製作から生ずる價値以上のものではなく又永久にさうであるかも知れない。それ以上の諸力は絕對的に需要の缺乏から放棄せられるであらうし、其等自身の諸效果から全く獨立の諸原因から人口が增加して五十の帽子を需要する樣になつたときでさへも、勞働及び他の財貨を支配する其等の價値は恆常的に其等の製作に使用せられた勞働の價値を殆んど超過することはないであらう。」(註15)

彼が玆で强調してゐるのは土壤と他の機械との、及び生活必需品――粗生々產物――と他の種の生產物との對立性である。彼はかゝる性質はエコノミスト達によつて主張せられ、又アダム・スミスによつても許容せられてゐる所であるが、近代著述家は一般に其等を看過し、地代は普通獨占の原理に規制せられるものと考へてゐるが、それは誤つてゐる、土地生産物の大なる需要惹起力は次の如きことに於ても知られるとして更に一例を設けてゐる。

「若し全世界に亙つて貴金屬鑛山の肥沃度が半減したとすれば、人口及び富は必然的には金銀に依存するものではないからして、かゝる事は人口及び富の額の減少せざることゝ矛盾せぬのみならず、又兩者の著しき增大とも矛盾しないといふことが許されるであらう。然し此の場合世界中の異なる鑛山に於て支拂はるゝ地代、利潤、賃銀は減少せしめられないのみならず、又著しく增大せしめられることは誠に確實である。然るに若し世界中の總ての土地の肥沃度が半減したとすれば、人口と富とは嚴密に土壤の與ふる生活必需品の量に依存するが故に、世界中の大部分の人口と富とは破壞せられ、それと共に必需品の有效需要の大部分が破壞せられることは極めて明らかである。殆んどあらゆる國の最大部分の土地は完全に耕作せられなくなり、賃銀、利潤、地代殊に最後のものゝは殘餘の總ての上で大いに減せられるであらう。」(註16)と。

かくてマルサスに於ては農業生産物の供給の増加は直ちにこの需要の増加を隨伴するものである。從つて農業生産物の價値或は價格決定の際には、その需要と供給との演ずる役割は其の程度に於て相違する。あらゆる他の財貨にあつては生産と需要とは必然的關係に立たないから、換言すれば需要は生産からは獨立してゐるのであるから、價値決定に當つては需要と供給とが交互作用をなし得る。然し農業生産物に於ては人口從つて需要は食物從つて供給に直接的に依存してゐるのであるから、價値下落に向つての供給壓迫は比較的尠く、壓迫は殆んど主として需要側から働くのである。そしてその結果としてその價格は極めて高くならざるを得ないといふのである。

第三原因は「自然的にもせよ、人爲的にもせよ肥沃地の比較的稀少性」といふことであつた。これは結局農業生産費の相違を惹起せしむる所の生産性の相違を言ふものであるが、これを説くに當つて彼は先づ、自然法則による交換價値(支配勞働量―東註)と使用價値(それが維持し得る勞働量―東註)との適合は土地生産物にのみ求めらるゝのであるといふことから始める。

「普通獨占財貨及び必需品を除くすべての生産物にあつては、自然法則はその交換價値を使用價値に適應せしめることはないのである。同量の葡萄又は綿花は事情の異なるにつれて永久に亙り、或は三日の勞働の價値しかなかつたり、或は三百日の勞働に値したりし得るものである。必需品の生産に於てのみ自然法則は其の交換價値を絶えず使用價値に應じて調整せんとして作用するものである。假令外部の事情の甚だしき相違殊に土地が非常に豐かであるか瘦せてゐるかによつて其效果は稀れにしか擧がらず又決して充分には擧がらないとしても、それでも一定量の必需品の交換價値は勞働を支配する點に於て常にその維持し得る勞働量の價値に、換言すれば其使用價値に近づかんとする傾向があるのである。

「すべての普通の獨占財貨にあつては生産物の價格從つて生産費を超過する剩餘價格は無制限に增加し得るに反して、必需品を生産する部分的獨占にあつては生産物の價格がその維持し得る勞働の價値を超過することは全然不可能である。從つて其價格が生産費を超過する剩餘には、超ゆべからざる限界が存在するのであつて、此の限界は土地がその耕作者の最低欲望以上に生産し得る必需品の過剰に外ならない。そしてこれは嚴密に土地の自然的又は人爲的肥沃度によつて決定される。此の肥沃度にして増加すれば限界は大となるべく、土地は高き地代を生み得、これにして減少を來せば限界は收縮せられ、高き地代は不可能となる。そして更らに其減少あれば限界は生産費と一致し總ての地代は消滅するであらう。

「短言すれば前の場合にあつては生産物が價格に於て生産費を超過する力は主として獨占の度合により、後の場合にあつては全く肥沃の度合による。これ正に明白にして顯著なる區別である」(註17)と。

而して以上のことは「第二原因から自ら生ずる結果であつて、土地からの一般的剩餘の一部を地主に對する地代なる特殊形態となすためには最後的に必要なものである。」(註18)と前提して次の如く述べるのである。

「肥沃な土地が豐富にあり、そしてそれを求める何人によつても得られ得る間は何人も勿論地主に地代を支拂はないであらう。然しかゝる事態が繼續するといふのは自然法則と土地の限度及性質とに反する。土壤と位置との相違はあらゆる國に於て必然的に存在する。あらゆる土地が最も肥沃ではあり得ない。即ちあらゆる位置が可航河川及び市場に最も接近し得るものではない。然し最も大なる自然的肥沃度を有し、又最も有利なる地位に位してゐる土地の上にそれを使用する手段以上の資本蓄積は、必然的に利潤を下落せしめねばならないし、一方人口が生存手段以上に増加する傾向は、或る期間の後には勞働の賃銀を下落せしめねばならぬ。」(註19)

卽ちあらゆる土地はその經營條件に於て、何れも同一であることを得ず、第一に肥沃度の上での相違があり、第二に位置の上での相違がある。そこで人口増加耕作擴張につれて利潤率は下落し、又人口の壓迫によつて勞賃も下落してくる。この勞賃と利潤とを加へたものが生産費である。されば生産費は漸次に減少して行くことになるといふのである。然るに、

「穀物の價格はあらゆる進歩的國家に於て、實際に用ひられてゐる最劣等地の生産費にそれが其自然的狀態に於て産出すべき地代を加へたものに、又は古き土地に於ける附加的生産物――この附加的生産物は殆んど、或は全く、地代を伴はずに、單に農業資本の通常報酬を齎すに過ぎない――の生産費に丁度略〻等しくなければならない。」(註20)

かくてマルサスに依ればかくの如くして定められた穀物の市場價格と種々なる自然的條件によつて異る各土地の生産費との差額が地代をなすといふことになる。

註1 Malthus; Inquiry into the Nature and Progress of Rent. PP 1—2.
註2 Malthus; Principles of Political Economy. 1 st Ed. P. 134.
註3 Ibid. P. 135.
註4 Ibid. P. 139.
註5 Ibid. PP. 139—140.
註6 Ibid. PP. 140—141.
註7 Ibid. P. 139.
註8 Ibid. P. 150.
註9 Malthus; Essays on Population. th Ed. Vol II. P. 129—130.
註10 Malthus; Principles. P. 149—150.
註11 この點に關しては吉田秀夫氏著「經濟學說研究」第五章第三節を參照せられよ。
註12 Ibid. P. 151.
註13 Ibid. P. 141.
註14 Ibid. P. 142.
註15 Ibid. PP. 142—143.

註16　Ibid. PP. 144—145.
註17　Ibid PP. 147—149.
註18　Ibid PP. 151—152.
註19　Ibid PP. 150—151.
註20　Ibid. P. 183.

二　地代變動論

地代がマルサスによれば農業生産物の價格と其生産費との差額であることは既に見た。然らばかゝる地代は如何に變動し行くのであらうか？　結局それは彼によればその差額を增加せしむべき二方面の原因によつて、即ち第一に消極的に生産費の低落によつて、第二に積極的に價格の騰貴によつて騰貴しなければならない。

「地代の騰落を支配する法則を一層立ち入つて攻究するに當つては、生產物價格に比較して耕作費用を減少せしめ或は生產要具の費用を低減せしむる諸原因は特により詳說せらるゝを要す。此等の主なるものは四つあるやうである。第一に、資本の利潤を下落せしむるが如き資本の蓄積、

第二に、勞働の賃銀を下落せしむるが如き人口の增加、

第三に、所與の效果を產み出すに必要なる勞働者數を減少せしむるが如き農業上の改善又は努力の增加、及び、

第四に、名目的に生產費を減少せしむることなしに、生產物の此の費用と價格との間の差違を增大せしむるが如き增加需要からの農業生產物價格の增加とがそれ。」(註I)

以上四原因中第一乃至第三は生產費の低落卽ち地代增進の消極的原因に、第四は價格の騰貴卽ちその積極的原因に該當する。而してマルサス自身も此等に區別をつけてゐるのである。

其處で先づ生產物を低下せしむる諸原因から始めよう。

マルサスの言ふ所を簡單に示せば此等原因は(一)利潤率の下落、(二)勞賃の下落、(三)農業技術の改良である。此の中前二者は相互に一方の騰貴と他方の下落とが相殺されることがあるが必然的關係はないといふ。

「若し資本が或利潤率を以つて通常使用せられ來つた部門に於て增大し過多と

なれば、たとひより少き報酬しか得られなくとも、それは睡眠することなく産業の同一或は他の部門に於て使用せられるであらう。而してこのことは資本をより肥沃ならざる土壤に押しやる傾向をもつ。

「同樣にして人口がそれへの需要よりも急速に增加するときは、勞働者はより少量の必需品を以て滿足せねばならぬ。そして實物に於ける勞働費用がかくの如く減少せられ、從つて以前耕作せられ得ざりし土地が耕作せられるであらう。」(註2)

かくて彼は或る利潤率の下に於て資本の增大が起れば資本はより劣等なる土地の耕作に投せられるであらうし、又人口の增加は勞賃を下落せしむるから、より劣等なる土地の耕作も可能となるであらう、從つて此等のことが地代增進の原因であることを述べてゐる。

だが然し前述せる如く、此の資本及び人口の增加なる地代騰貴の二原因は「時に相殺し合ふが如くに作用する」(註3)ことあるを認め、「資本の增加は勞働賃銀を高め又勞賃の下落は資本の利潤を高める」(註4)と言つてゐる。然し彼は此の現象たるや「一時的結果に過ぎず、」(註5)資本の蓄積及び人口增加に向つての一國の自

然的規則正しき進步に於ては、利潤率及び眞實勞賃は共に恒常的に低落するといふ。而してその理由として、

「耕作者にとつては、穀物の貨幣價格の騰貴は、同一資本によつて獲らるゝ生產物量の減少によつて相殺され、同一貨幣收入からより高き貨幣賃銀を支拂はねばならぬから彼の利潤は他のあらゆる資本家のそれと同樣に減少せしめられる」(註6)といふにある。

先に見たるが如く若し勞賃と利潤とが大局に於て背反的な必然關係にないとすれば、此の二つの原因は結局第三と同一のことを、換言すれば收獲遞增を、正確に言ふとき、勞働の生產性の增大を意味することになる。然るに後述の如く彼によれば收獲遞減の傾向の行はれてゐる時には地代は增進するといふ。然るに茲には收獲遞增の傾向の行はれてゐる場合に地代が增加するといふのである。限界生產費なるものゝ一定なる時に、それ以下の生產費が減少するならば勿論この事は正しい。然るにマルサスはかゝる場合を考へてはゐなかつた。吾々はこれをか何に解釋すべきであらうか。マルサスをして第三原因の說明に於て語らしめよう。

「刺戟に應じ易き進歩的な且つ勤勉なる國に於ては、此の原因の效果は大なるものがある。導入せられたる改良が、如何なる量の生産物をも増加せしめずして生産費の低減に重要なるが如き性質のものであれば、穀物の價格には何等の變動も起らないであらうことは全く確かであるから、農業者の法外の利潤は製造業及び商業よりの資本の競爭によつて直ちに減ぜられるであらう。そして資本使用の全舞臺は増大されるよりは寧ろ縮小せしめられたであらうから、土地並に他の所に於ける利潤は間もなく直ちに以前の水準に低下するであらうし、耕作費の減少によつて増大せる剩餘は地主の地代をして増加せしむることゝなるであらう。」（註7）

以上は農事上の改良が行はれた場合に於て、生産費が減少するも生産物の分量は少しも増加しない場合に於ける地代増加の説明であつた。然らば生産費の減少と共に生産物の分量が増加する場合はどうであらうか。

「が然しかゝる改良が——常にそうでなければならぬが如く——新しい土地の耕作を容易ならしめ、又同一資本を以て古い土地の耕作をよりよくなさしめるならば、確かにより多くの穀物が市場に持ち來らされるであらう。このことはその價格を下落せしむるであらうが、その下落の繼續期間たるや短いであらう……適當に分配されるならば、それ自らの需要を創造するといふ生活必需品の力、換言すれば生存の手段を抑壓する人口の傾向は直ちに穀物及勞働の價格を上げ、資本の利潤を其の以前の水準にまで減ずるであらうし、其の間此等の改良によつて客易にされたるより貧瘠な土地の耕作に於ける一歩一歩の前進及び以前耕作せられたよりよき一切の土地への適用は一般に地代を高めるであらう。かくて改良せられたる耕作制度の下に於て、地代は、穀物の交換價値の何等の騰貴も眞實勞賃或は一般利潤率の下落もなしに騰貴し續け得るであらう」(註8)

かくて此の場合に於てもマルサスによれば地代は増加し行くのである。

以上地代騰貴の三原因を説明する場合に、マルサスがその特有の人口理論と價格決定に關する需要供給説とをその基礎としてゐることを見逃すわけには行かない。而して食物と人口との關係を長期的に眺むる限りに於て彼の主張の大部分の正當なることは肯定せられるであらう。然し短期間の現象に於ても、より深き科學的現實的觀察がなされなければならない。それかあらぬかリカアドによつて、「マルサス氏は利潤も剩餘生產物から支拂はれるのであることを忘れてゐる。それ故に私は勞賃の下落及び農業上の諸改良が剩餘生產物を增加するであらうといふ氏の意見には同意するが、然しこの增加は地代となるであらうとの氏の意見には同意し難い。それは間違ひなく利潤となるのである」(註9)とか、「假令穀物地代は下落しなくとも、貨幣地代は必ず下落するであらう。而かも若し此の際地代を支出して購ふ諸貨物の價格が下落しないならば、――而して實際下らないであらう――それこそ地代の眞實の下落であつて、マルサス氏も恐らくそれを認めるであらう」。(註10)とか等々の批判を蒙つたわけである。

地代を增加せしむる第四原因は如何なる源泉からにもせよ、生產物價格と生產費間の差額を增加せしむるが如き粗生々產物價格の增大であつた。さて彼によれば、穀物への投下勞働の增加によつて惹起せしめらるゝ穀物價格の騰貴は或期間の後には狹い限界內に限定されるのであるが、需要によつて惹起せられ、貨幣價値低落に終る所の穀物の貨幣價格の騰貴は、必然的には賃銀及び利潤を低下せしむることはなくても、耕作を激勵し、地代を增加せしむ

るのである。即ち、

「特定の一國の粗生々産物に對して周圍の國民間に繼續的に需要が增大するとすれば、此の國の生産物價格は勿論甚だしく騰貴する。而して耕作費用が徐々にそれと同比例に於いて上騰するのみなりとすれば生産物價格は久しき間改良に大いなる刺戟を與へ、新鮮なる土地を耕作せしめ、古き土地をより生産的ならしむる所の多額の資本投下を助成することが出來るであらう。然し需要が繼續せらるれば、勞働の價格は結局穀物と比較してのその前水準にまで騰貴する。多くの粗生々産物の輸出によつて明かに貨幣價値の低落が一般に行はれ、勞働はあらゆる外國財貨の購入に於いて極端に生産的となり、地代は、利潤及び賃銀の下落なくとも、騰貴するであらう」。(註11)

「富み且つ進歩しつゝある國の粗生々産物に對して爲された最後の附加を獲得するに必要な勞働及び資本の分量は增加せんとする不斷の傾向を有つてゐる」(註12)かくの如く最後の供給の生産費は漸次に增加して行くのである。然るに「穀物の價格は産出せられた全量に關して、自然價格卽ち必要價格……現實の全粗生々産物を獲得するに必要な價格(東註)……を以て賣られる」(註13)のであるからして、即ち言はゞこゝではこの最後の供給の價格が全粗生々産物の價格の規制者とされてゐるのであるからして、以前の供給の生産費が同一に止まる限り、それと價格との差額、即ち地代は、騰貴しなければならない筈である。

「上述の四原因の作用によつて、生産物價格と生産の諸要具の費用との差違が増大するときには常に土地の地代は騰貴する」(註14)のであるが、而かも尚「此等の四原因が皆同時に作用するといふことは必要ではない。唯必要なことは茲に敍述せる差違が増加することである」(註15)とマルサスは結論してゐる。又彼曰く、「實に私自らの確信について云へば、若しも或る富祐にして進歩せる國民が、地代を生ぜしめる所の粗生々産物の高き價格が地主にとつて有利であるだけ消費者にとつて有害であるといふ印象の下に、生産物の價格を、何處にも地代の形に於て剩餘を止めないまでに低下せしむるやうに、法律によつて定められたならば、それは不可避的に、啻にすべての貧弱なる土地ばかりでなく、更に最上の土地を除くすべての土地の耕作を拋棄せしめ、そして恐らくはその生産物と人口とを、其の以前の分量の十分の一以下に低減せしむるであらうといふことを私は少しも疑はないのである」。(註16)と。

かくて彼の言はんとする所は明かになつた。地代及び其の増加の擁護。

以上私は地代變動に關するマルサスの理論をその騰貴の側に於てのみ眺めてきた。次には地代低下の諸原因であるが、地代騰貴を以上の四原因に歸せしせる限り、「地代の低落に導く諸原因は、考へらるゝが如く、騰貴に導く諸原因と正確に反對の種類のものである。卽ち資本減退、人口減少、耕作制度の惡化、及び粗生々産物の低價格とがそれ。」(註17)でなければなるまい。

「處が資本減退、人口減少、の地代低下への必然的效果は餘りにも明白であり最早説明を要しないし、又苦勞多き耕作制度の惡化は肥沃地に於てさへも人口進展、及び最も富める土壤から供給され得る所のもの以上の需要をはばむことによつて地代の形成を遮るであらうことも明かである」(註18)からしてマルサスは其等には言及せず專ら第四原因について説明を施すのである。

「一國の生産物が減少し、地代が低下しつゝあるときあらゆる生産要具がより高價であることは必然的ではない。低下の自然的進歩の中にあつて、資本の利潤は必然的に低落する。何となれば此の低落を生せしむるものは特に充分なる收獲の缺乏であるから。資本が破壞せられた後、利潤は高くなり、賃銀は低下するであらう。然し資本缺乏による高利潤に加へて、粗生々産物の低價格は、勞働の低賃銀を相殺して尙餘りあり、より多くの資本を要する所の土地の耕作を不可能ならしめる」。(註19)

「生產物が減少し、地代の低下するとき、假令地代總額が常に小なりと雖も、その資本及び生產物に對する比例はより大となるであらう。……されば價格の相對的狀態が地代の繼續的低下を惹起せしむるが如きものとなるにつれていよいよ多くの土地が次第に耕作せられなくなり、殘りのもの丶耕作は惡化せられ、生產物の減少は地代の減少よりも尙速やかに進むであらう」。(註20)等々。

註1　Malthus; Principles. PP 160—161.
註2　Ibid. P 161
註3　Ibid.
註4　Ibid.
註5　Ibid. P. 163
註6　Cf. Ibid.

註7 Ibid. PP. 163—164.
註8 Ibid. PP 164—165
註9 Ricardo; Notes on Malthus. P. 6
註10 Ibid. P. 62
註11 Malthus; Principles. P 167
註12 Ibid. P. 197.
註13 Ibid. PP. 183—184.
註14 Ibid P. 173.
註15 Ibid.
註16 Ibid. P. 182.
註17 Ibid P. 178
註18 Ibid PP. 78—9,
註19 Ibid. PP. 180—181.
註20 Ibid PP. 181—182.

三　地代穀價關係論

産業革命を中心とする當時の英國の戰時狀態は、一方に異常なる穀價の騰貴を來して勞働階級を飢餓に瀕せしめ、他方に前例なき地代の騰貴を誘起して地主及び資本家階級に莫大な利得を結果せしめたことは既に述べたが、此の極端なる二つの事實を對比するとき、何人と雖も直ちに地代と穀價との關係に想ひを致さないものはないであらう。當時の社會的感情は一般的に言つて反地主に向つてゐたのであるが、マルサスの地代論はかゝる場合に於て穀物高價格の必然性及びその地代との關係を論じ以て反地主熱の鎭壓に貢献する所多大なるものがあつた。

彼は先づ穀物高價格の原因探究から始める。

「私は、高價格の原因を研究することは大いに有用であるといふことに於てアダム・スミスに全く贊同する。何となれば吾々が不平を言つてゐる狀態は、富及び繁榮の必然的結果であり、且つ最も確實なる標識であるといふ研究の結果からであるのであるから。然し乍ら此の種の總ての研究の中で、穀物の價格に影響を及ぼし、而かも異る諸國間に屢々見られる所の價格の差違を生ぜしむる所の諸原因の探究の如く重要であり一般的に興味深いものは一つもない」。(註I)と。

これが原因を擧げて彼は二つとなす。

一、異なる狀態の下に於ける異なる國の貴金屬價値の差違、

二、穀物生産に必要なる勞働量と資本量との差違、とがそれ。第一原因を説明して曰く

「異なる國に於て貴金屬に影響を及ぼす主要原因は穀物及び勞働への需要の大小及び輸出財貨の多少である。各個の産業部門の生産の大なる容易さ換言すれば輸出財貨の豐富さを以て、穀物及び勞働は非常に高い相對的價格に保持せられるであらう。そして實際、生産の容易さに附著せる自然的便益をして内國競爭による大なる損失から防ぎ、實際に於て穀物及び勞働の高きあらゆる國民の産業をして、外國財貨の購買に於て特に生産的ならしむるものは實に此の高價格である」(註2)と。

穀物の高き比較的價格の第二原因は高き相對的生産費である。

「吾々が若しあらゆる國に於て貨幣價値が同一であると想像し得るならば、然るとき一國の他國と比較しての穀物の高き貨幣價格の原因は、それを生産するに使用せらるべき大量の資本及勞働であるであらう。而して穀物價格がより高くなり既に富める國に於て繼續的に上昇し、尚繁榮と人口の進展する理由はより瘦貧なる土地――それ等を使用するにより大なる費用を要する所の機械――に

一定に賴らねばならぬ必要の中に見出さるべきであらう。而してそれはその國の農業生產物への新しき附加部分を常により大なる費用を以て購買するであらう」。(註3)

このことは彼によれば、「進歩せる國に於て穀物は實際の供給を生ぜしむる必要價格で賣られるといふ重要なる眞理」(註4)或は又「此供給が困難となるにつれて價格はそれに比例して上騰すべきであるといふ重要なる眞理」(註5)の中に見出さるべきものである。此の原因によつて決定される穀物價格は勿論他の狀態によつて大いに限定せられる。卽ち直接稅、間接稅によつて、耕作法の改良によつて、土地への勞働の節約によつて、又特に外國穀物の輸入によつて。

然るに以上の二原因の結合作用によつて、マルサスによれば次の事が導き出される。卽ち、

「農業の繼續的改良にも拘らず、穀物の貨幣價格が一般に富める國に於て最高であり、一方製造品の貨幣價格は此の穀物の高價格及びそれによつて必ず生ずる勞働の高價格にも拘らず、より貧しき國よりも尙低下し續けるといふことを」。(註6)かくて「吾々が若しも貴金屬の價值を異る國々に於いて、及び一國に於いて

異る時期について、穀物及び勞働の價格によつて測定するならば、吾々が本節に論及せる第一原因を考へやうが、第二原因を考へやうが、粗生々産物の高き平均價格よりも正確なる富の表徴は殆ど存在しない」(註7)のである。

以上によつてマルサスが穀物の價格の高いのは、富の增進に伴ふ必然的且有益な結果であり、地代の高いことがその原因をなすものではないと考へてゐることは明らかになつた。人口論第三版にも、

「若し土地が穀物のみを產するならば、地主は絕對的に、需要の減退と價格の下落とに正確に比例して彼等の地代を引き下げざるを得ないであらう。蓋し普遍的に言へば地代を決定するものは價格であり、價格を決定するものが地代であるのではないから。……それに僅少な勞働しか投せられてゐない土地は、それに多くの勞働が投せられてゐるよりも、一般的により高い地代を產むであらう」。(註8)(傍點は東附す)とある。

マルサスの地代の定義によれば、生產物の價格が勞賃プラス利潤を超過する結果、その超過分が地代となるのであつた。かくて地代は價格の構成部分ではなく、價格が先づ決定せられ、かゝる價格が生產費を超過する結果、その差額

が地代となるのである。

地代と穀價との關係に關するかゝる見解は、結局、當時に於ける貧民階級の飢餓と地主、資本家の暴利とは、何れも自然法則の必然的結果であつて、人爲の結果に出でたものでは決してない、從つて地主階級はこれに對して全く責任はないものであるとの結論に導くものである。かゝる見解が當時の反地主熱に對する猛然たる反抗であつたことは言ふまでもない。

註1 Malthus; Principles. P. 192
註2 Ibid PP. 193—194.
註3 Ibid P. 194
註4 Ibid.
註5 Ibid.
註6 Ibid. P 197.
註7 Ibid. P 198.
註8 Malthus; An Essay on the Principle of Population 3rd Ed. Book. II P. 266.

四　地主擁護論

地代の原因及び其の增進が自然的法則の結果であり、それは國民經濟上絕對

的に必要なる部分なのであり文明社會に於ける總ての文化的施設の源泉である
とマルサスの視てゐることは既に述べた。
かゝる地代重視の思想は延いて農業保護論となり、地主階級擁護の理論とな
らざるを得ない。
「地主の利害が緊密にその國家の利害と連結してゐること及び一方の繁榮と禍
患とは他方の繁榮と禍患とを包含するものなること(註1)は既にアダム・スミスに
よつて述べられた。而して今此章に於て論定せる地代理論は強く此の說明を確
證するものゝ如くである」。(註2)
かくて彼はイングランド、スコツトランド、アイルランド、ポーランド、印
度、南アメリカの諸國に於ける地代增加の事實を一わたり描寫したる後、
「此の種のあらゆる實例に於て地代の將來の增進の大源泉は、農事改良及び繁
榮なる內外商業によつて惹起せられたる需要であり、一定量の穀物を生產する
に要せる追加勞働量によつて惹起せられた價格の騰貴でないことが許容されね
ばならぬ。
「然し若し殆んどそれ自らの穀物の消費或は同比の消費を高め續くる國に於て、

農、商、工業に於て行はれるものと知られてゐる所の、よつて以て一國が富まされる所のあらゆる改良は地代を增加せしむる傾向があり、よつて以つて一國が瘦貧たらしめられる所のあらゆる事物は皆地代を低下せしむる傾向があるといふことが明らかなるが故に地主の利害と國家の利害とは假想せる狀態の下に於ては絕對的に不可分のものであるといふことが認容せられねばならぬ。」（註3）其處に於てはマルサスは「自國の人口を、自ら給養する國に於ける地主と國家との利害關係の嚴密且つ必然的關聯について」（註4）述べたのであつた。然らば穀物輸入國に於ける地主と國家との關聯はどうであらうか。

穀物及び粗生生產物の最も自由なる輸入が農夫や地主を害し得ないことはアダム・スミスの敍述する所であるが、マルサスも亦「原料生產物の嵩高なる性質からしてこれは必然的に殆んどあらゆる他の財貨よりも外國競爭から保護されて居らねばならぬことは殆んど普遍的に認められてゐる」（註5）となすのである。

唯此場合次のことを注意せねばならぬと前提して、資本が土地に投せられた場合「その國に於てかゝる資本の使用によつて生ずる利潤は、其等の個人的使用によるよりも多くの利潤を生せねばならぬ」（註6）といふ。而して土地に投せられた資本から生ずる地代及び利潤は共に國家に歸する富の眞實尺度である。大戰當時外國穀物輸入の道に投せられた困難によつて、その國の資本は、個人の利潤を高めずとも、國家の利潤を高めたかも知れないことを認むべきではある。だが然しこの事は決して地主の利害が國家の利害に相反するものであるとは言つて居らないのである。

マルサスは穀價の騰貴によつて優良地の地主が此場合生じたる差額を地代として受けとることは自然の法則に基く當然の事實であつて、決して人爲の結果ではないといふ。從つて一般消費者は地主が地代を受けとりつゝあることのために不利益を蒙むることはないのであるから、地主に對して何等不平を言ふべき根據とてなく、地主も亦社會上何等の不當の理由で地代を得てゐるのではなく、全く自然法則の齎らす當然の結果を享受するに過ぎぬといふことになる。

「先きに論及せる所と共に此の考察は、それをして少くとも外國穀物の輸入に對する制限の場合に於てさへ、國家の利害は地主の利害とは時として同一ではないではないかとの疑問を抱かしむるであらう。……然し若し我々が完全に自由な交合狀態に於て、資本と人口とが增加するのは優越的に土地の地代によつて生活してゐる人々の利益であり、一方資本の利潤、勞働の賃銀によつて生活してゐる人々にとつては、資本及び人口の增大は少くともより以上の利益であるかどうかは疑はしいといふことを附言するときには、その國家に於ける他の何れの階級の利害も、地主の利害ほどにその富と力と密接に且つ必然的に關聯してゐないといふことは最も安じて斷言し得る」。(註7)

以上要するに、マルサスは地主階級の利害が最も密接に國家の利害と相關聯せることによつて最も有力なる彼等の辯護者となり、以て當時の反地主熱に對抗したものであることは明かであらう。

このことは又リカアドとの穀物關稅に關する論爭に於ても見られる。マルサスの主張する所は穀物關稅の維持にあつた。若しマルサスに從つて、穀物關稅を維持すれば、當然穀物の價格は騰貴し引いて地代は騰貴して、地主の增收を齎らすであらう。從つて彼は地主の利益を代辯することになる。また穀價の騰貴は、勞働の自然價格の騰貴を來たし、資本家の利潤を減じ、その不利益を結果する。此の點に於てマルサスは地主の利益に於て資本家の不利益を主張するものであるといふことが出來るであらう。

註1 A. Smith; Wealth of Nations. 6th ed. Book 1. P. 344.
註2 Malthus; principles. P.205.
註3 Ibid P. 211.
註4 Ibid P. 204.
註5 Ibid P. 217—8.
註6 Ibid P. 552.
註7 Ibid. P. 225.

第四　マルサスとリカアド

英國に於てマルサスの時代は封建制度に對する鬪爭に勝利を博したる新興資本家的生産組織が漸くその基礎を確立し、目醒ましき發展の過程を辿りつゝあつた時代であり、而かも尚未だ全體としての資本家的生産の內在的矛盾を曝露するには至らなかつた時代であつた。かゝる時代に於いてその生産組織の解剖に資本家的立場より鋭きメスを振つたものはスミス、マルサス、リカアドであると言へる。それは所謂イギリス古典經濟學派であり、封建的段階に對する否定の役割を演ずるものであつた。然るに時代を同じうせるマルサスとリカアドとの經濟學說殊に地代學說は共に資本家的立場よりする現存組織の分析への貢獻であつたとは云へ、兩者の間には、「地代論爭」にもあらはるゝが如く、相隔たること遠きものがあつた。

マルサスの「經濟原論」中にあらはれたる要旨は既に述べたるが如きものであつたが、リカアドはこれに對して如何なる批判をなしてゐるであらうか。今暫くこれが探究を地代の本質起源乃至增減論に關する限りに於て眺むるであらう。

マルサスが先づ剩餘生產物なくば地代は存在しないと言つたことに對してはリカアドは何等の異議を唱へてはゐない。一般的に言つても實物地代なるものの源泉が剩餘生產物にあることは否定し得ないであらう。だが然しマルサスが地代成立の第二原因として擧げてゐる所、即ちこの剩餘生產物がそれ自體に對する需要を惹起しないならばそれは價値を持ち得ないから地代が生じない、といふことに對してリカアドは次の如く言ふ。

「人口の增加があれば、吾々はそれに食物を給與すべき手段を持つてゐる、といふのが增加人口の維持にとつて缺くべからざる條件である。然し穀物が作ら

れたから人口が生産されるのか或は人口が増加したから穀物が生産されるのかの問題は未だ決定されてゐない。」(註1)

「土地財産の價値は、附加的生産物に對する需要があるまでは、増加されないであらう。若し……借地人が地主に貨幣地代を支拂はねばならないとすれば、生産物に對して需要の存在しない間は、その供給を増加することによつて彼は破産するであらう。……自らの生産する貨物がその自然價格で需要されるよりもより大なる分量を供給する生産者は、何人たるを問はず必ず損失を蒙る。その貨物の市場價格が自然價格以下に下落するや否や、換言すれば現在人口の慾望が充されるや否や、それを更に増加生産せんとするの動機は失はれ、其の生産を中止せんとするあらゆる動機が生じて來る。」

「若しもマルサス氏が單に食物は最も重要なる消費物の一つであるから、食物の供給が容易となるにつれて人口は速に増加するであらうと言つたのであるならば氏と意見を異にすべき理由は少しもない。然し氏は、人口の増加は吾々がそれに食物を供給すべく持つてゐる手段——或は寧ろ國民自身がその子孫に食物を給養すべく持つてゐる手段——には依存せずして、子孫のために豫め貯へ

られたる食物の分量に依存すると常に主張してゐるのである。」（註２）

これは卽ち、實際に食物の生産に從事する者は必ずその市場價格と自然價格との關係を考慮して生産すること、及び食物を生産する力の増減に比例して人口が増減することは一般に承認し得るが、然し現實に増産せられ而して豫め貯へられたる食物が人口を左右するものとは考へられないことを證明したのである。

かくて穀物從つて供給と人口從つて需要との關係について、マルサスは穀物供給が先行條件なることを示したるに對し、リカアドは寧ろ反對に、人口從つて需要が先行條件であるとなすのであつた。

次に普通の獨占と土地の部分的獨占との差違に關するマルサスの所說に對するリカアドの非難は次の如くである。

「マルサス氏は、彼の自然的必然的獨占物と稱し得べき特殊の土地生産物を産する土地に對する地代は、生活必需品を産する土地の地代を左右するものとは、本質的に異なる原理に由て左右せらるゝものであると思つてゐる。高き地代の原因なるものは、前者の生産物の稀少なることであるが、同じ結果を生ずるものは、後者の豊富であると考へるのである。

「此の區別は私には正當の理由ありとは思はれない。何となれば、稀少なる葡萄酒を産する土地の地代も、若し同時に、此の特殊貨物に對する需要が增進したならば、其の生産物の豊富を增すことに由て、穀作地の地代と同様に、確實に之を騰貴せしめ得るであらうし、又同様なる需要の增進なくば穀物の豊富なる供給は、穀作地の地代を騰貴せしめないで、之を下落せしむるであらうからである。土地の性質の如何を問はず、地代高きことは生産物の價格高きことに俟たなければならぬものであるが、高き價格の與へられてゐる處に於ては、地代の高低は、必ず稀少に比例せずして、豊富に比例せざるを得ないのである。」

(註3)

更に又マルサスは他の貨物の生産と異なり、必需品の生産に於ては自然法則は其の交換價値をして其の使用價値に一致せしめんとする傾向を持つてゐると論ずるのであるが、何故さうであるのかと前提して、

「それは人口はそれに食物を供給する手段の增加と共に增加するから、從つて穀物で測つた勞働の價値は騰貴しないといふ理由によるものである。然し乍う

人口と必需品とは必ずしもそれほど密接には連絡されてゐないのである。一層高等なる教育と一層進歩せる慣習とが養はれるにつれて、一日の勞働がマルサス氏の所謂勞働者の必需品を以て評價されたとしても、尙ほ遙かに一層高價なるものとなり得る、と考へることは必ずしも困難ではない」(註4)と言つてゐる。

又マルサスが普通貨物の價格の上る程度には際限がないが、必需品の價格のそれには限度があると述べてゐることにはリカアドは全然賛意を表するのである。然し穀物の價格を以て必要價格又は自然價格と見做し乍ら、他方に於ては獨占價格に類するものとなし、從つてこれより生ずべき地代は消費者にとつて有害なるものでなければならぬとリカアドは見做してゐるが、それは甚だしき矛盾ではないかとのマルサスの非難に對してリカアドは又次の如き辯明をなしてゐる。

「穀物の價格を二樣に解することには少しも矛盾はないと思ふ。」(註5)「一層有利なる事情の下に一層肥沃なる土地の上で產出さるゝ穀物は、それを作る費用の差に比例して地代を與へるであらう。然らばこの地代なるものは必要とされる穀物の全量を取得するための條件である。蓋し一層劣等なる土地からでなければば穀物の附加量を取得し得ないからである。而してその生產を奬勵するためには價格が騰貴しなければならない」(註6)とか、「さてこの地代は純利得ではない。若しも地主がより多く取るならば、パンの購買者はより多くを支拂ふことゝなる。それ故に私は地主を少しも非難する意味ではないが……地代を以て地主にとつて有利でありそれだけ消費者にとつて有害なる富の移轉なりと見做してよからうと思ふ」(註7)とか等々。

要之、リカアドの言ふ所はかうである。

マルサスは地代の三起源が共に必要であることを說いたが、彼は一方に於て土地の肥沃度と地代との正比例關係を主張し而かも他方肥沃度と地代との反比例關係を說明するの矛盾に陷入つてゐるが樣に見える。マルサスに於ては勿論此等兩原因は別個の觀點から眺められてゐるのではあらうが、實に誤解を招き易い。私は積極的肥沃度なくば地代は存存し得ないことは承認するが、然し地代の直接的原因としては肥沃なる土地の比較的稀少だけで充分であると思ふと。

更に地代の增減に關して、リカアドは、以下の如き批評をなしてゐる。

先づ「大なる資本增加」に對しては「利潤の下落は資本蓄積の必然的結果であると

此處には推論されてゐる。これより大なる誤りはない。」(註8)更に「大なる人口增加」に對しては「此處には又勞賃の下落は人口增加の必然的結果であると推論されてゐる。これが人々に對する需要に依存せねばならぬことは明らかである。又地代の騰貴は必然的に(穀物)賃銀を隨伴することは確かである。茲に賃銀とはマルサスによれば貨幣賃銀ではなくて穀物賃銀の意である。今勞働者の穀物賃銀が全國を通じて下落したと假定すれば、如何なる試みが新地を耕作すべく提供されるであらうか？　先づない――唯一の效果は利潤を騰貴せしむるだけであらう。利潤の騰貴の新蓄積に――勞働に對する需要增加に――人口增加に――生產物の高き價格に及び耕作の增大に導くであらう。かくて低賃銀は、此等がマルサスの述べた地代騰貴の第一原因たる資本蓄積に導かれるときにのみ作用し、耕作せられる樣になつた土地が既耕地よりも肥沃ならざるときにのみかゝる效果を齎らすであらう」(註9)と論じてゐる。

更に第三原因に對しては次の如き批判を下す。

「マルサス氏は地代は土地の剩餘生產物から得られること――これは確かに眞である――を先づ前提とし、直ちにこの剩餘生產物を增加するであらう所のものは地代を高めるであらうと論ずる。然し彼は利潤も亦剰餘生産物から支拂はれるのであることを忘れてゐる。而してそれ故に私は、勞賃の下落及び農業上の諸改良は剰餘生産物を增加するであらうといふ彼の意見に同意するが、然し此の増加は地代となるであらうとの意見には同意し難い。――それは間違ひもなく利潤となるであらう。」(註10)

「假令穀物地代は下落しなくとも、貨幣地代は下落するであらう。而して地代が費される所のあらめる財貨の價格が下落しないならば、――又それは下落しないであらうが――これが地代の眞實下落であることをマルサス氏も多分認められるであらう。」(註11)等々。

「かくて私の結論はマルサス氏のそれと正反對である――農業及び製造業に於て投下せられるすべての資本の利潤は高くなり、地代は騰貴する代りに下落するであらう。蓋し資本は土地に附加せられずして、多分それから引上げられるであらうから。」(註12)

以上述ぶるが如き地代論爭は(註13)、結局マルサスが、「地代は普通農業利潤を含めて、あらゆる耕作費用の支拂はれて後に殘る所の全土地生産物の價値部分である」(註14)となし、リカアドが「地代は、彼の土地生産物中土壤の原始的不可滅的なる力の使用に對して地主に支拂はるゝ部分である」(註15)となしたる地代の定義から展開されたものであることは言ふまでもないが、それらは思索の過程に於ては異なるものであるとはいへ何れも差額地代を問題とするものであつたことに變りはない。

唯マルサスの理論は言はば豐かなる生産より生ずる地代の理論であり、リカアドのそれは乏しき生産より生ずる地代の理論であつたのである。

一般にリカアドの地代論は差額地代に關する理論であり、その行論の精密なることば既に容認せられてゐる所である。彼をしてかゝる地代論を構成せしめた所以のものは勿論一應當時に於ける社會狀勢に歸せらるべきものである。が、彼が地代を殆んど差額地代のみに限り絶對地代を正しく説くに至らしめなかつたとは言へ、而かも尚然る限りに於て彼の地代論を完璧に近からしめた所以のものは、マルサスとの論爭の賜であつたことを見逃すわけにはゆかない。

註1　Ricardo; Notes on Malthus. P. 45.
註2　Ibid, P.P. 45—46.

註3 Ricardo; Principles 3rd ed. P.
小泉信三譯（岩波文庫）「經濟學及課稅之原理」四〇二—四〇三頁。

註4 Rioardo; Notes on Malthus. P. 49.

註5 Ibid,

註6 Ibid, P.P 49—50.

註7 Ibid, P. 50.

註8 Ibid, P. 60.

註9 Ibid PP. 60—61.

註10 Ibid P. 61.

註11 Ibid P. 62.

註12 Ibid PP. 66—67.

註13 此の論爭に關しては堀經夫氏「マルサスとリカアドとの地代論爭」（大阪商科大學經濟研究年報第一號）なる論文がある。

註14 Malthud Principles. P. 540.

註15 Ricardo; Principles. Gonner's ed. P. 44.
小泉信三譯「經澤學及課稅之原理」四七頁。

第五　結　論

一般的に言つて諸經濟範疇は歷史の發展過程に於て夫々異つた形態を採る。地代と雖も勿論此の例に漏れることはない。

先づ地代の初期形態は勞働地代と呼ばるべきものであり、それが勞働を以て支拂はれることは勿論であるが、それは封建社會に於ける地代の支配的形態であつた。このものはやがて實物地代へと變形する。それは農業及び工業上の家庭勞働を結合した生產方法を基底とする經濟形態に順應せるものであり、その提供物は農業生產物及び工業生產物であつた。從つてそれは當然生產物地代とも呼ばるべきものであるが、その根本的性質に於て勞働地代と異なる所はない。このものはやがて次の歷史的形態たる貨幣地代に移行するのであるが、貨幣地代の行はるゝためには社會の生產關係は相當の發達を遂げてゐなければならない。畢竟それは商業資本の活躍を前提とするものである。かゝる經濟段階にあつては一般に生產者は生產物の貨幣價値を地主に支拂ふのである。生產者は自己の生產物を先づ市場に於て處分し、剩餘生產物に相當する部分の貨幣を地主に提供する。かゝる地代の形式が行はれる傾向は、商業資本の出現を示すものであり、封建的生産關係が漸く崩壞するの兆候を表はすものであり、近世資本主義生產關係への推移を反映するものである。此の如く地代なるものは、生產力の發展に伴ふ生產關係の變動に應じて變化するものである。

此の自然的地代の貨幣地代への推移の過程に於て農夫は二階級に分裂した。一つは土地を所有することなく、比較的富裕な土地所有農に傭はれて生活する階級であり、他はこの富裕なる農夫の發展せる資本主義的農業者である。かく分裂したる後に於ては資本主義的地代形態が出現するものである。マルサスの地代論は正に此初期資本主義時代に於けるそれが學的反映としての理論であつた。

マルサスは自らその地代學説を時空に超越した必然的原理であるかの如くに說いてゐる。がその實それは資本主義社會の自由競爭の存在を前提とするものであつた筈である。處がマルサスに於ては此の事が言明されてゐない。

だからしてマルサスは土地に任意の投資をなすを妨ぐる土地所有は存在しないことから出發してしまつた。從つて土地私有の結果、耕作限界に立つ土地から生ずる所のマルクスの所謂絶對地代は問題とならずに、リカアドと共に差額地代をのみ論ずることゝなつてしまつた。而かも差額地代とは言ふものゝマルサスに於てはその一般的概念規定がない。卽ち彼の努力は一般的市場法則の支配下にある農業以外の諸生産部門に於て實現され得るところの、一般的形態の差額地代に向けられることなく、專ら農業に特有なる差額地代の分析に注がれたのである。

差額地代を問題とする限りに於て、マルサスとリカアドとのかの華々しき地代論爭は、云はゞ地代が富の創造であるか否かの問題と地代は價格の原因であるか否かの問題に關するものであつた。

マルサスは彼の地代起源第一及第二原因からして地代を以て新たなる富の創造であると云つてしまつたが、リカアドに於ては地代は常に地主を益する價値の移轉であつて決して國民的富を增加するものではないのである。いふまでもなく地代なくとも地代となつた生産物はひとしく生産せられ、唯地主へ行く代りに資本家又は勞働者へ行つたであらうから、地代を以て新たなる富の創造であるとなすは誤りであつて、一社會內に於ける價値の移轉であると見なければならない。従つて此點に關する地代論へのマルサスの貢獻は殆んどないといつてよい。

マルサスの貢獻は然らば何處にあるのであらうか。

吾々が差額地代を問題とする限り先づ資本放下の自由を意味する競爭の自由を前提しなければならない。卽ち資本主義的生產樣式の基礎の上で資本の運動法則を媒介として遂行される一般的な市場法則を背景として始めて平均利潤以上に出る超過利潤が差額地代へと轉化するものである。此場合一般的な市場法則はその儘貫徹するのではなくして寧ろ反對に偏倚せられてあらはれる。かゝる競爭の自由に對して一つの抵抗となるものは、從つて超過利潤の差額地代への轉化の基礎となるものは、その與へられた發達段階に關聯して算定されてゐる所の土地豐度の自然的不等性である。かくの如き土地の有する自然的な制限的性質が、其處に如何なる土地所有制が存在するにもせよ、獨占的な土地經營を釀出せしめるのである。それは超過利潤の差額地代への自然的基礎である。一概に土地制限的性質と云つてもその中には二つの性質が含まれてゐる。一は土地がその量に於て制限的なることであり、他は各土地片間の自然的豐度に於て差があることである。

マルサスは以上の如き意味に於てではなかつたが一應土地に存在する制限性を問題にした。地代源泉を取扱ふ場合問題とした第三原因、自然的にせよ人爲的にせよ肥沃地の比較的稀少性がそれである。マルサスは此の肥沃地の比較的稀少性なる自然的性質が直ちに地代を發生せしむるものとなし、何等かの方法によつて比較的に肥沃地を增大せしむれば直ちに地代は增大し富は增進するといふ結果に立ち到つた。其の下に流れて一貫せる前提は收穫遞減の法則であつたが、地代を問題とする限りかゝる法則が問題解決の手がゝりとなるべき筈のものではない。又耕作がマルサスの云ふ如く上昇順列をとつて擴張されやうと、下降順列をとろうとそれは大したことではない。地代論の基礎として必要なのは事實としての收穫の不均等である。換言すれば單位面積に對する單位資本投下の生產性の不等である。資本の生產性が不等であるのは資本の生產條件が異るからである。其處に於ては土地の制限性が大きな意義を持つ。マルサスの所謂肥沃地の比較的稀少性は肥沃なる卽ち豐度高き土地には制限があることを意味するものであり、量の制限と豐度の差違とを含んでゐる。マルサスが此の土地の制限性を取り上げてゐることは地代論に於ける一つの貢獻であると言つて差支へない。惜しいかな彼は此の土地の制限性を超過利潤の差額地代への轉化の自然的基礎と見做すことなく、直ちに土地生産物の獨占價格に結びつけてしまひ、地代は社會的産物たることを識らずして土地よりの自然的産物であると論じてしまつた。

既に見たるが如くマルサスの地代概念中には二つの分子を含む。一は土地の純生産性なる物理的法則、他は土地がその耕作に要する人間よりも多數の人間を養ひ得る能力を持つといふ經濟的法則。マルサスは後者に於て彼の人口理論と結びつく。彼によれば唯土地のみがその耕作に要する人間よりも多數の人間を養ひ得るのである。處が一國の人口の增加は忽ちにして土地生産物への需要を高めるのであるから、農業勞働はその生産物への需要を作り出し、無限に生産物價値を騰貴せしむる一定の性質を持つものである。一度土地生産物への需要が增大すれば、人口は生産手段よりも急速に增加することから、農業生産物の價値は絕えず騰貴しようとするわけである。かくして土地はその所有者に絕えず增大する價値の剩餘、つまり地代を與へる。

それは兎も角地代は價格と個別的生産費との差額であるとのマルサスの結論はそれだけでは何等の破綻を見せなかつたのではあるが、彼の理論を追求してみれば其處には上述の如き不徹底なものがあつたのである。

然しこの土地の制限性に關してマルクス差額地代論を大成せしめた所のかのリカアドの精緻なる地代論がマルサスとの論爭の賜であつたことを思はば、マルサスが地代學說史上如何に重要な地位を占むるべきであるかは思ひ半ばに過ぐるものがあるであらう。

マルサスの地代論への貢獻は又生産物價格と地代との關係を論じたる個所にも存在する。

吾々が今日地代を問題とするとき、マルクスの所謂絕對地代をも問題とせねばならぬことは勿論であるが、かゝる絕對地代の存在を是認するとき、吾々が若しリカアドの地代論をとるならば、かの一般に農産物價格中には地代を含まぬとなす彼の理論が成立しないことになる。何故かならば、絕對地代は農産物の價格の一部を構成するものだからである。例へば或る最劣等地を耕作してもその使用に對して何等地代を支拂ふ必要なき場合には、生産物價格はその最劣等地に於ける生産物價格以上に騰貴せぬけれども、資本家的組織の下では、その土地にも一定の地代を支拂はねばならない。そして地代を支拂つても尚その土地を耕作するといふことは、そのために既に生産物價格が本來のその土地に於ける生産價格に更らに地代を加へた高さに騰貴した後のことだからである。從つて絶對地代が存在するといふことは生産物の市場價格を、最劣等地の生産價格以上に騰貴せしむる原因となるのであり、同時に絶對地代は常に市場價格の一部を構成することを意味する。從つてリカアドの「地代が支拂はれるから穀物が高價なのではなくて、穀物が高價だから地代が支拂はれるのである」(註1)との言は、普遍的原理とはならないであらう。卽ち絶對地代を言々するとき吾々は寧ろ一般的に云つてマルサスの所謂、「一般に地代を決定するのが價格であつて價格を決定するのが地代であるのではない」(註2)との、生産物の價格の中に地代が構成分子となつて含まれてゐるとの、見解を採らなければならないのではないか。かゝる限りマルサスの貢獻は此處にも亦存在するわけである。

ともあれ、「この地代學説は經濟學史上マルサスの第二の貢獻である。あまり吹聽されないが遙かに重要な貢獻である」(註3)といふことが出來るであらう。

註1　Ricardo; Principles. Gonner's ed. P.P 51—52.
　　小泉信三譯「經濟學及課稅之原理」五五頁。

註2　Malthus; An Essay on the Principle of Population 3rd. ed. Book III. P. 266.

註3　リヤシチエンコ著平館利雄譯「經濟學說史」一一〇頁。

—一九三五・二・一一—

國際責任の根據に關する一考察

福井康雄

目次

はしがき……1

一　國内法優位論と國際責任……2

二　國際法、國内法二元論と國際責任……5

三　國際法優位論と國際責任……15

むすび……25

國際責任の根據に關する一考察

福井康雄

はしがき

本稿の目的は、國際法と國內法との關係の問題に關して行はれてゐる諸理論卽ち、(1) 國際法・國內法二元論 (2) 國內法優位論 (3) 國際法優位論 の何れに國際責任の理論的根據を求むべきかを明らかにすることに在る(一)。

或ひは國際責任の原則は、條約、慣行、判例、學說に於て明言され確認されてゐるところであるから、敢て議論するは無用のことであるかも知れない(二)。併し乍ら、國際責任の原則を自明なものとして其の根據や本質の研究を等閑に附することは、やがて細部の問題に於て研究の重點を逸するの結果を來し種々な誤解を惹起することともなると信ずる。一方に於て國際責任否定論も存し、其れ自身の構成に關する限り決して理由のないものでもなく極めて論理的でさへあるので、旁〻此の問題を吟味することゝしよう。

一　論理的に言へば、今一つの理論卽ち國際法・國內法同位の構成が可能である。併し、國際法と國內法とが同位であることは更に此の兩者を包括する上位の第三秩序が存在することを前提とする。かゝる秩序が現在の法律秩序には存在しないことは明らかであらう。橫田喜三郎教授「國際法と國內法との論理的關係」山田教授還曆祝賀論文集（昭和五年）五一一—五五〇頁。Kelsen, Das Problem der Souveränität, 1928, S. 104.

二　Publications de la Cour Permanente de Justice Internationale, Série A, No. 9., p. 21. Bruns, Fontes Juris Gentium, Series A, Sectio 1, Tomus 1, p. 111. C. Eagleton, Responsibility of states in international law, 1928, p. 21, Note 52. Strupp, Das völkerrechtliche Delikt, Stier-Somlos Handbuch des Völkerrechts, III, 3, S. 4—6. Schoen, Die völkerrechtliche Haftung der Staaten aus unerlaubten Handlungen, 1917, S. 21. Wright, The enforcement of international law, 1916, p. 5, 21. Hall, International law, 1924, p. 50, 64. de Visscher, Responsabilité des États etc., Biblioteca Visseriana II, p. 90. Redslob, Histoire des grands principes du droit des gens, 1923, p. 19. Société des Nations, Actes de la Conférence pour la Codification du droit International, Vol. IV., Procès-verbaux de la Troisième Commission, Genève 1930, p. 15.

一　國內法優位論と國際責任

國內法優位論に於ては國際法の妥當性は國內法のうちに求められる。或ひは、國際法の拘束力が國家意思の自己制限に在るとしたり（三）、國際法の根據が國家の承認に在ると言つたり（四）、國際法は多數國家秩序の共通部分であるとしたりする（五）のが此の理論の考へ方である。其の結果、國際法は國內法の一部分となり、其對外的法規となる(六)。

かゝる理論に於ては、國際責任は如何に理解せられるか。それは必然に否定せられるであらう。此れは當然の論理的歸結である。實際に於て、かゝる立場で國際責任を否定するものがある(七)。曰く、國家責任なる觀念は、國際法上にもあれ國內法上にもあれ、國家主權の觀念と矛盾する。國際の實際に於て國家が責任を負ふのは、國家の自己制限の結果であつて、高々國家の「好意」に基づくものである。國家の法律上の責任義務は發生しない、と。

此れは極めて論理的である。國際法が國內法の一部分となるといふことは、國際法の內容が國家の意思內容となることである。反對に言へば國際法違反は國家に意思內容を作さないことである。その結果、國際法違反の行爲は決して國家に歸屬しないことになる。國內法化した國際法に拘束されるのは國家の機關であり、國家の機關の行爲が國家に歸屬するのは其の權限內の行爲卽ち機關義務實現の行爲に限るから、國際法違反の行爲は總べて國家機關の權限外の行爲であつて、國家には歸屬しない。之に對して國家が賠償したり回復の義務を負ふたりするのは、結局國家の隨意で、國內法で特に國家が賠償責任を負ふことを規定してゐる場合に限られることになる。

此れは當然の歸結である。國內法優位論を適當に論理的に展開すれば、かうなるのが必然であらう。先に述べたやうな國際責任否定論は、偶々此のことを當然に論理的に追求したのに過ぎない。

要するに、國內法優位論に依れば國際責任の法律的性質は否定し去られるであらう(八)。

三 Kelsen, Souveränität, S. 168 ff. Verdross, Die Verfassung der Völkerrechtsgemeinschaft, 1926, S. 12 ff.

四 Verdross, a. a. O., S. 17 f. Nawiasky, Bundesstaat als Rechtsbegriff. 1920, S. 26—7. Heilborn, Grundbegriffe des Völkerrechts, 1912, S. 6—7.

五 Kelsen, a. a. O., S. 182 ff. Nawiasky, a. a. O., S. 23.

六 Verdross, a. a. O., S. 15—6. Kelsen, a. a. O., S. 154 ff. M. Wenzel, Juristische Grundprobleme, 1920, S. 511.

七 Funck-Brentano et Sorel, Précis du droit des gens, Paris 1900, p. 224. Pradier-Fodéré, Traité de droit international public, Paris 1895—1906, I., p. 329. Eagleton, op. cit., p. 11. Strupp, a. a. O., S. 5.

八 Strupp, a. a. O., S. 4—6.

國內法優位論はそれ自身の立場からいへば何等の矛盾もない。**極めて論理的**である。**それは、國際法と國內法**とを**統一的に關係付け**やうとする**法律學的認**

識の要請を充してゐる。其れにも拘はらず、之に依つては、與へられた實定法を完全に理解することが出來ない。前述の樣に國際責任の法律的性質を否定することとなる。然るに、國際責任は國際の實際に於て國際法上の義務として認められ、何人も何國も、之を拒否するものはゐない。個々の場合に於て國際責任に關する紛爭が起つても、其れは國際責任を否定した上のことではなく、責任を問はれる樣な事實がそもそも存在してゐるか、存在してゐるとすれば如何なる點に如何なる範圍に責任が存するかに就て爭はれてゐるのに過ぎない。

そこで、國內法優位論は、法律學的認識の統一性といふ要請には適つてゐても實定の國際法を理解することの出來ないものである。卽ち論理的であるとは言ひ得ても法律論理的であるとは言ふことが出來ないものである。此の理論の何處にも、國際責任の確たる根據は見出せないことは明らかである。

二　國際法・國內法二元論と國際責任

國際法・國內法二元論では、二つの法律秩序は全く無關係な獨立の法律秩序であつて相互に妥當性を抽出し得ないとされる。國際法は國際法からのみ國內法は國内法からのみ其の妥當性を抽出し得る。二つの法律秩序は其の受範者の相違、淵源の相違、妥當性の相違に因つて相互に全く異種の法律秩序であつて其の間に矛盾や衝突は起り得ないといふのである(九)。

そこで、この理論に於て國際責任は如何に理解せられるであらうか。實は、國際責任の問題は此の理論に於て極めて重要な役割を演じてゐる。國際責任の法律的性質が此の二元論の主要な理由の一つになつてゐるのである。即ち、一方に於て國内法上適法な行爲でありながら、他方に於て其の同じ行爲が國際法違反の行爲として國際法上國家の責任が問はれ、しかも國内法上は決して無效の行爲とはならぬのは、此の二つの法律秩序が全く無關係な異種の規範體系に他ならぬからであるといふのである(一〇)。

此處では、實定法を理解するために法律學的認識の統一性が犧牲にされてゐる。正に國内優位論の場合と反對である。併し乍ら、國際法と國内法との統一的理解を否定して國際法と國内法とを其の様に全く異種の規範體系であるとしなければ、國際責任の法律的性質を理解し得ないものであらうか。國際責任の機能は二つの法律秩序を其の様に全く分離するものであらうか。國際法違反の國家行爲が其の國際法違反の行爲にも拘はらず國內法上必ずしも無效でないといふことから、二つの法律秩序が相互に無關係な規範體系であることを直ちに結論することが出來るであらうか。

此のことは、疑ひもなく統一的法律秩序であるところの國內法秩序を注意して觀察したならば、極めて疑はしいものとなるであらう(一一)。

九 Kelsen, a. a. O., S. 120 ff. Verdross, a. a. O., S. 34 ff. H. Triepel, Les rapports entre le droit interne et le droit international, Recueil des Cours d'Académie de droit international de la Haye, 1923, pp. 77—118.

一〇 D. Anzilotti, Cours de droit international, Premier Volume, Traduction française, 1929, pp. 55—9.

一一 Verdross, Einheit des rechtlichen Weltbildes auf Grundlage der Völkerrechtsverfassung, 1923, S. 159 ff.

國內法秩序のうちで、先づ憲法と法律とに就て考へて見よう。此の場合、下級規範たる法律は其の憲法違反の故をもつて直ちに無效ではないのが普通である。否、違憲の法律でも裁判所は之を適用しなければならぬことがある(墺太利憲法八九條一項)。或ひは、特定の裁判所に法律審査權が與へられてゐて當事者の申立により(一二)時には職權を以て法律を審査し、憲法違反なる時には之を遡及的に又は將來に向つて無效とする(同上一四〇條)。此のことは、違憲の法律必ずしも直ちに無效に非ずして、一定の手續によつて破毀せられる迄は拘束力を失はない場合の存することを意味する。

更に法律と命令とに就ても上の樣な關係が存するであらう。例へば、裁判所に判決の前提たるべき命令に就て其の法律違反なりや否やを審査し法律違反なる時は其の命令の適用を拒否することを得る權限を附與してゐる場合がある。此の場合には、裁判所は唯個々の事案に就き其の適用を拒否するを得るので、命令そのものの效力は一般に破毀されてゐない(一三)。更に進んで命令の審査權と共に其の破毀權をも特別の裁判所に附與してゐる例もある(墺太利憲法一三九條。何れにせよ法律違反の命令は、此の樣な一定の手續を經て破毀せられる迄は必ずしも直ちに無效でないのである。

法令と判決との間にも同樣の關係が存するであらう。第一審の判決手續の法律違反は控訴審に於ける取消の理由となり、控訴審の終局判決の法令違反は上告の理由となり、更に一般に確定の終局判決の法律違反は再審の訴の理由となる(民事訴訟法三八七、三九三、三九四、三九五、四二〇條)。此のことは、判決が法令違反の故を以て直ちに無效ではなく一定の手續を經て取消される迄は拘束力を有することを示してゐる。

法令と行政行爲との間にも同様の關係があるであらう。法令違反の行政處分や裁決が法令違反の故を以て直ちに總べて無效であるとは言へない。無效なる行政行爲と取消し得べき行政行爲との區別が存する。後の場合に於ては、取消權ある行政官廳や行政裁判所の取消ある迄は瑕疵ある行政行爲も瑕疵あるにも拘はらず有效な行政行爲として拘束力を有するのである。

更に他方、聯邦制度に就て考へて見よう。聯邦卽ち聯合國家が統一的法律秩序であること、聯邦憲法と邦憲法との間や聯邦法と邦法律との間に原則として上・下の委任關係が存することには疑がなからう（一四）。

そこで、此の聯邦組織で、邦憲法が聯邦憲法に違反したり邦憲法が聯邦法に背反したりした様な場合に邦憲法や邦法の效力は如何であらうか。之には色々な制度が考へられ又現に行はれてゐる。例へば「聯邦法は各邦法を破る」といふ原則が定められてゐる（一五）。併し聯邦法違反の邦法律は實際には法律上當然に無效にならない。多くの聯邦では司法的保障制が設けられてゐる。卽ち聯邦の機關たる特定の裁判所が當事者（聯邦政府や邦政府）の申立に因り時には職權を以て、或ひは係爭の爭議に就てのみ邦法律の聯邦法違反を宣言して其の適用を拒否したり、或ひは一般に聯邦法違反の法律として破毀したり修正したりする(一六)。そして其の判決は一定の聯邦機關が執行する。それでも各邦が裁判に服せず、又は聯邦憲法や聯邦法によつて課せられた義務を履行しなかつた時には、聯邦機關(聯邦の元首例へば大統領)が聯邦の兵力を以て强制執行する(一七)。

一二　アメリカ合衆國憲法第三條第二節。

一三　アメリカ合衆國憲法では、大審院に法令の審査權を認めてゐるが、法令の破毀權又は修正權は認めてゐない。註一四クンツの著作參照。

一四　Josef L. Kunz, Die Staatenverbindungen, Ster-Somlos Handbuch des Völkerrechts, II, 4., S.697—713.

一五　獨逸憲法一三條。舊獨逸憲法二條。南阿聯邦法八六條。アルゼンチン憲法三一條。

一六　オーストラリヤ憲法七四條。アメリカ合衆國憲法三條二項。獨逸憲法一五、一九條。墺太利憲法一三八條、一三九條、八九條。

一七　墺太利憲法一四六條。獨逸憲法四八條一項。舊獨逸憲法一九條。アメリカ合衆國憲法一條八項一五號。

斯くの如く、統一的法律秩序たる國內法秩序に於ても、瑕疵ある國家行爲が必ずしも直ちに無效となることなく正當な手續で破毀せられる迄は有效であつて拘束力を持ち得る場合が存するのである。其れにも拘はらず、何人も國內法秩序の統一性を疑ふものはないであらう。かゝる事實に基づいて國內法秩序のうちに全く異種の二つの法律秩序があるなどとは考へられない。其れは上の様な一時的矛盾を排除し法律秩序の統一性を保持する機能を持つた法律的手續や法律的原則が國內法秩序のうちに包含されてゐるからである。違憲の法令に關して、之を破毀すべき權限を一定の國家機關に與へる時には職權を以て積極的に法令を審査し破毀することを認め、法令違反の行政行爲に關して一定の機關に取消權を認めたりするのが、之である。違憲の法律の適用をも裁判所に命じたり、下級の行政官廳が違法の命令に對しても其れが適當に取消される迄は拘束されることを規定してゐる法律的原則も、同様な機能を果してゐる。此の場合、憲法が特定の要件の下で法律を定立すべきことを規定したり法律が法律の許容せる範圍內で命令を定立することを行政機關に委任したりしてゐるのは、何れもそれぞれ立法機關や當該行政官廳に對しての規定であり、反面に於て違憲の法律の適用や違法の命令の拘束力を要求してゐるのは、何れもそれぞれ裁判所や下級の行政官廳に對しての規定であつて、之は外見上は矛盾である樣ではあるが、決して本來の矛盾とは言へない。寧ろ、かゝる規定の機能は憲法と違憲の法律との間や法律と違法の命令との間に存する一時的矛盾を排除することにある。要するに國内法秩序に於ても違憲の法令、違法の命令、法令違反の判決、行政行爲などの瑕疵ある國家行爲が定立せられることがあり、しかも一方に於てかゝる一時的矛盾を排除すべき機能を有する法規が存在し、以て國内法秩序の統一性を維持してゐることが明らかである。

そこで、我々は國際法と國内法との關係に歸ることにしよう。其處では屢〻國際法違反の國家行爲でありながら國内法上は有效な國家行爲が存する。之は明らかに矛盾である。國際法秩序と國内法秩序とが統一的法律體系を構成してゐるものとすれば、許すべからざる矛盾であり、之を排除し調和する法規が必要となるであらう。併し二元論の言ふ如く、二つの法律秩序が全く異種の規範體系であるとすれば、之は全く矛盾でも何でもない。初めから矛盾など有り得ないことになる。從つて此の矛盾を排除し調和する法規などは思ひもよらぬ筈である。

ところが實際に於てかゝる矛盾を排除し調和する法規が存在する。例へば國際法違反の國家行爲を廢棄する樣要求することが國際法上認められてゐる。其の廢棄が不可能であつたり、被害國が其れを欲しなかつたりした時には、其の代りとして適當な滿足を與へなければならぬことがある。此のことは、結局國際責任に關する法規が國際法と國内法との間の矛盾を排除する機能を擔當し、以て二つの法律秩序を統一してゐるからに他ならぬのである。國際責任の法律的機能は、二つの法律秩序を分離せしめるものではなく、反對に一つの矛盾なき法律秩序に統一するものである。二つの法律秩序の間に矛盾が有り得ないのではなく、有ることが許されないのである。假令一時的にあつても之を絶へず解消して行く法規があつて、此の樣な矛盾を一時的なものとして永續的なものたらしめないのである。矛盾せる瞬間に直ち自働的に此の矛盾を排除する法規が働き始める。從つて其處には最早眞正の矛盾がなくなるのである。

實際に於て、國際法は、國家に對して廣汎な自由裁量權を認めると共に國際法の範圍内で適當に國家行爲を定立することを要求してゐる。併し若し國家が國際法違反の行爲を爲した場合には必ずしも直ちに之を無效とすることなく、被害國に對して、一定の手續(外交交涉、仲裁裁判、聯盟規約一五條、復仇、戰爭)に依つて之が破毀の要求をなすことを認め、違反國の國内法上之が不能なるときは之に代るべき適當な滿足(例へば損害賠償)が爲さるべきことを定めてゐる(一八)。此のことは國內法に於て憲法が立法機關に一定の要件の下で立法行爲をなすべきを命じ他方違憲の法律を直ちに無效とすることなく一定の機關が一定の手續で之を破毀する迄は國家行爲として拘束力を有することを規定してゐるのと何等本質的な相違は存しないであらう。

かくして、何等の國際法上の責任も生ぜずして國際法に違反する國內法規が其の儘效力を保有することはないのである。此のことは國際法と國內法との間に何等かの統一的關係があることを示すものである。統一的關係があるからこそ國內法規其れ自身は無效でないとしても其れに代つて其れより生ずる結果を救正する責任が國際法上發生するのである。從つて國際法と國內法とを統一的に理解して始めて國際責任の法律的性質を理解し得るのである。國際責任に關する法規が國際法と國內法との間の一時的矛盾を解消するの機能を有するものと解して始めて國際責任の法律的性質が適當に理解せられるのである。

上に述べたことに依つて、國際責任の法律上の地位が二元論に於て正しく理解されてゐないことが明らかであらう。國際責任の基礎は二元論に於ても適當に定めることは出來ない。國内法優位論では、法律學認識の統一性は一應維持されてはゐるが結局には國際責任否定の結果となり、二元論に於ては、法律學的認識の統一性を犠牲にしてまで國際責任の基礎を確立しようとせられたが、之も亦國際責任の意義を正當に理解し得ないことになつた。此處に於てか、最後に殘つた唯一の構成卽ち國際法優位論のうちに國際責任の理論的根據を求むることに、多くの期待が掛けられるであらう。

一八 一九二八年「國際紛爭平和的處理ニ關スル一般議定書」三二條には次の如く言つてゐる。「司法又ハ仲裁判決ガ紛爭當事國ノ一方ノ司法官憲又ハ他ノ一切ノ官憲ノ爲シタル決定又ハ命ジタル措置ガ全部又ハ一部ニ於テ國際法ニ違反セルコトヲ宣言シ且該當事國ノ憲法ガ右決定又ハ右措置ノ結果ヲ抹消スルコトヲ許サザルカ又ハ單ニ不完全ニ抹消スルコトヲ許スニ止マルニ於テハ當事國ハ司法又ハ仲裁判決ニ依リ被害當事國ニ對シ公正ナル滿足ヲ與フルコトニ同意ス」

三 國際法優位論と國際責任

國際法優位論では、國際法と國内法とは一つの統一的な法律秩序として理解される。しかも國際法が國内法のうちに包攝されるといふ樣に統一されるのではなく、反對に國内法が國際法の部分的秩序となる。國際法秩序が上位秩序となり國內法秩序が下位秩序となる。從つて下位秩序たる國內法秩序の妥當性は上位秩序たる國際法秩序から抽出されるのである。卽ち國際法は國家に對して廣汎なる國內組織自律の權限を委任し、此の委任關係の下で國內法秩序が妥當してゐるのである(一九)。

そこで、斯かる理論では、國際責任は如何に理解せられるか。

先づ、國際法優位論では國際法と國內法とが統一的法律體系をなしてゐることが主張される。そこで、此の二つの法律秩序の間に矛盾があつてはならぬ。若しあれば、其れを排除し解消する法規がなければならぬ。

次に、國際法優位論では國際法秩序が國內法秩序に對して優位であることが要求せられる。卽ち、國內法秩序の妥當性が國際法秩序から抽出されるとなされてゐる。然るに、右の矛盾を排除する法規は國內法秩序の妥當性に關するものなることは明らかであるから、かゝる法規は國際法秩序の規定するところでなければならぬ。

總じて、國際法秩序と國內法秩序との間に一時的に發生する矛盾を排除し調和するところの國際法規が存在せねばならぬ。かゝる法規は必然に國際法規であり、且國内法の妥當性に關する法規であるから國内法秩序の上位にある國際法規である。卽ち國内法を制約する法規でなければならぬ。

國際法優位論では、國際責任に關する法規は、實に斯かる矛盾排除の爲の國際法規として理解せられる。從つて國内法の妥當性に關して規律してゐるところの、國内法に上位する國際法規と考へられるのである。

此のことは、國際責任の性質を正に適當に理解したものと言はねばならぬだらう。

先づ、一般の責任觀念にも適合してゐる。卽ち、一般に人が法律上責任を負ふといふことは、法律上一定の要件の下に一定の行爲を爲す樣要求せられてゐるにも拘はらず之を實現せず、從つて法律が之に對して之に代るべき一定の不法效果(刑罰、損害賠償結局には强制執行)を結び付けてゐることを意味する。法律は人の法律違反行爲を法律的規律の内容とし之に一定の不法效果を結び付けることに依つて人の法律違反行爲(法律規範の内容との矛盾)を單に一時的な結局には事實的な矛盾として法律の世界から驅逐し以て法律自らの統一性を維持してゐるのである。此の場合法律が人の上位に在り人の行爲が法律に基づいて妥當することには疑がない。

次に、國際の實際から言つても正當なものと言はねばならぬだらう。國際法上、國家は廣汎な自由裁量の權限を有してゐて、國內法の定立に關しても國際法の適用に關しても、自由活動の範圍が極めて廣いことは疑がない。併し之は無制限ではない。國際法の制限の下で適當に國內法を定立し國際法を適用することが要求せられてゐる。從つて國家が國際法違反の國內立法をしたり、國際法の適用に關し國際法違反の行爲があつたりした場合に、其れは直ちに無效となることなく國內法上の機關や國家の人民は之に拘束されるけれども、國際法上國家の責任が問はれ國家は之を適當に救正せねばならぬ。被害國は之に對して正當な抗議を爲すことが出來るし、場合によつては適當な滿足を要求することも出來る。此等の場合に、當事國間に國際法の解釋に就て紛爭があれば適當な國際裁判(仲裁裁判、司法裁判、國際聯盟)に訴へることも出來る。場合によつては强制執行の手段に訴へることも出來るのである(聯盟の制裁、復仇、戰爭)。

此のことは、聯邦制度に於て既に我々が見たところと何等本質的な區別は存しないであらう。聯邦では聯邦法の執行は相當廣汎に亘つて各邦に委任されてゐる。そこで、各邦が聯邦法に違反したりして其の間に權限上の爭議が起つた時には、聯邦の機關たる憲法裁判所や國事裁判所が裁判する。此の判決は聯邦の機關たる大統領が執行し、場合によつては、即ち聯邦憲法や聯邦によつて課せられた義務を各邦が履行しなかつたときには、聯邦の機關が强制執行(兵力に依る制裁)を行ふことが出來る。

唯、國際法秩序と國内法秩序とが異なる點は、國内法秩序に於ては、法規を解釋し責任を確定し之を實現するための機關が完備し一定の機關が獨占的機能を有してゐるため紛爭の解決が比較的に客觀的に行はれ當事者の恣意が抑壓され易いのに反して、國際法秩序に於ては、責任法規の解釋や適用に關して廣汎な自由が國家に與へられ、客觀的、集中的且獨占的な國際司法機關や國際執行機關が完備せず、國家の自力救濟が原則となつてゐる爲め、責任法規の解釋や適用が主觀的に流れ易いと言ふことである。併し之は毫も國際法と國内法と區別を絕對的ならしむるものではないであらう。之は單に國際法秩序の組織が未成熟の發展段階に在るからに他ならぬのであつて、國家的秩序の組織も嘗ては自力救濟を原則とする樣な未成熟の段階に在つた時代があつたのである(二〇)。

法律秩序實現の爲の組織は法律の目的から言へば完備するを理想とすることは勿論であるが、其の組織の不完全の故を以て國際法の本質を見誤つてはならない(二一)。

かくして、國際責任の法規は國際法と國内法との間に一時的に存在する矛盾を、一定の違反國に一定の不法效果(損害賠償、滿足、兵力制裁)を加へることに依つて、一時的なもの聽ては事實的なものとして解消するの機能を有する。從つて損害賠償を要求したり復仇の樣な强制手段に訴へたりする國家は、許された權限内に於て行爲する限り國際法の機關として、卽ち全體的法律秩序の執行機關として行動してゐる譯である。かゝる國家行爲の妥當性は最早部分的法律秩序に基づかずして、國際法秩序に基づくものである。此のことは、單なる特殊條約の違反であつても其れが結局には普遍的國際法規範 pacta sunt servanda の侵害に他ならず間接には國際法團體其のものに對する加害を意味すると言ふことに依つて理解せられるであらう(二二)。

實に、pacta sunt servanda の原則は國際法根本規範であると共に普遍的實定的國際慣習法であつて(二三)、之は反面に於て、國際責任の原則に依つて裏付けられてゐるのである。國際責任の原則は、實に國際法の妥當性の根據ともなつてゐる根本的國際法規範の一つと言はねばならぬ。國際責任に關する法規は、從つて國際法團體の基礎であり、これを成文法化し且其の適用に關する組織を確立することは、秩序ある國際社會の基礎條件でなければならぬ(二四)。

國際責任の根據の問題に關して興味のあるのは、ケルゼンの思索に於ける變遷である。此の問題に對するケルゼンの見解は初めから明確ではなかつた。先づ此の問題に就て興味をひくものは、彼の「國家不法論」(一九一三年)である(二五)。此處では彼自ら告白してゐる様に(二六)、國際法と國内法との關係に就て十分な吟味をしてゐない。寧ろ二元論的色彩さへある。のみならず主として國内法上國家の不法が法律論理的に不可能である所以を説明するに主力を費してゐるので直接には國際法の問題には關係がない。併し此の場合注意すべきことは、法人の不法又は違法能力は肯定し得るが國家の不法は否定せねばならぬとしてゐることである。其の理由とするところは、國家は全體的秩序であり法人は部分的秩序であると云ふ點に歸する。此の關係が國際法秩序と國家との間に類推されたならば國家の國際不法行爲能力は肯定されることを暗示してゐる(二七)。此の考へは其後發展せらるべくして發展せられなかつた。彼の「主權論」(第一版一九二〇年)では、國家機關の行爲が國家に歸屬するのは其の權限内の行爲卽ち義務實現行爲に限り國際法違反の行爲は國家機關の權限外であるから國家に歸屬しない、國際法優位論によつても國内法優位論によつても國家の不法なる觀念は不可能であるとしてゐる(二八)。私は國内法優位論によればケルゼンの云ふ如く國家の不法は不可能であることは認め得る否さうなるのが當然であると考へるが(之は旣に「國内法優位論と國際責任」の項で述べたところである)、國際法優位論でも國家の不法が不可能であると考へ得ないと思ふ。ケルゼンの上の様な見解に就てフエルドロスも適當に指摘してゐる様に、ケルゼンは此の場合法律秩序の擬人化としての國家と國際法上の要件としての國家とを混同してゐるのである(二九)。此のことは、最近他の問題に關して指摘して置いた如く(三〇)、ヴィーン學派に於ける法律の動學的考察の優位の一例として注目すべきことと思ふ。最近には(三一)ケルゼンも之に氣付いて、彼の法律理論の中心的概念である所の周邊的歸屬(要件の要件への歸屬)と中心的歸屬(要件の人格への歸屬)との二つの歸屬概念を明確にすることに依つて、國際責任を説明してゐる。其れに依ると、前の歸屬は法律其のものの機能であつて全體的秩序に依つて行はれる。後の歸屬は法律認識の機能であつて部分的秩序に基づいて行はれる。前者は國際法の自ら行ふ所の歸屬で、後者は國内法に基づき法律認識の行ふ所の歸屬である。從つて假令部分的秩序たる國内法に基づいて國家に歸屬せられなくとも、全體的秩序たる國際法に依つて歸屬せられる分には何等の妨げもない。之が國際責任の基礎付けである。此のことは、國際法が全體的秩序であり國内法が部分的秩序であることを前提とし、從つて國家が要件として(周邊的歸屬の場合)理解せられる時と、法律秩序の擬人化として(中心的歸屬の場合)理解せられる時があることを意味する。從つて國家の不法を肯定し、國際責任の基礎を求めるためには、結局國際法秩序と國内法秩序と間に全部的と部分的との關係を認めなければならぬ。

以上述べ來つた所によつて、國際責任の法規の有する意義と其れが國際法優位論に於て如何に理解せられたかと云ふことが明らかになつた。

その結果國際責任の法規の有する機能は國際法と國内法とを分離するものでなく反對に之を統一するものであると云ふこと、國際責任の法規は當然に全體的秩序たる國際法秩序の法規であること、國際法と國內法とを統一的關係に於て理解することと結局には國際法優位論に依つて國際責任を理解すること、此等は皆相互に密接な關係が有ることが明らかであらう。

一九　Verdross, a. a. O., S. 33ff., 75ff.

二〇　必ずしも過去のことのみとも云へないであらう。現在に於ても國內法に於て斯かる未成熟な組織が見られる。例へば獨逸憲法一九條と四八條一項との關係の如きである。此の場合、法律の目的から云へば一九條が四八條一項を制約してゐると解釋する方が一層合理的であらう。併し憲法の明文から云へば此事を必然に歸結することは出來ないであらう。
Kelsen, Bundesexekution. Ein Beitrag zur Theorie und Praxis des Bundesstaates, Festgabe für Fleiner, 1927, S. 127—87.

二一　高柳賢三教授「法律哲學原理」(昭和四年)二七七—八、三八三頁。横田喜三郎教授「國際法」(昭和八年)上、一〇二、一〇八、下、三、八—九、二八—九頁。
Strupp, a. a. O., S.8—9, Anm. 3. Kelsen, Théorie générale du droit international public, Recueil des Cours d'Académie de droit international de la Haye, 1932, IV, p. 131 et s. Kelsen, Unrecht und Unrechtsfolge im Völkerrecht, Zeitschrift für öffentliches Recht, Bd. XII, S. 523, 527, 579—80, 583—4, 607—8. Kunz, a. a. O., S. 262, 270—2.

二二　Strupp, a. a. O., S. 4, 9—16. Kelsen, Unrecht u. s. w., S. 521, 529.

二三　Kunz, a. a. O., S. 20—1.

二四　Kelsen, Die Technik des Völkerrechts und die Organisation des Friedens, Zeitschrift für öffentliches Recht, Bd. XIV, (1934), S. 240—55.　一九三〇年國際聯盟主催國際法典編纂會議第三委員會開議に當り委員長 Basdevant 氏のなした演說中にも次の樣な言葉が見えてゐる。Les règles de responsabilité sont en quelque sorte les règles-clefs de tout ordre juridique.

On peut affirmer que la valeur pratique d'un ordre juridique déterminé dépend de l'efficacité et de l'etendue des règles sur la responsabilité..........La responsabilité de l'Etat dans l'ordre international est un principe qui a été souvent reconnu, proclemé, soit dans des traités, soit par la pratique ou la jurisprudence international. Il est d'une grande utilité d'apporter ici des régles aussi précises que possible. Cela permet de donner corps à l'aspiration de justice qui est à la base des principes sur la responsabilité de l'Etat. Cela est important, d'autre part, parce que—nous ne devons pas oublier—au cours des temps et dans de nombreuse circonstances, des ambitions politiques se sont trop souvent dissimulées sous le prétexte de responsabilité. Procès-verbaux de la Troisième Commission, C. 351 (c). M. 145 (c). 1930. V., p. 15.

二五　Kelsen, Über Staatsunrecht, Grünhuts Zeitschrift für das Privat- u. öffentliches Recht der Gegenwart, Bd. 40., 1913, S. 1—114.

二六　Kelsen, Souveränität, S. 147, Anm. 1. Unrecht u. s. w., S. 499, Anm.2,

二七　Kelsen, Über Staatsunrecht, S. 99.

二八　Kelsen, Souveränität, S. 146—8.

二九　Verdross, Einheit, S. 167—8.

三〇　拙稿「國家結合論の新構成」國際法外交雜誌三二卷六號、三三卷六、一〇號。

三一　Kelsen, Unrecht u. s. w., S. 500—1, 504, 506—7. Reine Rechtslehre, 1934, S. 54-7, 132-3.

むすび

國際責任の理論的根據は、國內法優位論にも國際法・國內法二元論にも求められず、實に國際法優位論に求めらるべきである。其の理由は既に述べた通りである。同時に、國際法が本質的には國內法と何等異なる所がない、唯、其の組織と云ふ技術的方面に就ては國內法より遙かに未成熟の段階に在ることが明らかになつた。

國際責任制度も現段階に於ては極めて不安定であることは爭ひがない。責任の理由たる違法事實を判定し、之に不法效果を定立し、其れを執行する爲の集中的且獨占的國際機關が組織化せらるる迄は、國際法秩序が依然としてプリミチブな法律秩序であることは避け得られない。國際法秩序の有つ組織を更に確固たらしむるは、國際平和の基礎である。(完)

昭和十年紀元節稿了

自然法思想における二の性格

——絶對主義と個人主義——

秋永肇

目次

序説＝自然法概念の一般的規定……1
第一章　啓蒙期への自然法思想の史的發展……15
第二章　スピノーザ自然法論の個人主義的性格……44
第三章　ホッブスの自然法論……73
第四章　ホッブスにおける國家概念……94
第五章　ホッブスの絶對主權説の現實・社會的規定……121
總括……145

序説＝自然法概念の一般的規定

あらゆる概念がそうである如く、自然法概念も、また、歴史的所産である。それは、その成起の段階に應じて、それぞれの概念内容を包有するのみならず、同時代人においても異つた意味が附せられ、さらには同一思想家にしても明瞭な規定が與へられてゐない場合さへある。このことは自然法概念がいかに、もろもろの規定を附屬せしめられてゐるか、そしてこれの持つ諸規定が、いかにその概念を混亂せしめてゐるかをも同時に證明してゐるのである。古き傳統と新しき變形とを持つこの概念は、まさに、その故に歴史的契機と論理的契機とが雜然と絡みつけられ、特定の歴史的段階における規定が一般的規定としてとりあげられてゐる。從つて自然法概念の明確なる規定を避けて、無規定にタームをそのまま使用することの便法をさへ説かれる。（註1）だが、われわれはその多様性の背後になんらか本質的なるものを見出すことによつて、その複雜なる現象形態を統一的に把捉しなければならぬ。自然法概念は歴史的に規定さるべき概念である。

メンツェルは自然法概念を整序して五に編成してゐる。(註2)

(a) 法律哲學一般の意味の自然法
(b) 社會的自然法則としての自然法
(c) 拘束力を持つ當爲秩序としての自然法
(d) 實定法批判の規準としての自然法
(e) 社會科學の方法としての自然法

(a)の意味の自然法は理性法(Vernunftsrecht)と同一の意味に考へられてゐることによつても、それがカント以後のドイツ觀念論哲學を基底に持つ概念であることが理解せられるであらう。社會的におくれているドイツ體制の觀念形態としての、それの本質が把握されることを必要とする。

(b)の社會的自然法則としての自然法はフランスの社會學者達によつて規定せられしものであつて、例へば社會連帶の法則の如きものであろう。これは既にメンツェルも指摘してゐる如く(註3)sein と sollen とを混こうせるもののものとして、社會學としての性格を喪失してゐると同時に、法規範の領域外であつて、これを以て自然法と呼ばはしむることは、社會學の危機を露してゐる現代社會そのもののの危機段階の規定として、はじめて理解されうる。

(c)の意味に於ける自然法は實定法との相互聯關において規定されてゐる意味で自然法の本質的契機の一を包藏せるものと觀念せられる。實定法の補充としての自然法規範またはその對立批判態としてのそれ。かゝる概念を一應は自然法のメルクマァルとして規定しうるのであらう。が、かゝる抽象的規定においては、なほ、自然法の歴史的諸規定が明らかにせられえない。

(d)の實定法批評の標準としての自然法は、内容的に規定されたる、直接に拘束力を持つ規範ではない。これはむしろ倫理學的又は社會哲學的概念として規定されるべきであらう。この意味では自然法は具體的關係を顧慮して、いかなる法的、國家的制度が正當なりやの指示を決定する價値原理としてあらはれる。例へば、正義、公安、多數の幸福、文化的進歩、完成等の原理である。これは當該社會の現實構造の最も抽象的なる表現としての觀念であつて、これ自體もまた一つの歴史的概念である。從つて、かかる原理はその學的體系及び現實構造との聯關においてとらへられねばならない。

(e)社會現象解明の方法としての自然法は一つの法的世界觀として把握せられ

る。この社會の法的觀點よりする把握は、まさにわれわれが當面の課題とする啓蒙期自然法思想の特徴的概念であつて、市民的變革の段階に相應するものであつた。

かくてメンツェルによつて並存的に分類せられた自然法概念も、實は歴史的概念として、人類の歴史的實踐に相應するものとして觀念せられねばならない。ところで、近代自然法概念の歴史的モメントをとらへて、これに一般的規定を與へることを社會學の一つの課題としてゐる。

エックスタインは自然法について、「自然法が實定法と並立せしめられる場合は、つねに人爲的＝傳統的なるものと本源的＝生成的なるものとの對立といふ一つの契機が標準となる」と述べてゐる(註4)。

エックスタインが自然法を一つの相關概念として把握したことはまことに正しい。然しながら、かれが「自然法はその本質上革命的であり、傳統的實定法にたいする倫理的理想の闘爭にすぎない」と規定してゐるのは、自然法を實定法に機械的に對立せしめてゐるのである。

かれは、古代の自然法の眼を以て、特にソフィストに於ける自然法——氏族社會から國家形態へ發展した時代の政治社會の概念形態のもとに、あらゆる古い氏族的規制の批判が開始された段階——を注目して、自然法の變革的性格を指示してゐるのである。

「自然法はわれわれが社會的規範に批判的に對立し、その價値否、その妥當根據を問題にする場合に起る」ともいふ。(註5) 勿論これはソフィスト思想には當嵌るであらうが、ストア思想、神學的自然法及び近代の理性法には妥當しない。

現代の社會學徒によつて指露せらるる自然法の變革的性格は、市民社會みづからがその變革的目的の觀念形態たる啓蒙期の自然法理論を放棄すべきことを要請するほどに强力となるや否や、卽ちそれ自體の足の上に立つや否や、それに代つて、反革命的使命を負はされた歷史法學によつてこそ最も明瞭に概念せられたのは當然であらう。

自然法を「革命の放埒」として俊拒したものはほかならぬユリウス・シュタールであつた。(註6)

そして、さらに自然法の社會的成果を具體的に敍述したのはベルクボオムである。(註7)

かくて、「革命の放埓」たる啓蒙期自然法がいかにその放埓の故に、市民社會の成起を可能ならしめたか。まさしく啓蒙期自然法は變革的であつた。しからば、自然法そのものを以てその革命的性格を特徴づけうるか。

啓蒙期自然法の革命的性格を學徒の誤解に歸し、その明瞭なる性格に疑惑をさし挿んで、

「自然法學の性質は概して、また主要潮流の上からみて、極めて保守的であつた。理論によつて主張された自然法は本質的に實定法または――同一物であるが――國家的權威を支持し、是認し、絶對化するためのイデオロギーあつた」(註8)と述べたのが、ハンス・ケルゼンであることはひとの知るところであらう。

ケルゼンはまたこういつてゐる。

「自然法學が法の世界について提供する典型的な姿、いはば、その法的世界は次の如きものである。卽ち前面に實定法が、本質的には疑ふ餘地のない妥當性をもつて、存する。實定法の背後に、これを特有の方法で重複せしめながら、より高い、あらゆる妥當性、あらゆる社會的價値の源を示す秩序としての自然法が存する。その機能は本質的に實定法を是認することである。(註9)」

かくて、ケルゼンは十八世紀の國家論・法律論が自然法學と必ずしも同一でないと指摘することによつて、徹頭徹尾、自然法思想そのものの保守的性格を强調しようとつとめた。

自然法思想の政治的性格が、かつては革命的に、今また保守的に、規定された。同一の思想が、何故にかくも二重の性格を負はされるのであらうか。そして、それはまことに、自然法思想は保守的であると同時に革命的である。のもつ革命的であり、保守的であるといふ性格そのものが、實定法と相互聯關においてのみ存在し能ふことを證明してゐるのである。

自然法と實定法が一つの相關概念であり、或ひは對立し、或ひは重複することはなにを物語るのであらうか。

「自然法は哲學とともに古いがより古いものではない」(エックスタイン)といはれ、ソフィストにおいて初めて萠芽的にではあるが、自然法思想が容認されることは、自然法思想の成起が、實定法の存在を前提することを意味する。そは從つてまた社會における國家形態の存在をも前提する。卽ち社會が對立的契機を持つことである。かかる社會の對立契機こそが自然法と實定法との對立・重複の現實的基底である。

自然法が進歩的階級によりてとりあげられる時、それは新らしく生れるべき社會體制の利益を反映して革命的性格をとり、安定的社會編成期における自然法はむしろ實定法の樣式化であり、現實からの隔離である。

自然法の持つ諸規定とその歴史性とは一應明らかにせられた。しからば自然法の觀念形態として持つ本質的規定は何であらうか。

ローマの法學徒以來言はれて來た「自然法はその適用において普遍的であり、その繼續において不變的である。」(註10)といふ觀念はそれ以後變化してゐないといはれる。テーニスも自然法原理を强張して、「法におけるなんらか永遠なるものへの强力なる信仰」(註11)を表明してゐる。

確かに、自然法における普遍的・不變的性格は特徴的である。かかる性格こそは、古代世界において民族的偏見を破壞するに役立ち、特にローマの法律家にとつては、ローマ帝國法律の擴大・改善への哲學的理想となつた。(註12)近世市民社會體制がその體制の普遍性の故に自然法的世界觀をとるにいたつたについては後述する如くである。かくの如く、現實的體制が何らか普遍化の要請を包藏する場合に自然法思想が必然的に輸入せられ、かかる場合においては現實構造と結合して模寫的契機をもつて實踐的に現實をある程度において反映するのである が、それにしても、その永遠・普遍の性格は決して具體的な內容を包有する觀念形態とは言はれず、逆に甚だ抽象的性質を持つてゐるのである。卽ちキケロの言へる如く、「あらゆる民族の一の點における一致」またはグロテユースの「總ての國民における普遍的一致とその不變性」なる契機を自然法が持つことによつて生ずる共通性の性質が現實における共通なるものの反映として、何らか現實的なるものを包有する程度に過ぎない。共通性のみを强張する性格は他の面ではそれがその故に抽象的であるは免れがたき宿命であらう。

「自然法原理の無內容はカントの法律論の特殊性ではなく全自然法學派の特徵である。(註13)」

故に或ひは、それが「法の形而上學」(註14)と言はれる場合にさらにその本質が闡明せられるであらう。

自然法は「法の形而上學」であることによつて初めて其の本質的機能が分明にせられるのである。そしてこの形而上學的性格はその普遍的・永遠的性格の故に法學のみならず、他の社會諸科學に適用される。なんらかの當該秩序の範疇又は形而上學的範疇を當該學に持ち込もうとする際に多かれ少かれ自然法の觀念が適用され、このことはまた他方において自然法概念をさらに複雜ならしめる役目を務めるのである。

われわれは先に自然法が實定法との相關概念であることを呈示した。ところで自然法が形而上學的性格を持つことが明かにされることによつてこの相關の關係は單なる對應の關係ではなく、むしろ癒着の關係であることが理解される。「實定法は、さらに實定法によつては擁護されない。」「實定法を顧慮せずに自然法を考へられないように、自然法なき實定法は考へられない。」(註15)

これはゴールドシャイトの言葉である。法が、ある場合には、ある階級またはある集團の利益を反映すること及び複雜なる利害關係の調整を任務とすること等を考へる時、實定法はなんらか統一普遍的原理によつて補充されねばならないのではないか。法は「平和・均衡の狀態」(ケルゼン)である。法の持つ統制的性格はなんらかの形で平和的志向を要請される。その任務を擔當するのが自然法なのである。ゴールドシャイトは自然法と實定法とを Gemeinschaftsrecht と Gesellschaftsrecht とに比較してゐる。

テーニスもまた Gemeinschaft と Gesellschaft の理論を自然法から出發した。確かに自然法と實定法との關係は Gemeinschaft と Gesellschaft の關係に比較されうる。ゲゼルシャフトは所謂市民制的社會關係を表示する概念であり、ゲマインシャフトはより緊密なる統一的社會關係(民族・國民等)を呈示せるものである。それは共同社會と利益社會に譯せられてゐる通りである。

かくて自然法と實定法との關係が如上の通りであるとすれば法律學がたとひ純粹實證的に實定法を認識しうると、ある法領域において觀念せられるとも、法形態一般の領野では所詮自然法原理の手から逃れることは出來ない。

自然法と實定法の上述の如き癒着の關係は、その觀念形態たる法學をも同一の運命の下に置かねば止まない。

「自然法の辯護的イデオロギーの放棄は、けれども――單に認識理論的根據からのみでなく、更により以上に政治的根據から――極めて困難であり、與へられたる社會秩序の絶對的基礎づけの要求は、極めて力强いものであるので、第十九世紀及び第二十世紀の所謂實證的法律論及び國家論もこの放棄を完全に遂行しなかつた。屢々自然法的要素と公然にではないが、密接に融合したのである。そして丁度實證主義が自然法的思辯を終局的に追放したと信じたその時に當つて――第二十世紀の二十年代に於て――意識的自然法運動が開始された。(註15)」

かくて次の如くにも言はれる。「自然法は永遠である。何となればそれは弱者の權利を保障するが故に。文化法・生ける法として、正理法の實現に對する止み難き衝動として、實定法の内部的確保の不變の基礎であり眞に統一的な且つ效果のある社會的法秩序一般の接合劑であるが故に。(註16)」

法秩序が永遠である限り自然法は永遠である。自然法が永遠である限り法學はその形而上學的性格を止揚することはできぬ。

當面の問題たる啓蒙期自然法學もその運命を逃れることはできぬ。而して自然法思想の絶對・個人兩主義を啓蒙期の異れる歷史段階の思想として特徵づけ、此期の思想の本質的樣相を把握することを以て本稿の課題とする。

(註1) B. E. Wright, American interpretations of natural law. (The American political science review Vol. 20. 1926 PP.

542—543）

（註2） A. Menzel, Beiträge zur Geschichte der Staatslehre. 1929. S. 108.
Vgl. Verhandlungen des Fünften Deutschen Soziologentages, 1926. S. 168.
ライトは自然法を十二に分類してゐる。(1)神の法(2)合理的＝妥當的原理（人間理性によつて事物の性質から發見された原理）(3)人間性と一致する原理(4)古代法＝慣習と一致する法(5)宇宙のフィジカルな體系に關するもの(6)正義又は公正(7)現實に對する理想(8)人間の道德性に關聯する原理(9)原始的（傳統的に對して）なるモメント(10)自然狀態に關聯するもの(11)適切又は相應(12)進步又は現存狀態との調和（Wright, ebenda）

（註3） ibid. S. 169.

（註4） W. Eckstein, Das antike Naturrecht in sozialphilosophischer Beleuchtung, 1926. S. 10 ff.

（註5） ザロモンもかかる性格を「討論記錄」175頁に指摘してゐる。

（註6） F. J. Stahl, Die Philosophie des Rechts. Gesamt. Ausgabe. S. 222. Auswahl. S. 82.

（註7） Bergbohm, Jurisprudenz u. Rechtsphilosophie. Bd. I, 1892. S. 215.
「自然法は農奴制・隷僕制を破壞し土地の開放を迫つた。それは硬化せるツンフトの强制及び無意味な取引の制限によつて制約せられてゐた企業力を解放した。――宗敎信仰の自由・科學的學說の自由をねらひ、信仰・國民性の如何を問はず、私法の保護を獲得した。市民的勢力を助け、刑事訴訟を秩序ある合法的手續に變化せしめた。」Vgl. E. Paschkanis. Allgemeine Rechtslehre u. Marxismus. S. 42

（註8） Hans Kelsen, Die philosophischen Grundlagen der Naturrechts- lehre und des Rechtspositivismus, 1928. S. 38.

（註9） Kelsen, ibid. S. 39.

（註10） Wright, ibid. P. 543

（註11）Verhandlungen. S. 188

（註12）J. Bryce, Studies in History and Jurisprudence. Vol. 2. p. 605

（註13）A. Gysin, Die Lehre vom Naturrecht bei Leonard Nelson und das Naturrecht der Aufklärung. 1924. S. 99. なほ Krabbe, Kritische Darstellung der Staatslehre. 1930. S. 145 參照

（註14）F. Sander, Staat und Recht. 1922 I Bd. I. Halb. S. 55.

（註15）H. Kelsen, ibid. S. 77.

（註16）Verhandlungen. S. 167.

第一章　啓蒙期への自然法思想の史的發展

自然法思想は哲學とともに古い歴史的生成の意識形態として、その發生は、氏族社會における社會規範の妥當性省察が人類の意識にのぼりはじめること、したがつてその基礎形態としての現實的法秩序・國家的支配機構の成立――他の面では氏族體制の崩壞――を前提としてゐるのである。社會における分業の發展に伴ふ一團の知識階級の發生とともに哲學ははじまる。

ギリシャ社會における原始的氏族共同社會から國家體制への發展移行、一應の國家機構の確立は、哲學をして、コスモスの發生と沒落、實在と轉化といふ永遠の謎の潛想から、知覺し、意欲し、欲求し、公私の活動を營む人間へ眼をむけはじむるにいたらしめ、同時に生產における技術的進步は、哲學から自然科學的研究を分離しはじめた。（註1）

事實、アテナイ國家の誕生は、政治的ならびに經濟的、精神的ならびに物質的生活の極めて急激なる發展を招來し、一際の倫理的意識の轉變、古くより傳承さるゝ風習および宗敎的慣習よりの轉向、總じて、一際のノモイの動搖を開始した。(註2) かかる事態に哲學的解決をあたへたのがソフイステイクであり、すべての人的規定の不完全に滿されずに絕對永遠の法を求めようとする貴い感情が、その自然法思想であつた。(註3) 生起確立した國家體制の構成員として、現實態樣に適應する意識の、したがつてまた氏族體制の批判的意識の確立——觀念形態の反動的存立持續のゆえに——は、まさに重要なる課題であり、それは現實に適應する構成員の一般的意識を特に必要ならしめたが故にこそ啓蒙的ならざるをえなかつた。あらゆる新興社會の意識がそうであるように、一般化の任務を持つてゐたからである。特に現實形態の確立を見たとはいへ觀念形態は直ちにそれに相應して變革されるものではなく、また封鎖的、牧歌的村落になれた人間を、いまや全く新しい社會における公的生活のための訓練、行動、辯舌、家庭及び公共團體の管理に熟練せしむべき敎育の擔當者達が象牙の塔の主人でありえなかつたことは、むしろ當然といはなければならぬ。

こうしたことから、主としてかれらの思惟が、倫理學およびその分科たる法律學、政治學、敎育學に向けられたことも理解しうるであらう。實はソフイスト・エピゴーネンに對してのみ、ある意味では妥當するプラトンの誹難にならつて、ソフイスト一般をもつていはゆる「詭辯家」となし、社會的・歴史的に必然されたる契機を把握しない見解の誤れるはヘーゲル以後明かにされてゐる筈である。

かくてソフイステンのうちの最も著名なる、そして時代的にも最初の人たるプロタゴラスにおいては、實定規範はその妥當を社會的權威から持ちきたり、したがつてそれは時間的・空間的に變化しうる、自然にではなく人定に依存するものであること、しかしながらなほ當爲のためのより高き規準が存すること――即ちそれは規範の社會的安寧にとつての有用性であることなどが主張されてゐる。ここでは實定的規範と社會的有用の規範とが、後者がより高次の一般的規範として對應せしめられた。しかしながら法形態の充分なる發展をなし遂げえず、血縁社會の意識のその後の依然たる存續とはかかる高次の、即ちアテナイ國家的規範意識の明瞭なる表出にまで到達しえずしてそれは單に暗示にとどまつたに過ぎない。(註4)

かようにしてソフイストにおいて既に自然法の萌芽を認承することによつて、われわれは自然法を、規範における對應・相關・對立の概念として一應一般的に規定しうるであらう。述べし如く思想體系における規範的領域の二つの――自然と人定――對應のうちに最も抽象的には、自然法的契機を見出しうる。しかもソフィストにおいてはそれが批判的意識として觀念された。ソフィスティクが氏族的ジッテの批判克服を課題としたアテナイ國家そのものの要望せる變革の意識であつたからである。

ソフィスティク以後われわれが持つギリシャ思想においては、アリストテレスとヘレニズムとしてのストア思想のうちに、ソフィスト自然法思想の發展的繼承を看取することができる。そしてまた古代一般の思想が中世・近世へとその段階に照應せる形をとり、そこにおける歴史的規定のもとに觀念的補成をあたへられて發展していつたのである。

すなはち中世神學はこれに應ずる觀念的遺産としてアリストテレス思想を、近世初期における啓蒙思想はストア思想をとりあげた。おのおのが、その時代の社會關係の解明にふさはしい思想を背景とし、またそれぞれの持つ基礎の上にさらに修正・發展の途をとつた。

すでに中庸の哲學者たりしアリストテレスは自然法と實定法とを妥協的に政

治法なる概念のうちに把捉して、自然法はこゝではもはや窮局においては、實定法に對する批判的對立としてあらはれることなく、事實上各國家へ妥當する法の Unterart であつた。したがつて自然法は內容的には實定法と一致するものであつた。

すなはち一般に法のうちには自然的なる要素と、歷史的・傳統的要素とが滲透してゐるといふのである。(註5) かかる法の解釋の保守的性格、は中世の神學的自然法に傳承さるべき性質を充分に持つてゐたと言はれよう。

中世の神學はその基底たる封建社會のもつ封鎖的・停滯的固定のもとに、法の批判的・創造的方法はまことにふさはしくなかつた。

實にアリストテレスは中世思想を通じての權威であり、スコラスティクへの理論的基礎を與へたのである。

中世の自然法は、哲學がそうであつたように神學の「侍女」以外のなにものでもなかつた。

中世においては自然――總ての事象を支配し、總ての事象に存在する力――は神である。

聖タリンストムが語る如くに「余が自然と言ふ時は神を意味する。世界を造り給ひしは主なればなり。」かかる思想はオーガステインの神の國を支配する恒久法、ダンテの神の愛と宇宙を支配する力との同一視のうちに顯現してゐる。(註6)」中世のカノニストにとつても、敎父達におけると同じく、自然法は神の法と同一である。それは法律及福音において實現される。自然法は神が人間性の中に植ゑつけた一般的道德原理を表はし、而してその本質的性質において不變であるからである。(註7)」

アキナスにおいては自然法と神法とは一應區別される。總ての事象を支配する恒久法は神意の表現であり最高の立法者である。それ自體が神意によつて造られ、指導される人間理性によつて人間自身に知らしめられたところのものが自然法と示稱される。卽ち理性的人間による恒久法への參加が自然法である。かくて、自然法は、——スアレズの言へる如く、——神においては恒久法であり、人間においては良心によつて恒久法を靈魂に移す光である。(註8)

アキナスは自然法のこの神學的に規定されてゐる性質を次の如く述べてゐる。「法の規定は、全社會を支配する支配者の實踐理性を命令に外ならないのである。しかし、世界は神意によつて支配せらるゝものなることを想像するならば、宇宙の全社會は神の理性によつて統治せらるることは明らかである。それ故に事物を支配せんとする企圖、それは宇宙の支配者たる神に存在するが故に法の性質を有するのである。……この種の法は恒久法であるといはなければならない。……何となれば、神意に從ふすべての事物は恒久法によつて支配され、規律せられるのであるから、かれらのすべては、ある範圍において、恒久法に參加することは明かである。……しかし……理性の動物たる人間はもつと優れた方法において神意の目的物となるのである。それは人間自身が神意の分擔者だからである。なぜならば人間自身は恒久法に參加してゐるのであるから。……人間のかかる恒久法への參加を自然法と呼ぶのである。(註9)」

まことに、「この時代における自然法は教權に動搖を來す手段としてといふよりは、むしろ教權の支柱として用ひられた(註10)」

封建的支配の最も一般的な總括者及び裁可者としての教會の地位は必然的に知的活動の全領域に於ける神學の優越を結果し、教會の教義は同時に政治上の公理であり、聖書の文句が、裁判所においても力を持つてゐた限りにおいて、法の淵源が神であつたことはむしろ當然であると言はなければならない。ここでは法における普遍的なるものは絕對者たる神である。

實定的敎會法は普遍的存在たる神意に參加してのみ法であり、そしてかかる法のみが自然法であつた。といふよりも敎會法こそが神意に參加してゐる自然法なのである。述べし如く敎會權の擁護のみが自然法の存在の根據であつてみれば、それが神學の隷僕以外のなにものでもなかつたことは明かである。

かくてスコラスティクにおける自然法は神の意志の實現であり、したがつてまたそれが敎權を主班とする封建體制の意識形態であつたのだから、基礎的には封建體制の崩壞のうへにみずからの體制をうち建てんとする近世市民社會の觀念形態は、まず神學への批判をもつて始まる。

十五世紀後半の都市の發展を基柱とする王權の發展に併ふ市民社會の側からの批判は、ドイツ人の指呼せるレフォルマティオンの形で、敎權と世俗的君權との對立を取りあげて、いまだなほ宗敎の被蔽を持つてなされた。そしてそれは一方に古典的古代の發見・復活の形で最も早く都市商人の發展をもつたイタリーにおいて、かれらによつてチェンクェチェントと呼ばれ、フランス人によつてルネッサンスと稱揚されたフマニスムスの形で現れたのに相應する。これらは一樣に中世社會のうちに既に萠芽として存在してゐた都市の更なる發展によつて生じた封建體制に對する桎梏の意識の顯示として、一樣に封建的カトリークに對する批判であつた。しかしながら、立ちあがつた許りの市民階段はなほ遙かに中世的殘滓の多くを持ち、觀念的にもなほ神學的要素をより多く持つてゐるか、また市民社會的意識のなほ消極的なしたがつて非體系的な要素にみちてゐた。

これはまさに近世における準備時代であつた。

封建的神學からの完全なる解放をすでに市民社會の一應の確立乃至既にある程度において支配的な力を持つにいたつた十七・八世紀すなはちわれわれがその考察の對象とせる啓蒙時代に持つた。この時代はあらゆる事物の神からの出自の理論に對する自然そのもの、及び人間そのもののとりもどしであつた。一方において新な生產力に適應しうるためには客體的存在としての自然の合則的認識を必要ならしめることによつて、多かれ少かれ唯物論的形態において、自然科學の勃興を持ち、他方、認識の規準としての起動因たる神ではなく、即ち第三者たる存在ではなくて、人間的存在そのものの普遍的性格としての理性が登場することによつて合理主義としてみずからを規定し、また同時にかかる人間的存在の單なる形而上學的普遍ではなく、完全なる「孤立的個人」のうちにおける普遍理性として、それはまた個人主義の積極的面において觀念された。かかる意識形態は市民社會そのものの要請としてあらはれたのであるが、同時に古典的古代特に後期ギリシャの哲學の批判的攝取においてその觀念的傳統を承繼した。もちろんそれは承繼さるべき客觀的理由を持つてゐたのである。思惟は蓄積的發展の過程である。したがつて、かかる蓄積的思惟の前提のもとに――それを現實の認識形態の力として――現實機構に適應せしむるために修正され、同時に新しい現實の契機の認識を反映せしめて、それと合體癒着して、一の體系ある思想たらしめる。

その意味で市民制社會の前提的觀念形態となつたのはストア、エピキュロスの思想である。

アリストテレス以後の哲學は一般に個人倫理學として、また實踐的哲學として規定されてゐる。アリストテレスの時代を頂點とするギリシャの奴隷制的國家の解體過程は、貿易の高度の發展に因由する商人・高利貸資本のあくなき蓄積の行程としあらはれ、それは同時に市民の沒落を促進し、しかも奴隷への轉落を不可能にした事情は、奴隷制そのものの揚棄なくしてはギリシャ社會の發展可能を摘取される。

かくてギリシャ的社會體制は生產力の壓殺とともに、ローマ世界國家のうちに併合さるべき運命を持つた。

狹隘なる都市國家的限界の政治的解放と同時に、緊密なる政治的組織を缺如せるコスモポリスがあらはれる。

こうした過程のうちにストア、エピキュロスの思想は生起したのである。アリストテレスにおける倫理性の國家的共同社會に於ける實現は勿論不可能であつた。そこでは奴隷制すらをも動搖せしめた獨立の國家的規範の解體を通して、個人のみが倫理性の支柱でなければならなくなつた。しかしながら、倫理性における國家的限界の解放は同時により普遍的なる規範の、いはれる如き世界國家的規範の可能を包含する。かくて個人倫理性はストア哲學においては、普遍的倫理性の一部として把握されることによつて、個人性は普遍的理性のうちにおいてのみ個人性として存在しうるといつた形態であらはれる。

かかる現實的過程こそが普遍的規範としての自然法をストア派において最も鮮明に現出せしめた基礎である。

ストア學徒は感官的衝動及び感覺的個性を反自然的なるものとし、ヌッスを宇宙一般の自然的本質と思惟した。感覺的要求と理性的＝自然的要求との矛盾及び、理性的要求の優越性の原理がかれらの本質的中核である。かくてノモスたる倫理性は感覺的人間に對立する規範的妥當性としての自然法則としてあらはれる。この場合における自然は、ストア學徒においては、一般的自然、――包括的宇宙一般――と、人間的自然との二重の意味を持つてゐるのであるが、しかし、この二重の自然は世界理性の共通の把持者として等質的なものとして理解せらるる。したがつてすべての人間の平等に、さらに一般的自然にも共通に貫流して存在する理性の、永遠の自然必然性に對する服從こそがあらゆる個人の行動の規範である。かかる宇宙一般における理性の內在的存在はこの思想をして汎神論たらしめ、必然性的契機をもつ決定論はむしろ宿命論の形をとつて、あらゆる個人の自由意志の否定、および人間の能動的契機の否定を伴つてゐる。

個人のうちにある理性の平等性のゆゑに、あらゆる人間は相互に類縁であり、すべてのものが平等の起源をもち同一の規定を持つ。したがつて根本においては、あらゆる人間は一つの法律、一つの國家を持つのみ。しかして、あらゆる人間が一つの世界理性の各部分として一つの大いなる理性的生活聯關すなはち政治的複合體 Politikon sustema. を構成するのであつて、身體の各部分の如くに、各個人はそのうちにあつて各肢體 Melos であり、一際の人間は同胞だと考へ、此の複合體は Vernunftreich である。(註11)

アリストテレスにおけるヘレーネとバーバリアンとの價値的差違および奴隷(半人間＝動物。アリストテレスは奴隷をかく考へた。まことにいはれる如くアリストテレスには奴隷なき社會は夢想だにできなかつたのである)の市民權からの除外による階級的序列は、アテナイ都市國家の體制そのものの反映であるが、今やアテナイ人、トラキア人、アジア人、エジプト人等が政治體系の現實的構成員となり、小さく區分された種族、國家を基柱とする政治的・社會的區劃の價値が抹殺されると同時に、ストア的世界同胞主義 Kosmopolitism――擴大されたる社會系列をもつ――が人間の知識の舞臺に登場したのであつた。(註12)

かかる世界市民主義は事實一つの人類愛 Humanitarianism にまで發展したのであつた。奴隷制の生産的限界は奴隷制からの開放をもつてのみその社會の生産力の發展を豫約する。ギリシャはまさにその限界の開放をなしえずして死滅するの途を殘したに過ぎない。それはかつては必然的なる制度と考へられた奴隷制の解體の反映として、動物としてアリストテレスに考へられた奴隷は、今や、人間的市民の地位を理念的に獲得した。(註13)これがすなはち、ストアにおける博愛主義の形をとつて現はれたのである。

かくてストアの世界市民主義・世界帝國は、個々の國家、歷史的國家に對する窮局的無關心を主張することによつてそれはなんら政治的體制を要望するのではなく、むしろウヰンデルバントの言へる如く主として「認識と意志との精神的統一」(註14)にすぎなかつた。

すでにストアの根本思想が自分みずからに一致せる人間の自然に合致せる生を最も倫理的なものと考へてゐる。道德的意欲は自己のうちに存在するロゴスの自然必然性に一致し、服從する。すなはちみずからの決定せる理性に一致する生は、同時に普遍的理性への沒入であつたことを思へば、ストアにおける世界市民主義が政治的であるよりもむしろかへつて外界的形態からの逃避を通して、みずからのうちにのみ、また外界の刺戟を避くるアパテイアによつてのみ個人の行動の原理を見出したことが理解されよう。それは一つの社會關係を提示したといふよりもむしろ、單なる形而上學的な人間の平等性から來る類縁・等質性であり、結合・紐帶の意味を持つものではなかつた。それは國民的境界を有せざる萬人の理性的共同生活ともいひうるであらう。

ストアにおける自然＝理性によつて萬人に平等に定められたる生活法則すなはち自然法の概念はキケロを仲介としてローマ法理學の構成原理となつた。事實當時ローマ帝國は偉大なる世界帝國であつた。ストア的世界帝國は「かれらの獨自の政治的意義の沒落に際して遠い未來の理想として生れたが、ローマ人においてはかれらの歴史的使命の高邁な自覺となつたのである(註15)。」

かかるローマ帝國の現實構造との關聯において、ローマ的ストア學徒の代表者キケロ、セネカ、マルクス・アウレリウスの手によつて、ストアの自然法思想はローマ的に發展攝取さるべき必然性を有してゐたのである。

しかし、かかる思想もまたそのままの姿ではローマに輸入されることはできなかつた。すなはちローマに於ける法形態に想應した姿をとるのである。キケロにおいては、普遍的自然法は現實的成文法と混淆されてゐる。すなはち成文法は國家の國内法jus civileとして、他面種々の國家の同盟が相關的に承認する法律jus geutiumとして展開された。この二種の法律は倫理的內容においてて自然法と廣汎な範圍にわたつて一致するのであるが、それ自體效力を有するローマの無數の成文法規によつて自然法は補足される。ここでは、ストア的自然法はなんら具體的な成文法の修正としてあらはれることなくローマ奴隷制を基礎とする歷史的法形態は依然その力を持つてゐた。

奴隷制的商品社會の法形態化としての歷史的成文法たるローマ法——私法の典型——にとつて人類の平等を主張するストア自然法は現實的體制としてとり上げえられざるは當然であつた。もし現實形態としてとりあげられるならば、そはローマの社會基底たる奴隷制の否定へ赴くであらう。

既にキケロにをける自然法は、ストアからは離れて、自然との一致として認識される神的法則ではなくして、自然の創造者たる神の意志にその源を見出してゐる。

ローマ・ストアの世界觀にをける肉體と靈魂との分離の甚だしくなるに應じて、自然法も現實から益々遠ざかり、セネカにおいては神の意志にまでもさかのぼつて終つた。肉體及び地上の悲慘の束縛から救濟されることを憧憬し、天上、死の世界を新しい眞の生活として讃美するにいたつた。

哲學が天上界の問題をその論議の課題とすることによつて、ローマ的原理は既に中世神學への準備を果しつゝあつたのである。古ストアの人類平等、同胞主義は、ローマ社會の奴隷制存在に對して、現實的に妥當することは不可能であつた。從つて人類の平等は、單に人生の彼岸にをいてのみ存在しえたであらう。セネカの言へる如く、「よし肉體は不自由であり、主に隷屬しようとも、魂は依然として sui juris (自己の權利)である。」現實的支配隷屬の悲慘が靈魂の救濟、單に靈魂の平等によつて慰安され、ストアの世界市民主義は、今や、奴隷制の批判ではなくして、その擁護となつた。これはキリスト敎における人類の神の前にをける平等の思想によつて、中世的特權的支配秩序の觀念的基柱にまで發展したのである。

ストア思想における自然必然性への服從、運命への盲從の契機、人間の外界に對する積極的無力は生産力の低位、及びそれに相應する技術の未發展に照應せる一般的自然、社會的自然の支配の不可能に因由する觀念形態であつた。そしてストアのかゝる原理にをける内部的な原因にも由來して、それは中世神學へ混入さるべき必然性を持つてゐたのである。

かくてストアの世界主義的自然法思想は、人間の强制的隷屬制を基底とする社會體制にをいては、單に幽暗なる彼岸の平等にすぎず、現實的には暗黑野蠻なる强壓の社會關係の陰蔽霧壁を結果したに過ぎなかつた。この人類の普遍的平等の思想はまさに現實の社會關係の隷從制よりの開放に伴つてはじめて、現世的關係として人類の思想に觀念されたのである。

かゝる開放は歷史的には中世的封建體制より近代市民社會體制への移行、發展、確立として特徵づけられる。市民社會體はなにはさて資本制的な商品生産を基柱とする社會、從つてまた商品所有者のそれである。そこでは商品生産流通の法則が貫徹される。卽ち商品としての勞働生産物は價値として關係づけられることによつて交換せられるが故に、それは常に相互に等價としての關係に立つ。等價と等價との文換を基柱とする社會、卽ち商品交換によつてのみ人と人とが關係する社會に於ては、必然的に、等價の Träger としての人間も又平等な人間として對立するのである。さらに言へば、生産物の具體的な諸形態が抽象的な等價においてのみ聯關せられることにおいて、それがはじめて現實的に交換せられる。所有者としての人間もまたあらゆる人間性にをける個別的なるものが捨象せられて抽象的な「人間」として、しかも、價値としての商品の社會なるが故に、人間を結ぶ紐帶そのものにはなんら、身分的、强力的結合・隷從の關係は成立することをえずして、當然に「孤立的」「個人」としてあらはれる。かゝる現出は封建社會が、封建領主のための、及び農民自體のための消費的生産であり、さらには農民自體が、その所有者が領主であつた生産機關の一部分にしか過ぎない關係が必然的に身分的、强力的隷從を基柱とすべきことを理解することによつて、なんら不思議とはされえないであらう。

かくて一般的意味にをいて、市民社會はあらゆる人間が商品所有者としてあらはれる。勞働する農民、勞働者もまた商品たる勞働力の所有者として、平等なる人間として關係する。從つて、かゝるあらゆる人間の平等を基底とする現實的構造が、まさにストア的な人間の普遍的平等なる思惟形態を市民社會がとりあげた契機なのである。

ストアにおける人間の普遍的平等の思想がアリストテレス的な國家的限界の解體のうへに、すなはちあらゆる民族の普遍的共通性のうへに必然的にコスモポリテイズムを伸展せしめたそれと同じ契機において、近代市民社會が特定の國民、フランスの、イギリスの、オランダの、體制ではなく、またそれは中世的未開のうちにあつたロシヤ、日本、東洋一般をすら市民社會構造のうちに編制したところの世界的な體制であつた事實に照應してそれの思惟形態もまた世界主義的な自然法形態をとつた。

キケロが言へる如く、「あらゆる民族の一つの點への一致は自然法の表象である。」したがつて近代市民社會の代表的觀念形態が自然法の形態をとつたのは實はそれが唯一つの必然的形態であつたことが理解せられるであらう。ストアの世界市民の理念が當然に人類愛への要望のもとに奴隷をも包含したとウキンデルバントが言ふ時、われわれは近代市民社會もまた特定階級すなはち市民階級の利益のみのための解放ではなく實に人間一般の解放であつたことを思ひ起さずにはをれない。

封建支配的貴族に對しては市民階級と同時に農民大衆がすでに早く十五世紀以來ドイツにおけるBauern-Kriegをはじめとしてフランス・イギリスのpeasant revoltを通して叛旗をひるがへしてゐる。ロシアではポガチョフの亂として知られてゐる。なほ、都市にをける勤勞者をも含めて、市民社會の實現は市民階級を先頭とはするがこれらの勤勞者農民の結合があつてはじめて可能であつたし事實またかれら相互の利益も決して矛盾するものでもなかつた。ある場合、たとへばフランス革命においては勤勞者こそ最も徹底した市民社會の前衛ですらあつた。かゝる事情がこの時代の思想を特に階級との關聯においてでなく人類一般の關聯において市民社會を觀念せしめた基底であつた。

かくの如くにして國民的・階級的制約を禪脱せる人間にとつての普遍的＝共通的規制として、ストア的自然法を市民社會の觀念態型としてとりあげた必然的要請が構造的聯關にをいて把握されえたであらう。

だが、これと同時にわれわれは市民社會的觀念の本質的契機をも(ストア自然法からみずからを區別する諸特徴をも)把握しなければならない。(註16)

ディルタイは近世的思想の持徴を「ratio のオートノミイ」に歸してゐる。

この理性はその自主性を二重の意味でそれ以前の思想からかちえたものであつた。一つはストア的なるもの、他は神學的なるものである。ストア學徒においては、火＝神＝理性＝自然＝運命 εἱμαρμένη といふ一聯の同一性によつて、人間は封鎖的にこの運命に服從しなければならなかつた。こゝで理性とはいはば宇宙の實體を意味してゐる。したがつて神といへども決して超越的なものでなく、かへつて Feurige の如く物質的なものですらあつた。さらにまた物質的といへども、同時にそれは靈的なものなのである。人間的(社會的)なるものと自然的なるものとの聯關はなんら把捉されてゐない。理性は火である。

近世思想がはじめて理性を人間のものとして把握した。しかも漠然たる、人間の普遍的概念としてでなく個別的存在としての孤立的個人である。しかもこの個人の理性はストア以後なほ長き年月を神學の抑壓下に跼蹐しなければならなかつた。自然法思想は、中世神學においては、現實の社會の實踐的問題に對する解答を與へ得ずにかへつて神聖なる天上世界の補佐として役立つた。

まことにオトトノミイと合理的自己實現の自然法原理は一定の限界に妨げられ、それ以上進むことができなかつた。神の王國の支配をうけてゐるからである。人間の理性は神の啓示に絶對的に依存してゐた。

この「理性」はまた近代的概念としての論理的性格からも區別されなければならない。

それは「生活概念であつて思惟範疇ではない。それは論理的公理、數學的公理と比較されてはならない。むしろ生活全體のうちにつくられそれから擧證力を創造する。（註17）」

かくて人間の理性のオートノミイは、（ストア的汎神論・中世的神學から解放されて）とりもなほさず人間の現實的世界への關心であり、現實的社界構造の認織の前進である。すなはち古代・中世の知らざりしものであつた。

この社會構造を啓蒙期の自然法思想家は後に詳論するであらう如くに個人のづくるものとして觀念した。かゝるアトミスティクこそはこの思想の特徴としてまず規定されねばならない。

もちろん古代にをいても個人の特徴を觀念するにはしたけれども、個人の本來的權利を主張したことはなかつた。エピキユロスにおけるアトミスティクも決して獨立の意思する主體とは考へられなかつた。「古代の國家論は個人に對して本來的に國家に對立して自己の權利を主張する地位を與へるなんらの理由もなかつた。(註18)」

古代にをいて個性的個人の自主性が認識されないとしたら、オルガノロギイをその觀念形態とする中世にそれを見ようとすることが無意味なることは明らかである。中世にをいては、社會的全體の各部分は不平等の身分をもち、各々異れる機能を以つていはば分業のもとに關係する。僧侶と貴族と平民とのイエラルシイの肯定を基底とする有機體的敎會中心の社會に個人の自主性が發見せらるべくもない。

この近世世俗的自然法思想におけるかゝるアトミスティクのもとに觀念せられる個人と個人との關係＝社會關係が、ところで、一つの法的關係であることが、第二に注目されなければならない。古代的・哲學的自然論が法的自然法に轉化したのである。

このことをエリネックは次の如く述べてゐる。

「古代の學說は國家を法の所產としてではなく自然的・人間性の產物と考へる。社會秩序をノモスに還元する理論ですら、規律を斷じて法的規律としては理解しない。……國家形成の事實は法的事實であるといふ思想についてはギリシャの文獻にはなんらの足跡を發見することはできない。ローマ人も社會の法的成生の觀念は知らない。……中世は、獨立の自主的國家、特別の公法の存在の想念すら知らない。(註19)」

法概念が成起しうるためには獨立の意思主體としての個人の觀念を前提する。即ち特權的身分的イエラルシイの存在しないこと、——逆に無權利者の存在しないことを前提とする。

かくて古代中世を通じての個人の概念・法の概念の缺如が語られた。この二概念の缺如は逆に全能國家の概念の表出を意味するのである。エリネックの言へる如く、「古代の學説においては國家は全能者と考へられてゐる。何となれば法的制限に關するあらゆる動機を缺如し、かつ緊密に統一的に建てられた、常に唯一・一次的直接機關にのみ依存する國家においては立憲的制限のあらゆる可能性が奪はれてゐるからである。(註20)」孤立的個人と法概念とは近代市民社會の定立なくしては不可能であることが理解せられる。と同時に古代・中世的國家の目的論的觀點、國家の全體主義的觀念の否定が啓蒙期思想の特徵として日程にのぼされ、いはゆる「法主權」「法治主義」の思想が現出するのである。

即ち、「至高權の具象化としての國家は國家に義務を負はす（國家權力の制限のみならず）ところのより高き權力に地位を讓らねばならぬ。」「法による國家權力の制限」[註21]――法主權は個人主權と共に近代市民社會の權力の領野における双生兒である。

ところで法主權の概念は市民社會體制の一應の確立なくしては斷じて存在することができない。特權的身分の存在は法主權の觀念を表象しえないのである。あらゆる個人の平等、（この個人の構成する國家をも含めて）のみが法主權概念表出の基底である。從つて絕對主義體制の地盤に立つホッブス思想においてはなほこの概念を見ることは出來ない。

個人と個人との關係が法的關係として規定せられるとはさらに進んでいかなる形態のもとに關係するのであるかをも觀念しなければならぬ。こゝではわれわれはいはれる如き契約說に想到するのである。社會は個人と個人との契約によつて成立する。即ち各個人は契約によつてのみ關係ずけられる。

啓蒙期自然法思想における個人主義と契約說とは構造的に癒着せるものであ

り、赤い糸のように各思想家の體系を貫徹してゐる。そしてこの二つの契機が市民社會體制の最も本質的なるもの反映であることは、容易に理解されよう。

以上の啓蒙期自然法思想の一般的に規定された諸特徴を、より個別的に、分析的にスピノーザー及びホッブスを通じて觀念しよう。

（註1） Vorländer, K., Geschichte der Philosophie. I. Bd. 1921. S. 62.

（註2） Wilamowicz, Staat und Gesellschaft der Griechen u. Römer. 1923. S. 33. ff. 參照

（註3）

エスピナスの研究によれば紀元前五世紀にいたるまでギリシャには徹頭徹尾宗教的性質をもつた甚だ强力な社會的紐帶が支配してゐた。法的・倫理的規範が神に歸向せられたのみならず、パン燒、耕作などにいたるまでの瑣末なる慣習、技術上の練習が等しく永遠なるものと考へられた。したがつて大昔からのかかる規制の遵守が新しい時代にまでも拘束力を有するものと考へられた。この意識形態が新しい、より高次の生産力發展の契機なる技術の發展にとつて決定的な障碍を形成してゐたのである。すなはち技術をかかる束縛から解放し、體系的な農業・産業を效果あらしむるためにはかかる Nomoi に拘束されざるの信念をもたらす必要がつた。

合理主義的・功利主義的觀點は實に社會的發展の桎杆であり、かかる潮流はまたソフイスティクの法・倫理的思想の生みの親でもあつた。

Vgl. Eckstein, W., Das Antike Naturrecht in sozialphilosophischer Beleuchtung. 1926, S. 20.

（註4） かかる暗示にのみとどまつた事態はプロタゴラスにおける自然法思想の存在の否定の解釋を伴つた。メンツエルはプロタゴラスが法を以て自然的なるものでなくて人定的なものであると解した點を强張して、かれに自然法思想を認めてゐな

い。社會的有用性なる概念を一つの高次の規範として承認しないところから來てゐるのであらうが、それは單に、暗示的にではあつたが、かかる規範における二元的對立の聯關が把握されてゐる以上はかれに自然法の契機を認めうるであらう。

Vgl. Eckstein, W.; ibid. S.S. 27—28.

フォレンダーは簡單にソフィストにおける自然的 φύσει と人定的 νόμῳ との對立を認めて自然法思想の萠芽としてゐる。

Vorländer, K., Von Machiavelli bis Lenin, 1926. S. 56.

（註5）Eckstein, W., ibid, S.S. 84—85.

（註6）Bryce, ibid, P. 594.

（註7）Carlyle, A History of medieval political theory in the West. 1909. II Vol. P.P. 102－105. passim.

（註8）Bryce, ibid, P. 505.

（註9）（註10）R. Pound, Law and Morals. 1926. P, 8.

（註11）Windelband, Lehrbuch der Geschichte der Philosophie. 1928. S. 146.

（註12）Dunning, Political theories, ancient and medieval. PP. 104—105.

（註13）Windelband, ibid. S. 147.

（註14）ibid. S. 146.

（註15）ibid. S. 148.

（註16）Dilthey, Gesammelte Schriften. II. S. 258.

（註17）ibid. S. 279

（註18）Jellinek, G, Allgemeine Staatslehre. 1922. SS. 329－330.

（註19）ibid, S. 270.

（註20） ibid, S. 330.

（註21） Krabbe, ibid, S. 145.

第二章　スピノーザ自然法論の個人主義的性格

「商業は自由でなければならぬ。もし利潤のために地獄に潜り込まなければならぬとすれば、帆を焦すともそれを行はねばならぬ！」

これはヨーロッパ及びアメリカ、アジヤ諸國の殆んど全海洋を航行して商業制覇の旗を誇らかに飜がへしてゐた海の「ヨーロッパ行商人」の合言葉であつた。まことに嵐のような富の增大の時代である。

アメリカの貴金屬、インドの香料、バルティック沿岸の穀物及び木材、イギリス及びスペインの毛織物――すべてこれらがネーデルランドの無數の商船によつて輸送されたのである。オランダ及びその主要港アムステルダムノ富はバルチック沿岸諸國との穀物貿易、漁業と造船業の上に急速に增大した。

オランダは當時の最も「典型的な資本主義國」であつた。地球上のあらゆる場所に植民地を有し、オランダ東印度會社はインドからの利潤のひきだしに狂奔してゐたし、一六〇〇年にはアムステルダムに主として商工業上の相互清算のための銀行が創立された。それは十七世紀の終に創立されたイギリスの銀行の模範となつた。

かくて、植民地からの用捨なき利潤の獲得、農民の土地からの解放、商業精神と投機の未聞の發達、これらは當時のオランダの特徴である。かかる商業の發展と密接なる聯關において、工業においてはツンフト制度の崩壞、家内生産及び集中的マニユフアクチユア生産の發達を持つた。フランス人ピエル・パイが一六八二年アムステルダムに百十機を持つ毛織生産のためのマニフユアクチユアを建て、ほぼ同じ頃ヤコフ・ヴアン＝モルによつてウトレヒトに水車を動力とする絹マニユアアクチユアが創立された。そこでは五百人の勞働者が働いた。その他、同じモルは、勞働者が自家で働くところの千百機を所有した。ウトレヒトの繁榮時代にこの都市に絹織物及び毛織物の生産に全部で約一萬人の人間が働いた。當時アムステルダムには五萬四千人の工業勞働者がおり、纖維工業だけで當時のオランダに六十萬人の人間が働いた。

かかる經濟＝社會關係は、すでに一五六六年から一五八八年のあいだにすでに市民革命によつて封建的スペインから獨立してゐることを前提としてゐる筈である。オランダは最も進歩せる市民的自由の國として、ゲルマンの封建制度と戰ひ、數十年間フランスの絶對主義に反抗した。迫害されたユグノート敎徒は同國に避難所をみだした。このくには十七世紀の條件のもとでは最大の良心の自由を保證してゐた。

市民社會體制の確立は明らかなやうに中世的封建體制の廢棄を意味する。停滯的・封鎖的自足的社會＝經濟關係、君主を頂點とする靜態的イエラルシー、ならびに同じく封建的支配の一大支柱たりし敎會支配、かかる甚底より必然的に派生する神學、あらゆる現實の隱蔽、游離。——すべてかかるものこそは中世社會の表徵であつた。新しき體制が眼前にあるのである。とりもなほさず市民社會である。

超經驗的世界に關する中世的迷信はもはやこの新しい社會關係には適應しない。生産力の異常なる發展が必然的に結果する自然の支配が初まつたのである。此の社會においては神學に對して自然そのものの認識、現實の法則の認識の學卽ち「科學」が代つて現はれねばならない。卽ち市民社會は實在界の法則の認識を要求し、自然力を市民的生産の發展のために利用する目的で、自然力の認識を要求する。しかるに自然の認識は市民的體制に應じた認識方法を要求する。神の啓示は封建的教會の意思にほかならない。自然はそこでは認識され征服されるといふのではなく、逆に自然こそが征服者であつた。かかる社會には神學はまことに哲學を「侍女」たらしめることができたであらう。市民的體制においては神の「啓示」ではなく人間の「理性」が支配する。哲學が神學を排除する。

自然力の利用の必要上、自然法則の認識を要請された市民社會は同時にみずからの性質をも認識することを迫られる。自然へ働きかける人間の社會關係は同時にみずからをも變革してゆく。そこでみずから變化してきたこの市民社會の最も正當なる形態・本質の認識が當然に追求されるのである。

このようなオランダ社會の要望を表示してゐるのがほかならぬスピノーザ哲學である。

まことに「熱を含んだ冷静さのうちに偉大な自然を直感する時のような感じに襲はれる。この思想の森は天涯にまで達し、頂きまで咲き亂れ、風に波打してゐるが、一方では、微動だもしない幹は地中深く根を張つてゐる。」(ハイネ)

スピノーザの哲學體系は倫理問題卽ち「公益」の問題＝人間の個人的・社會的行爲

の問題を出發點としたのであるが進んで本體論上の問題、認識論の問題へと掘りさげる必用があつた。倫理的問題を解決するためには部分としても全體としても同一法則に從がつてゐるところの宇宙・自然の本體の問題を豫め解決することを迫られた。

主著「倫理學」は無限の實體・自然から樣態へ、ついで窮局の結論たる人間・人間の行動へと進められてゐる。

かかる現實態の認識が幾何學的方法によつてすすめられてゐることも一つの特徴としてあげなければならぬ。「倫理學」には「幾何學的方法による敍述」といふサブタイトルすら附せられてゐる。かれにおいては理由と歸結との論理的・數學的關係をもつてかの生きた直觀的觀念に代替せしめてゐるのである。あたかも空間の本質から幾何學の一切の定理が繼起するが如く、現實における因果關係は普遍的本質たる神＝自然の概念からの理由と歸結といふ論理的發展によつて眞の認識は成立する。それは時間的關係ではなく、「ある永遠の相のもとに」繼起する必然的歸結としてあらはれる。倫理學の敍述の形式は定義と公理と定理によつて組みたてられてゐる。

かれにおいては、自然界に數學的に證明されえないものは一つとして存在しない。

徹頭徹尾の決定論によつて、あらゆる事物の必然的關聯――いかなる偶然性も承認されない――を幾何學的方法によつて認識する。あらゆる事象を理性の論理的幾何學方法・演繹の審判の前に提起して、この幾何學的必然性に堪えないものはすべて存在の眞理をもちえない。あたかも俊嚴なる鐵の規律のごときかかる方法が徹底した唯理論であることはあきらかであらう。

そこでわれわれが問題とする「人間」にたち返らう。

かれの規定は、人間は自然の一部であり、その生存の法則、その必然性は、自然全體の存在の一般法則、自然全體の必然性の一般的法則によつて規定され、かつそれから抽出されねばならぬといふことである。

かれみずからに語らさう。

「わたしの考へるによれば自然法とは自然法則そのもの、いひかへれば、それにしたがつてあらゆるものが成起する法則即ち自然そのものの力である。それゆえ、全體の自然及びあらゆる個々の個物の自然權はそれみずからの力に正確に一致する。從つて、人間がその自然法則に從がつてなしたる行動はすべて最高の自然法に從つてゐるのである。(註1)」

しからば人間的存在の自然法則はなんであるか。

デカルトおよびホッブスと等しく、――實はスピノーザにおいて二者の思想の交錯があらはれてゐるのである――スピノーザもまた「諸情緒及び諸激情の自然史」を呈示したのであつた。スピノーザは appetitus, laetitia, tristitia の三情から、一切の情意運動がそれの本源的對象、すなはち個體の自己保存から他の諸觀念にまで移りゆく諸般の表象過程を立證することによつて情意運動の體系を展開する。(註2)

無限の實體たる神＝自然の自愛 Selbstliebe がその存在の永遠の法則であるが故に、この無限の實體たる神＝自然の變樣たる人間はその本質上自愛即ち自己保存の衝動をその存在の最高法則としてそれゆえまたその最高の德として內包するのである。しかして最高なる人間の幸福とはとりもなほさずこの存在の法則にしたがつて生活しうることである。

「自己保存の努力が」とスピノーザは述べてゐる「德の第一のそして唯一の基礎で

ある。なんとなれば此の原理以外にはなにも考へられずまた此の原理なしには、いかなる徳も考へられないが故である。(註3)」

また同じことではあるがこういつてゐる。「絶對的に徳に從つて行動することは、理性に從つて、自身の利益に對する努力に基いて行動し、生活し、自分の生存を維持すること(この三の言葉は同じことを意味する)にほかならない。」「絶對的に徳に從がつて行動することはみずからの自然法則に從がつて行動することにほかならない(註4)」

かくて、徳は理性的行爲であり、自然法則的行爲であり、その内容は自身の利益に對する努力に基く行爲である。

自己の利益を中心に生活することが自然の最高法則であつてみれば、それに從がつて「各人が善惡を判斷し、自分の考へに應じて自己の利益を計り、復讐し、そしてすきなものを維持し、嫌ひなものを破壞しようと(註5)」したところで別に不思義なわけはないであらう。

このような利己的人間が利己的である限りますます理性的存在であることをスピノーザは次のように述べてゐる。

「すべての人間が最も多く自己の利益を追求する時、人間は相互に最も多く利益する。なんとなれば、各人が自己の利益を追求し自己保存を努力することと多ければ多いほどそれだけ多く德を與へられる。或ひは同じことではあるが、その自然法則に從がつて行動する、より大きな力卽ち理性の指導に從つて支配する、より大きな力を與へられる。(註6)」

一にも二にも三にも個人の利益！

ギルドの强力なる統制と堅固なる秩序、莊園の封鎖的・特權的・身分的イエラルシー、それ自體が巨大なる封建領主たる敎會の絕對的支配――すべてあらゆる個人が社會に沒入してゐる中世社會にかかる原理が存在し能ふであらうか。もちろんそうではない。

「上層の人間が、神から授けられた命令權によつて自己の意志のままにその臣下のものを行動せしめねばならぬ。」「神的なる自然法の秩序に基き目下のものは目上のものに從はねばならぬ」(アキナス)

ほかならぬオルガノロギー的なるものをもつて特徵ずけられるかかる思想こそがまことに中世にふさはしきものであつたのである。反對にスピノーザにおいてはこうしたイエラルシーは奴隷としてすら考へられてゐる。「自己の利益のみを目的としてゐる主人の命令に服從するもの」(註7)がすなはち奴隷である。自己の増大しゆく富のみが唯一つの存在目的である關係が市民社會體制でなくてなんであらう。自由なる商品の領有及び、平等なる自己所有商品の交換を原則とする市民社會の觀念形態として自由なる自己の利益の増進がもつとも理性的として宣言されるのである。

市民制的私的領有制度が明白に反映せられてゐるのに止目すべきである。この私的領有制の契機をスピノーザはほかのところでもつと明瞭に述べてゐる。

「人間の性質といふものは、各人が强烈なる衝動をもつて自己の個人的利益を求め、自己の財産維持増大に必要なる法律を最も公正なるものとみなし、自分自身の利害を確保せんせんとするかぎりでのみ、他人の利害をも擁護するやうな風に振舞ふものである。」(註8)(傍點筆者)

あくことなき自己の爲の増殖が人間相互を從つて特定の社會關係ますます富ましむる體制、自己の計算においてのみ他人の利害を考慮せんとするそれが人間自然の永遠の法則＝自然法としてスピノーザのうちに觀念せられはしたものの、その永遠の理性的法則の規定にもかかはらず、自由競爭をその本質的契機とする市民制社會構成――歴史的社會構成――の歴史的に規定せられたる觀念態にすぎないといふことは、いまにしてはじめて理解せられうるのであらう。

ところでこのようなスピノーザによつて認識せられたる合理的社會制度の存立の可能はなんらの規定なくしてあたふ性質のものではない。

「人間が理性の指導によつて生活する限り、そしてその限りにおいてのみ人は自然に從がつて必然的に常に調和するのである。(註9)」(傍點筆者)

即ち逆にいつて、

「人は諸欲情になやまされる限り相互に對立する。(註16)」

人間が理性的に行動する場合にのみ、自己の利益を追求することによつてますます利益をうる如き體制は存在しうる。ところでスピノーザによれば人間がすべて理性的に行動するのではない。むしろ、

「人は多くは此の激情(筆者註、怒り、嫉み、爾余の嫌惡すべき一種の激情)に隷從するがゆえに、したがつて、本來人は敵である。もつとも恐れねばならないもの、もつともそれにたいして身を護らねばならぬものは、わたしにとつては最

惡の敵であるがゆえである。」(註11)

最高の自然法も決してなんらか强制的規範ではなくして、市民社會體制の基礎的＝本質的契機の最も抽象的な表現にほかならない。それはその社會の直接的確知の關係の表現、従がつてまた最も自然的な行動規範の呈露を意味してゐる。

それはいはれる如き自然狀態であつて、政治的＝國家的規制を包有しないところの關係である。従つて

「自然狀態には、共同の合意にしたがつて、ある物の所有者であるといふ者はゐない。即ち、ものがこの人に屬してあの人に屬してゐないとわれわれがいひうるものは自然には存在しないのである。萬物は萬人に屬する。」(註12)(傍點筆者)

大きい魚類は小さい魚類を喰ふ。力と等量の權利を有すると、スピノーザがほかのところで述べた(註12)のは、まさに自然權が決していはゆる權利でないこと、即ち物の領有における排他的＝支配的契機を保障されてゐない、自然狀態における權利であることは明らかである。

すなはち、すべての人間は理性のみによつて容易に導かれうるどころか、か

へつて、そのもろもろの欲望に左右され、利慾、名譽慾、嫉妬、憤怒等々が理性にはなんらの餘地を殘さないほどに精神を痲痺さしてゐる。それゆえ、人が明瞭に正直さをあらはして約束し、信義を守る義務を負ふとはいへ、その約束に何かほかのものが附加されるのでなければ、他人の信實の保證がない。(註13)相互的に助け合ふこともなく、相互に敵として對立し合ひ理性の指導もなくして悲慘に生活することから離脱して、人人が安全に愉快に生活するためには、人人が結合しなければならない。そして、各人の自然的な萬物に對する權利を爾後、それがもはや個人の實力、欲望によつて規定されず「全體の力、意思によつて規定されるように、共同で持つ」といふことを實現しなければならない。(註14)すべての人が共通の法を持ち、居住し耕作しうる土地を共有しみずからを防衞し、あらゆる暴力を擊退して、社會的意味に從つて生活する場合にのみ、自然固有の自然法は考へられるのである。(註15)

この明らかなる地域社會は如何なる構成を持つものであらうか。

ここでは各人は自己の力を全部この社會に讓渡しなければならぬ。そこで、社會は萬物に對する最高の自然法卽ち最高の力を所有し、各人は自由意思によつてか、または、嚴肅なる刑罰を恐れてか、いずれかによつて、この最高の力に服從することを强ひられる。

この最高の力はいかなるものによつても制約されない。むしろ各人があらゆる點においてこれに服從しなければならない。(註16)

かかる社會が國家でない筈はないであらうし、その構成員が市民と呼ばれてゐることも、當然のことであつた。

「われわれが國家權力の敵とならざることを欲し、理性——國家權力が全力をもつて擁護しようと努力するところの、——に背かざらんと欲するならば、われわれは最高權力のあらゆる命令に無條件に服從しなければならない。(註17)」

しからば國家へのかかる絶對の服從は各個人の自然權＝自然法の否定を意味するであらうか。そうではない。かれにをいては自然權は自然法と同じく永遠の妥當性を持つてゐるのである。だからなんらかの協約が結ばれたとしても自然權そのものは決して否定されない。

スピノーザにおいては、クウノー・フィシャーがいつているように、「國家は廢棄された自然法ではなくてむしろ實現された自然法又は自然法生活の必然的な結果、形態といふ意味に解せられてゐる。」「自然形態の法的側面でなくただ危險なる側面のみが國家において廢棄されねばならないのである。即ち個人の權利でなく事實のみがここでは除去されねばならない。だから自然法的生活と國法的生活の唯一の區別は、生存の安全である。」(註18)(傍點筆者)

自然法がスピノーザにおいては市民制的財の生產・流通の自由・平等を意味してゐることはすでに述べた如くである。かゝる財の流通・增殖行程はしかしながらなほ財の領有の確立なくしては跛行的なるを免れない。從つて國家によつて實現さるべきものは所有權の安全である。所有權は生產流通の自由原理を表示する自然法を基底としてのみはじめて可能である。まことに自然權は國法の基礎であり源泉である。

自然狀態のもとでは各人の自然權を犯すべからずといふ制約はない。從つて自然權の國家權力による是認、保護こそが市民社會一般の存立にとつて必要であつた。所有權とは國家權力によつて制定された自然權にほかならぬ。

スピノーザは無名氏宛への手紙のなかでもこのことをホッブスと對比して述べてゐる。

「國家論についていへば、貴下がお尋ねの小生とホッブスとの相異は次の點にあります。即ち小生は自然法を不可侵なるものとしてそのまま維持するといふことと、あらゆる國家の最高の政廳の臣下に對する權利は自然狀態にをけると等しく、個人に優越する力の程度に相應するだけが認められるといふこととであります。(註19)」

ホッブスにおいては契約によつて國家に讓渡されるや否やその構成員は從來の自然權の完全なる癈棄により、爾後あらゆる自由、權利を失ひ支配者の側の判斷に隷從しなければならない。自然狀態における自由・平等の權利は跡かたもなく消失して終ふ。スピノーザみずからホッブスとの相異を述べている上の言葉は止目しなければならない。といふのは、この對立する觀念によつて二人の思想が全然歷史的に異なれる段階にあることが明らかにせられるからである。

即ちホッブス思想はイギリスにおける Absolutism ——なほ封建的契機を藏している——段階に照應せるものであるに比して(一六八八年の市民革命の觀念的外飾はロックが擔つたのである。)スピノーザにおいては、未成熟ではあるが市民社會の一應の確立をみた段階であり、「國法の背には絕えず威脅的監視人として人權が立つている。」「その原理において革命的」(註20)なるものを特徴としてゐる段階である。二者は歷史＝社會構造の歷史的差別＝前後に照應して、構造的に原理をも差別＝前後せねばならぬ。かくしてのみ各々の持つ思想の本質把握が可能であらう。

所で獨立の個人のそれみずからの私益にをいてのみ行動する筈であつた個人が國家に絕對的に服從する關係についてスピノーザは次の如くにも述べてゐる。「恐らく多くのひとは、命令に基いて行動するものは奴隸であり自由意志に基いて生活するものが自由なる人間と考えることによつて、私がこのようにして人民を奴隸たらしめんとするものであると信ずるであらう。しかし、この前提は無條件には正しくはない。自己の利益を知りしかも追求することをしない程に情欲に身を委ぬるものこそが實は奴隸の最たるものなのである。反對に自由人は心から贊成して理性によつてのみ導かれるものである。……行動が行動者の私益のためでなく、命令者の利益を目的とする場合には行動者自身は何んらの利益をもえないが故に奴隸行爲と見られる。しかしながら社會乃至國家にをいては、支配者の安逸でなく全國民の安寧が最高の法則であるから、萬事、最高の權力に服從するものは自らは利益なき奴隸ではなく、たゞ單に臣民とよばれうるにすぎない。

いひかえてみれば「全體のためにつてまた自己のために利益になること」を最高權力の命令に基いてなすもの」が臣民と呼ばれる。(註21)

かくて熱心にスピノーザによつて說かれるところのものは個人の自由といふものは國家的社會において否定されるものではないといふことである。どこまでも「個人の利益」がハウプトでありズヴエクトである。いや實は「個人の利益」のためにこそますますもつて國家というものが必要であるともいえるであらう。

國家は基本命題でなく演繹的命題であり、本來的なものでなく派生的なものであり、人間自然のアトリブユートではなく其の產物であると、比喩的に言えるのである。

あるひはまた目的概念によつて判斷することが許されるならば、國家は人間の生活にとつて目的ではなく手段である。

「全體が部分に先んずる、國家は個人に先んずる、そしてそれは恰かも有機體が其の分肢に對する關係の如きである」といふ命題とは全然反對な命題がスピノーザ及び一般に此の期の自然法思想家に妥當する。

即ち「部分が全體に先んずる。それ故、國家は無條件・窮局の價値ではなく、單に社會の利益に依存する相對的・制限的價値を持つにすぎない。」だから社會の直接の利益をもたらさないあらゆる力は國家の領域からとりあげられる。

いはば個人は國家の Urheber である。從つて國家はかつて個人の上に持つていた歷史的な絕對の權威を奪はれ、一つの「つくられたる法組織」にすぎない(註22)ものとなつた。

以上の如き國家の基底を個人におく思想はスピノーザに限らず、此の期のあらゆる思想家が、いろいろのヌアンスにもかかわらず、この點においてのみは一致してゐた特質である。

スピノーザはいはば國家の全體性的性格について、嘲笑するが如くに、「もし、かゝる理由から(筆者註、すでに述べた如く自然狀態においては各人自己の權利を確保できないが故に、かかる自己利益を確保せむためには國家が必要である)スコラ哲學者が人間を『社會的動物』とよばうとするならば、なんらそれに反對す

る理由はない。」(註23)

ここで『社會的動物』といはるるのがスコラ哲學者が好んで用ひるアリストテレスの Zoon politikon でないことは、かれが皮肉にいつてゐるのでもわかる。

アリストテレスの意味するのは「全體が部分」に先行するといふ古代的または社會學的命題である。(註24) 反對にスピノーザは既述の如く個人の利益が全體に結合してかへつて實現されるが故に社會を「つくる」――この意味で社會的動物といはれるのならば反對する理由はないといふ意味である。即ち社會(全體としての)がそれみづからの生命を持つものとして個人(部分としての)に對立するものではなく、かへつて統一的全體としての社會の概念の缺如を意味してゐるのである。社會に關する個人主義的觀點の貫通がこの市民社會の黎明期のオランダ人の理念でなければならない筈である。

グロテユウスは自然法を「理性的・社會的自然の命令」として規定して人間に生得の社會的衝動を自然法の源泉として考へてゐる。

「人間の認識に一致せる(humano iu tellectui convenins)この社會的關心 appetitus societatis が言葉の本來の意味における法の源泉である」(註25)といふ命題とスピノーザにお

ける自然法の基底たる「自己保存の衝動」とも前述の如く、對立的に理解してはならない。この社會的自然はなんら「個人に優越の社會」概念ではない。かへてスピノーザが嘲笑してゐるスコラ哲學者の命題のスピノーザ的視角から理解すべきであらう。

グロテユウスは國家を「自由人の完全なる結合」と規定してゐるが、かれにおいては、實は、單に「個人の總計」を觀念してゐるのであつて、「緊密なる統一」を意味してゐるのではない。「グロテウスにあつては全法秩序が個人の利益の保護に役立つ」ものと解さるべきである。[註26] グロテウスはスピノーザと同一の社會的基底の上に立つ同じ系列の思想家と觀念するわれわれの立場によれば、かれの意味する社會的なるものも實は社會學の對象としての社會ではないのである。

プフエンドルフにおける persona moralis の規定がグロテウスの國家概念を顯示せるとはいへそれはそのふさはしい運命をとつてゐるにすぎない。

ギルケはグロテユウスについて述べてゐる。

「全體 univevsitas が獨立の人格としてある程度の承認を受けてゐるとはいへ、實際には終始、ただ一定の論理的聯關においてのみ統一體に總和される個人の聚合が存在するにすぎない。この人爲的・法的思惟型式が適用されない點に達するや否や直ちにわれわれは現實にそして眞に存在するものは個人にすぎないことを發見するのである。(註27)」クラッベも、グロテユウスの「社會的衝動」は人間の客觀的結合性を示すのではなく、むしろ、人間の法的被拘束性の自然的衝動を示すものであることを述べてゐる。(註28)

かくて個人主義が赤い絲のやうに全體系を貫いてゐることを知るであらう。かくてこそこの期の自然法が變革市民社會の觀念形態としてのレゾン・デトールを持ちうるのである。

國家が全體としての個人の利益のために存在し、それによつて國家權力の限界が規定されるとするならば、現實の權力は一體どこに安住するのであらうか。これはとりもなほさず國家形態の問題である。

スピノーザがいかなる國家形態を撰んだかは一方において如上の法・社會理論を他方においてかれがネエデルランド共和國のシトワイエンであることを、併せ考ふるならば、明らかであらう。

「民主的國家形態は最も自然な國家形態であり、自然が各個人にあたへた自由に最もよく相應する。」

と述べ、ついで民主主義の本質を論じて曰く、

「民主政においては個人自身が將來においてはもはや相談にあづからないといつた意味で自然權を他へ讓渡するのではなく、かれみずからが一部分を構成する全體社會の多數に自然權を讓渡するのである。かくてここでは、すべてのものが以前の自然狀態におけると同じやうに平等である。」

そしてまた此の民主政においては「國家のうちにおける自由の效用が最もよく立證される」のである。(註28)

自然狀態における自由・平等が市民社會體制の現實的構造のエレマンをなす商品の Träger としての法則――卽ち市民社會の初步的ではあるが絕對基本的な法制の反映であるとすれば、かかるものが充分に保持される國家形態たる民主政をかくまで明瞭に呈示せるはかれがネーデルランド共和國の最も進步せる代表者たることをあらはしてゐる。事實かれが親近せるヤナ・デ・ウイットの政黨の支配時代のオランダにおけるほど國家全般にわたつて民主主義が繁榮したところは當時なかつたのである。

もちろんスピノーザは「政治…」においては三つの國家形態——君主政治、貴族政治および民主政治を分析してゐる。

そして君主政治についてはこうのべてゐる。

「あらゆる權力を一人の人間に讓渡するといふことは奴隷制にはふさはしいが平和にはふさはしくない。(註29)」

これは君主政治に對する赤裸々な反對意見である。しかしながらこの場合における君主政治といふのは封建的君主制度である。その證據に國王が「顧問官」や「その他の同僚」——全市民がそれぞれふり當てられてゐる、各「皇族」から捧呈された名簿に從つて國王が選擧する人々——にとりまかれてゐる場合は、この君主制は合理的なものと認められ、この場合の君主制の全市民は平等の權利を有してゐる。これはあきらかに近代においても存在する市民制的君主制を指示してゐるのであらう。『神學・政治論』においてはしかし尖鋭な形で民主政治を絶對的に支持してゐる。

「だから(筆者註、といふのは民主制こそが絶對的に合理的でありかれ自身の體系からくる必然的な結果でもあるのだから)わたしは他の國家形態の基礎には言

及しない」とさへいつてゐる。(註30)

そして最高の權利は最高の力を持つものにぞくするのであつて國家形態の如何を問はないことを指摘してゐる。このことは市民制的君主制論と併せ考へるとまさに國家形態はその社會的構造に直接的聯關をもたず、いろいろの形態において社會構造を包攝・癒着しうることを示すものであらう。

しかし同時に、ヤナ・デ・ウィットが一六七二年にウィルヘルム・オランスキーの君主的政黨員の敎唆に乘つた群集のために慘殺され、續いてオランスキーが僧侶の援助をえて政權を握つてから後に書かれたスピノーザの政治論」がそれ以前に書かれた「神學政治論」よりも遙かに穩健で現實の反動的分子に對する和解的態度が著しく漲つてゐることも明らかにされえよう。

それ許りではない。かれの民主制すらがその概念をそのまま(卽ち最高の發展をもつ近代概念からみて)無規定にうけとることはできないほどに十七世紀のオランダ社會の諸條件に制約されてゐるのである。

スピノーザの民主制においてはまず外國人が除外されさらに婦人が除外されてゐる。そして最後に奴隷または日傭人や家僕をも含めて一般に從屬階級が除

外されてゐる。(註31)

そして次の如くに述べてゐる。

「民主主義的制度の下では、この種の國家は最良の人士ではなく、周圍の事情や總領といふ如き有利な組合せのために有福となつた人々が政府に豫定されてゐるので、あきらかに貴族政治に劣るやうに見えるが、しかし、實際に人間の一般的性質を注意するならば、事情は同じことに歸着するやうに思はれる。愛國者(選ばれた最良の市民)といはれるのは常に富者が、自分の近親者か友人を最良の人士とみなすことによるのである。(註32)」

そしてさらにこれが限定されて

「一定の年齢に達した中年者、または大人になつた總領、又は國家に一定額を納める人々のみが投標權その他を持つといふことを法律によつて制定すべきである。(註33)」

といふところまできてゐる。

しかしこの制限的民主制はかれが頭のなかで勝手に考へだしたものではない。かれもやはり時代の事であつたといはねばならない。

即ち當時のオランダ共和國では、勞働者及び職人は勿論のこと手工業者や商人は全然行政に參加しなかつた。オランダの各地における百二十萬の住民のうちに選擧權を所有するはたつた二千に過ぎなかつた。まことにスピノーザは十七世紀オランダのうめる最大の進歩的な思想家であつたとあらためていはねばならぬ。

しかしそこでは當時のオランダ社會の持つ現實的構造の進歩的なるものとなほ未成熟なるエレマンをも同時にかれの思想の上に包攝してゐる。そのことは特に哲學においてあてはまる。なほマニファクチュア生産の段階にあつたことを思へば、神學的なる殘滓をもつてゐたことも肯定されよう。

（註1）Spinoza. Der politische Traktat. (Reclam) S. 17.

（註2）Windelband, Lehrbuch der Geschichte der Philosophie. 1928. S. 347.

（註3）Spinoza, Ethik. (Der philosophischen Bibliot. Bd. 92. 1922.) S. 192.

（註4）Ebenda.

（註5）ibid. S. 205.

（註6）ibid. S. 300.

（註7）Spinoza, Der Theolo-politische Traktat. (Reclam.) S. 305.

（註8）Derselbe, Der politische Traktat. S. 72.

（註9）Derselbe, Ethik. S. 199.

（註10）ibid. S. 138.

（註11）Derselbe, Der politisch. Traktat. S.S. 23—24.

（註12）Derselbe, Ethik. S. 206.

Derselbe, Der Theologisch-politische Traktat. S. 296.

（註13）ibid. S.S.301—302. スピノーザは自然狀態における自然權の無保障について「現實の權利」であるよりもむしろ「空想の權利」であるともいつてゐる。(Der politische Traktat. S. 24.)

（註14）ibid. S. 299.

（註15）Der polit. T. S. 24.

（註16）Der Theol.-pol. T. SS. 302—303.

（註17）Ebenda.

（註18）Kuno Fischer, Geschichte der neueren Philosophie 1878. Bd. I. S. 443.

（註19）Spinoza, Briefwechsel. (Der phil. Bibl. Bd. 96a.) S. 209. Vgl. Menzel. ibid. S. 341. メンツエルにおいては Jelles 宛の手紙となつてゐる。譯もメンツエルの方が優れてゐる。

（註20）Kuno Fischer, ibid. S. 455.

（註21）Der Theol.-pol. Traktat. S.S. 304—305.

（註22）Kuno Fischer, ibid S. 454—455.

（註23）Der pol. Traktat. S. 24.

（註24） Vgl. Menzel, ibid. SS. 343—344. メンツエルによればホツブスがアリストテレス的命題をエネルギツシュに排撃しスピノーザが animal sociale といふスコラ的命題に根據を與へてゐると言ふ。これはまさに兩思想家を言葉の上だけで見て構造的に見ない例である。Vgl. Meinecke, Die Idee der Staatsräson, 1929. S. 275. 同一の事が語られてゐる。

（註25） Grotius, Libri tres de jure belli ac pacis. prolegomena. 8.

（註26） Vorländer, K., Von Machiavelli bis Lenin. 1926. S. 58.

（註27） Gierke, Natural Law and The theory of society. Tr. by E. Barker. Vol. I. P. 79.

（註28） Krabbe, ibid. SS. 106—108.

（註29） Der theolopol. Traktat. S. 305.

（註30） Der Pol. Traktat. S. 53.

（註31） ibid. 10 Kapitel.

（註32） ibid. S. 154.

第三章　ホッブスの自然法論

ホッブスにおける自然法理論もまた前國家的自然狀態とそれから必然に結果する自然法なるものが觀念される。すでにホッブスは人間の屬性として「體力」「經驗」「情性」「理性」(註1)を規定してゐる。かゝる人間屬性は人間の對立鬪爭＝自然狀態にも平和維持＝自然法狀態にも必然的にあらはれくる。理性は自然狀態においても支配し、自然法をみづからに人間が課するのもかれらの理性であり情性である。從つて自然狀態及びそれからの自然法は人間の自然的な永遠的な形態として把捉されおるものである。「すべての人間はかれらの間において自然的に平等である。」「不平等」は國法にその源泉をもつ。(註2)ホッブスにおける人と人との關係の第一の前提は人間の本來的平等である。かゝる平等關係における最も重大なるしかも必然的な契機は自由である。あらゆる物を平等に支配しうる自由である。Natura dedit omnia omnibus「自然はあらゆる物をあらゆる人問にあたえた。(註3)」人間は總じてあらゆるものに對してみずからの利益のためにその獲得を主張しうる。

ひとが自身の利益に對して、力、能力を用ふるの當然の自由、(又は權利 jus と呼ばれる)(註4)これは理性の要求するものであり、ホッブスはこれを jus naturale 自然權として規定してゐる。(註5) 然しながらかゝる平等と自由はまた必然的に競爭の、鬪爭の關係でなければならない。「この自然的自由における人間の狀態は爭ひの狀態である」(註6)。人間相互間の不信、疑惑、懸念、誇示、總じてホッブスによつて「恐怖」といはれてゐるものが作用する。かゝる狀態は工業も貿易も藝術も社會もなく絶えざる恐怖と暴力的殺戮の危險を孕む「孤立的な、貧困な、汚い、獸的な、長續きのしない」(註7)萬人の萬人にたいする鬪爭の狀態であるといはれる。かゝる狀態においては各人はあらゆる手段をもつてみずからを保護しようとする。何故かなら、人間はその本性上自己の利益を望み自己に對して都合の惡い事象を嫌惡するが故に。これは人間における自然法則である。從つて各人は自己の利益的目的に對する自由、及び自己防衞のために必要だとみづからが考えるいかなることをもなしうるの自由をもつてゐるのである。然しながら、一方においては人間は自然必然的にみづからの利益を欲し、他面においてはあらゆる人間があらゆる物に對して支配權をもちうるといふのは自己矛盾であらう。(註8) かゝる權利は事實上なんら權利ではない。各人がみずから自己の所有權を主張しようとも同一對象に對して、他の者も同時にかゝる所有權を主張するであらう。權力の限界もなくそれを拘束するなにものもなき「狼」の關係である。かかる關係においては、なんらの拘束なき故にあるひは正當に侵害し或ひは正當に反抗する權力的關係が存するといふことが言ひうる。然しながら權力と言つても單に事實的に獲得せし權力に過ぎないが故にそれを維持しうる限りにおいてのみ所有の關係の存在を認定しうるのである。正義も不正もないのである。即ちホッブスによれば「暴力」と「詐欺」が鬪爭の決定である。もちろん共同權力も法律もない。かくて人間を平和にむかはしむる情性は人間に對してかゝる恐怖からの逃避を要請し、また人間自身の利益ある生活に必要なる物への欲望、産業によつてそれを得んとの欲望、へと驅りたて、理性は人々が一致してそれにたよるべき平和の定律を暗示する。即ち理性は各人が各自の利益のために平和をもとめることを要求するのである。かかる規制が「自然理性の法則」即ち、自然法 lex naturalis といはれるものである。いはれる如き自然狀態においては「自由」が、自然法においては「義務が發生する。人間の平等の、自由の、關係はなんらかの拘束的規律なくしては人間の本性たる利己的性をかへつて滿足しえないであらう。そして事實みずからの破壞のみが約束されてゐるにすぎない。自然狀態においては理性は個別的であつた。自然法の支配する狀態ではそれは「一般的原則」にまでたかめられる。

われわれはホッブスに從つて人と人との關係を「自然狀態」として述べてきた。そしてまたかゝる「自然狀態」が平等にして自由なる個人と個人との關係であつてそれが「理性原則」によつて自然法の支配する型體にいりこむと規定した。この諸規定がいかにスピノーザ思想と同一のものであるかは他言を要しないであらう。

總じて外部的な一般的紐帶に依つて他の人々と結合されてゐない、人の人に對する、個人の個人に對する一般的な鬪爭を基柱とする社會——個性によつて互ひに排他しあう、特權的なまた身分的聯繫によつて束縛されない一般的にはなんらの羈絆なき社會關係こそは市民社會そのものゝ一般的な基礎と了解されうるのである。對等的個人の平等の關係、對等者＝對等者關係は市民社會がそれによつてみづからの成立を宣言しうる從つて封建的特權體制とみづからを區別しうる一般的な第一の前提であらう。そこにおいてはあらゆる個人はあらゆる自由を個人の名において欲望しえたのである。而してホッブスによりて自然狀態と觀念されし社會關係は他ならぬ、特定の歷史的社會關係たる市民體制のいはば直接的な經濟的勢力の無政府的・自由競爭の諸關係の觀念化と理解されえよう。平等にして自由なる個人のいりこむ社會關係はホッブスにおいては「一般理性の原則」によりていりこむ自然法體型として述べられた。「自然法は不變永遠である」。(註9)事實、市民制社會の成立は封建制社會體制にむかつてみずからを、それが特に新しく生れいでたる社會關係であつたが故にこそ、永遠の自然的な關係として特徵づけねばならなかつたのである。(註10)而してまたひとりの思索的な思想家には自己のたつ社會が人間の自然性に根據する永遠の社會關係と思惟されたのであらう。然しながら平等なる個人と個人との社會關係＝市民制社會を充分に、全面的に、說明しえなかつたホッブスは實に非現實的な歪曲的な方法にのみ賴つたのである。われわれがかゝる市民制社會をその本質的な樣相において把握するまでに何世紀を要したであらうことを思ふとき、ホッブスにおけるかゝる仕方はまた必然的であつたであらう。然しながらかゝる「自然狀態」から國家的社會への移行は必ずしも歷史的範疇として把握されてゐる譯ではない。

ソウにおけると同じく、自然狀態は國家に歷史的に先行して生起する人間の社會關係といふよりも、むしろ人間性にとつて最も自然的な狀態、換言すれば人間の一般的な、直接的確知の關係を呈示したものである。人間の眼前に現在する日常的社會の狀態は形而上學的思惟形態の旺盛なこの時代にあつては恰も人間自然の狀態の如くに思考されたのであらう。ホッブスにおいては十七世紀社會における直接的確知の諸關係のうちに規範的意識の存在が許容されてゐない。このことは當時なほ市民制的規範が普遍的に社會意識として存立しえなかつたことを意味づけてゐる。

前述せる如くホッブスにおいては個人の利益のための平和への欲求及びそのための原則が自然法であつた。從つて自然法は第一命題として、何はさて平和への努力とそれが不可能である場合の自己防衞の手段の許容を定立してゐる。而して平和の最大の反對物は、凡ての人間が凡ての物に對して權利を保有するといふことであつた。從つてかかる物に對する權利の罷止卽ち「同一事物に對して他人の權利の利益を妨害する自由を廢棄する」ことこそが、最も重要なる自然法でなければならない。然しこの「廢棄」も單純に權利を放棄する場合卽ちその利益が誰の手に渡らうとかゝはらぬ場合と、讓渡卽ちその利益を誰かに渡そうとする場合とある。いづれにしてもかくて權利を放棄せるものは以後權利を渡されし者の自由なる利益の享受を妨害しない義務を負ふ。そしてかゝる妨害をせる者は不公正なる者といはれる。かかる自然法的契機は近代市民法の第一の原理たる所有權不可侵の原則をその內容とすることが理解されうるであらう。ところでかゝる權利廢棄の行爲もその內容が人間の利益的目的に合致しなければならぬ。從つて權利にして廢棄したと解釋しえざるものが當然にある譯である。例へば死の危險から自己を救ふ權利など。而して權利廢棄の他の場合たる相互的な權利の讓渡は「契約」と呼ばれる。この契約をさらに彼は信用契約 Covenant と贈與契約に分類してゐる。契約の意思表示は明示または推量(言葉の結果、沈默の結果、行爲の結果による)によりてあらはされる。契約は現在過去將來にわたつてなされやうとも同じ效果を有し、利益を約束されしものは當然に權利を享受しうるものと期待するが故に、賣買その他の契約行爲において約束は義務によつて裏づけられねばならぬ。また「なんらかの權利を讓渡するものはその權利內においてそれを享受する手段をも讓渡する。」例へば「土地を賣る者は牧草の地役權をも讓渡する」(註12)が如き。而して契約主體について、權利の讓渡を受領し、言葉を理解しうるものにあらざれば契約はなしあたはぬが故に獸類及び神そのものとの契約はありあたはぬ。契約は履行によりまた免除により解除される。恐怖のためになせる契約も國法の無效とするにあらずんば他人が利益をうくる行爲なれば有效である。また自己防衛の原則に反する契約例へば「予を殺せ」なる契約は無效である。然しながらかゝる契約も充分なる權力を以て實行を强制すべき共同の權力＝國家權力なくしては事實上は效力がない。後に述ぶるが如くホッブスにとりては自然法は單なる「良心の義務」にすぎないが故である。

かくて「把持することによつて人類の平和を妨げる權利は讓渡すべし」といふ自然法から必然的に「なされたる契約を實行す」べき原則が生じてくる。

上述のホッブスによつて觀念せられたる、平等なる個人の諸權利が移轉さるべきこと、權利の主體が意思する個人であること、個人の利益に反する內容をもつ契約以外の權利がすべて自由に移轉されうること、などが所有權の絕對の原則及び契約自由の原則として、市民制的私法關係の初步的ではあるが基本的な形態を一應反映してゐることが理解せられるであらう。契約實行の義務なる定律はホッブスの自然法思想の最も重要なる部分をなすといはれる(註12)Justiceなる言葉によつてあらはされてゐる。「公正(Justice)の本質は有效なる契約の實行にある、然しながらそれの實行を强制すべく充分なる國家權力の組織なくしては契約の效力は生じない(註13)。」從つて公正・不正の價値規定は各個人が敵對の關係にある狀態には存在しえない。それらが存在しうるためには强制權力が――卽ち人間が契約を破棄することによつて期待しうる利益よりもさらに大きな刑罰の恐怖を與えることによつて平等に契約を實行せしむべき權力が、普遍的權利の廢棄の代償として、相互的契約によつて人が獲得せる所有物を安全に維持せしむべき權力が――前提されねばならない。かゝる權力の顯現は國家の成立なくしてはあたはぬ。かくて所有權(Propriety)なくしては不公正なく、强制權力＝國家なくしては所有權なく、また國家なくしては不公正なし。國家なき單なる自然狀態においては總ての者があらゆる物に對して權利を持つが故である。從つて「契約の遵守」をその本質とする公正の法則は所有權の是認をそのうちに保持してゐることを意味する。いひかへてみればわれわれの生活を、「破壞する」「あらゆることをなすことを禁ずる」「理性原則」「自然法」である。かゝる公正の原則はその行動態様よりして「裁定における公正」Distributive justice 及び「交換に於ける公正」Commutative justice の二つに區分される。(註14) 交換における公正は契約者相互間のそれであり、賣買、雇傭、貸借、交換及び其他の契約行爲の實行である。裁定における公正は裁決者のそれである。即ち何が正當であるかを決定する行爲である。從つて裁決者にあたへられたる信用を裁決者が實行せる場合その者は各人に各人のものを分つといはれる。これを正當なる裁定といふのである。さらに適切な言葉でいへば、「公平」Equity といはれる。

かゝる基本的な自然法よりしてさらに十六の自然法が派生する。社會は個性的個人によりて組成されし建物である。然しながらかゝる個性的個人自體にはその個性的差違はあれどもなんら價値的な優越の問題はありえぬ。アリストテレス的に、支配者、被支配者の關係がおのずから人間の間に支配者的、被支配者的の區別として生ずるが如きものではない。ホッブスにおいては既に人間における自然的平等が前提されてゐる。そしてかゝる平等關係こそがまた平和的社會に維持されねばならない。人間の諸關係における暴力的優越はいはれる如き自然狀態の特質であつた。こゝにかれらが自然狀態よりいり込む社會的體制はいはゞ理性的なものであり平等的個人の間の權利移轉の關係である。個人と個人との間には特權關係の存在はありえぬ。權利の移轉は述べられし如くありとしある行動の自由の放棄ではあつたが、かゝる自由のありとしある放棄ではなかつた。即ち個人は絕對的に自由を拘束されるものではない。かれ自身の個人的な行動の自由は當然に認められてゐる。「空氣、水の享受」[註15]の自由などはそれなくしては個人の生は存在し能はぬものである。

　ホッブスにおける權利放棄はいはゞ個人の社會化的接觸面における問題なのである。而して、更に社會的に共有さるべきもの即ち個人の間に分割されざるものを個人の獨占に委すことはできぬ。性質上できうるならならば權利をもつ者の間に比例的に分配し、能はぬ時は共同に所有されねばならない。さらにまた個人と個人の間を裁くべきことを託されしものは、それがいかなる者であらうともこれを平等に審判しなければならない。これはいはゞ裁判における公平の問題である。社會の構成員は特權的に裁判を作つて刑罰を免るゝこと能はぬ。即ち一方において、裁判者は公平に裁判すべく他方裁判さるゝ者はその裁判に服從しなければならぬ。各人は各人の勝手なる判斷によつて人と人の間における爭ひを決定してはならぬ。

かくてわれわれはホッブスにおける自然法の大略を見たのであるが、前述の如く所有權の絶對の原則及び契約の自由の——原理(近代市民法の本質的要請)が表出せしめられてゐるとはいへ、一般にホッブスの自然法は本來の意味での市民法の契機を尖銳に呈示してゐないものの如くである。のみならず自然法のうちに裁判の公平の如く私法的なるもの以外の要請をも包含し、更に私的自治の原則の貫徹してゐない點も見出しえられる。例へば個人の獨占を許さざるものの存在の認承の如き。而して近代市民法——一般的に言つて啓蒙期思想における自然法の法的確認としての——に直接に法典化さるべき法的なる契機を、ホッブスの自然法に缺如してゐるのは止目さるべきであらう。例えば調和の原理、謙遜の自然法の如く道德的規範に屬し、しかも必ずしも市民制社會の觀念的性格を尖銳に表出せず、かへつて抽象的に、秩序の義務を當爲せしむるかにさへ思はれる要素を包有してゐるのである。

ホッブス自身も明確に自然法の概念を啓蒙期において一般的に意味ずけられてゐる概念から區別して、良心的な、in foro interno の原理として把握してゐる。

そして、「自然法の眞の理說は眞の道德の學である(註16)と述べてさへゐる。從つて自然法は道德的善惡の原理として、ただ、人間の內省的當爲規範に過ぎなく、外的に强制さるべき規範ではなかつた。「理性のかかる原則を普通に自然法と呼んでゐるが、それは正しくない。この原則はいかなるものが人間の維持及び防禦に役立つかといふことについての結論乃至定理に過ぎないのである(註17)」。然らばかかる意味に解されたる自然法はいはゆる本來の意味の法と如何なる關係に立つのであらうか。

ホッブスにとつて法とは主權者の命令以外の何ものでもない。從つて主權者が「法に從ふことは國卽ち主權者に從ふことであり、みずからに從ふことである」。かくて主權者をも含めての一般に集團の構成員が服從すべき法といふ概念は、ホッブスにおいては觀念せられるところがない。法主權・法治國家の範疇は成立する客觀的基底を缺如せるがためである。

而して主權者も、自然法には服從しなければならないとされるのであるが、グロテユスの言へる如く、神ですら變更できない自然法の絕對的規範性を自然法に附着せしめてゐる譯ではなく(註19)、むしろ消極的な意味を持つに過ぎないのである。從つて主權者にたとひ不正なる行爲があつても、その不正行爲は自然法の意味する本來の不正行爲とは異なり、不正でも權利侵害でもない。(註20)即ち換言すれば主權者はいかなる行動をなすも、大體自然法に牴觸する如き行動はないといふことである。かくては主權者といふものは神授的性格を剥れたに止まつてその絕對性は毫も變らぬ。即ちホッブスにおいては審判者としての主權的存在は人民一般の personaであり、その總ての行爲及び判斷は人民により委ねられたるものであり、人民こそがその發頭人たる故に、主權的存在の行動がその人民に對して侵害することはありえない。從つて人間としての主權者に不正があつても、人民は自己の人格を代表せしめてゐる存在に對して刑罰權を持ちえないのである。かくの如く美事なる論理的形式を以て主權的存在は自然法の超越性においてあらしめられてゐるが故に、かれの自然法のうちに一應われわれが肯定した近代市民法的性格も、主權論の領野に入り込むことによつて、一つ一つ制限せられ、否壓殺されて終ふことをすら見なければならない。

われわれは上來ホッブスの自然法論において主權的存在を一應捨象して考へてきた。そこで主權的存在との聯關において把握される時、いはゆる所有權不可侵の原則も直ちに崩壞の運命に遭遇しなければならぬ。なるほど各人は相互に對しては各人の所有權を享受しうるであらうが、主權はそれを保護するものであるが故に所有權の主權による干渉は理の當然でなければならない。「總ての私人がその財產に對して絕對的な所有權を持ち」しかも「主權者の權利を排除する」ことは國家の解體を誘引する契機となるといふのがかれの見解である。任意的な契約の自由も、主權的存在に對して絕對的に服從することが人民の義務であり、しかも主權的存在を拘束するなんらの規範もなければ、自由とは凡そ空名に過ぎない。

ロックにおいては、「自然狀態」は「平和、善意、相互扶助、保安の狀態」であつて、ホッブスとは異なり、自然法によつて支配されてゐるのである。自然法はホッブスにおける如く現實法の對立物ではなく、この現實法の先行條件である。而して自然法は「總ての者は平等にして獨立なるが故にいかなる者も他の者の生命、健康、自由、財產を傷つくることをえず」といふ命題を定立する。かゝる自然狀態においては各人が「自然法の執行權」を持つてゐるのであつて、各人は自然法によつて各人の安全のためにみづからの自然權によつて犯罪者を罰するのである。

然しながらかかる個人的な安寧の保安は甚だしく不便であるが故に、共同の幸福のために各人の同意によつて政治社會を形成せんとするのである。ホッブスにおける如く恐怖からの逃避ではなく、より積極的に共同の幸福のために國家を建設するのである。

「公共の利益を計ることは神の意志である」。かかる觀點がラスキをして功利主義の眞の先驅者としてロックを指目する根據である。(註21)

卽ち國家は人人がたゞかれら自身の個人的利益卽ち生命、自由、健康及び身體の安易並びに外界の物例へば貨幣、土地、家屋、家具その他これと類似するものの所有を獲得し、維持し且つ增進せんがためにのみ組織された人人の社會たるに他ならないのである。

從つて、國家は自然法の保護の必要上權力を持ちうるに過ぎない、國家の權限はこの自然法の領域を乘りこえる時は消滅しなければならぬ。

「國家は勝手に行動する自由を有するものではない。……自然法が萬人――立法者其他を含めて――に對する永遠の法則として存立する」ことが止目されねばならない。

かくて、ロックに從へば、人間の自然的自由は、地上における一切の優越的權力からの自由であり、何らの立法的權威の下に立たざるの自由であつて、人間は社會において他のいかなる意志のもとにも立たず、彼の依託に基いて立法機關が制定せる以外のいかなる法の制限にも服せざるの自由を有するのである。

ホッブスに從へばあらゆる權利の放棄が自然法の根本的な命題であつて、主權體は社會構成員の上に、或ひは外に、立つ公權力としその構成員より權力の委託を受けてから後は恰も自動器械の如くでさへあるではないか。

ロックはこの場合は逆に、「契約は各人の自然權を絡結せしむるものではなく單に政治社會にいり込むことの相互的な同意に過ぎない。他の約束、契約を相互になし得、依然として自然狀態にある」のであつて、國家は道德上の責任を持ち、主權に對する革命權を全社會に留保してゐるのである。ロックの Treatise には「主權」といふ言葉そのものすら見當らないのである。

まことにロックはルソウの教師であつた。ルソウはロックの思想を更に展開したのである。スピノーザは以上論じて來た如くに典型的な個人主義的自然法論者であつた。

スピノーザ、ロック、ルソウは個人主義的自然法論の代表者として、絶對主義的自然法論者たるホッブスに對立してゐる。

ルソウはロックと殆んど同じく次の如く述べてゐる。『「全體の社會の力をもつて各構成員の生命・財産を防禦し保護しうる、而してその力によつて總ての者が聯繫しながら、にも拘らずみづからにのみ從ひ依然として自由である結合の形態を發見する」こと、かかることが社會契約の解決すべき根本問題である』。

かくて、われわれはホッブス理說がみずからを個人主義的自然法論から區別してゐる基底を客觀的構造のうちに探し求めねばならない。

自然法原理が正眞の市民制社會の觀念態としてとりあげられたからには、この原理は市民社會の構造を反映せるものとして、市民制の必然的機構を當然に絶對的なものとみなさなければならないであらう。自然法の市民的性格は從つて、國家權力もそれに依存しなければならない筈である。市民制國家が市民制國家である限りは。そしてその理論的代表者がとりもなほさず、ロック、ルソウ、スピノーザであつた。ところが市民制社會がその成起の原初において、なほ未成熟なる市民制機構を溫床的に發展させるために Absolutism の形態をとつたことに相應して、この時代の理論家もまた絶對主義的自然法論をとつた。ホッブスはまさにその代表者である。

ホッブス理說における status naturalis と status civilis の對立關係は、平等にして自由なる個人の社會關係＝市民制體制がみづからの足の上に立ちえざる、即ちみづからの體制の上に公權力を支持しえないことの表明として、それ故にまた市民制體制の外部的存在としての絕對主權の必然的な支配・存立として把握されうるであらう。同時に市民制的自然法規範がなんらか精神的・觀念的なものであることによつて客觀的社會關係を表現するまでに成長してゐない市民社會體制の幼弱をも呈示してゐる。この事は恰も現實的客觀構造としてのこの國の市民體制と封建體制との關係、即ち市民體制がみずから支配權を確定しえず、政治的支配を封建貴族――これはまたこれでみずからの支配權を喪失しつゝ――及びその上なる主權に依存しなければならなかつた聯關の觀念としてホッブスに把握されたのである。從つて自然法＝市民的關係の觀念體は、現實的にはホッブスの「自然狀態」において支配しえず、專制主權のもとに體制の、觀念的にはホッブスの市民に、實にその主權によりて常に或ひは封建的に壓迫さへ受けながら位置すべく性質ずけられたことに、まさにホッブスの絶對主權論は相應する。この絶對主權は自然法の顯現のためにでなく、かへつてその審判者としての任務を持つてゐるのである。

十七世紀のイギリス名譽革命の前夜の專制王朝と運命を共にしたホッブスの理說には徹頭徹尾絶對主義が滲透してゐる。

（註1）Hobbes, Elements cf Law. p. 54. (ed. bg F. Tönnies.)
De Cive. p. 1. (De Cive 及び Leviathan, Behemoth は夫々 The English works of Thomas Hobbes, ed. by Sir W. Molesworth の七卷、三卷、六卷に依る)

（註2）C. P. 7, El. P. 54. Leviathan, P. 110. 以下 Lev. と略す。

（註3）El. P. 55.

（註4）Ebenda.

（註5）Lev. P. 116. C. 8.

（註6）Il. P. 56.

（註7）Lev.

（註8）Il. P. 56. C. P. 11.

（註9）Lev. P. 145.

（註10）Woodward, Hobbes, P. 155.

（註11）Lev. P. 125.

（註12） Dunning, Political theories.
（註13） Lev. P. 14.
（註14） Lev. P. 137. （註15） op. cit, p. 141.
（註16）（註17） Lev. P. P. 146—147.
（註18） op. cit, p. 312. （註20） op. cit, p. 163.
（註19） Grotius. ibid. Ic. 1 § 10.
（註21） Laski, Political thought in England. from Lock to Bentham. p. 54
（註22） Laski, op. cit. p. 42.

第四章　ホッブスにおける國家概念

ホッブスにおいては、闘爭狀態たる自然狀態に自然法が實現されるわけがない。自由・平等なる人間の狼の如き關係は闘爭解決手段を實力か詐欺かさうしたものによるであらう。まことに「自然法は自然狀態においては沈默してゐる。(註1)」そこで個人對個人及び個人對共同關係の利益の葛藤を終結せしむるには、刑罰の恐怖によつて畏服せしめうる「眼に見える權力」(註2)の存在及び多數者が一意思に統一されることが必要であらう。卽ち「同一目的に對する多數意思の錯綜は平和を維持し永續的な防禦をなすに充分でない故平和、自己防衞に必要な事柄に關して凡ての者の一の意思の存在が必要である」(註3)この場合凡ての者はこの一つの意思にみづからの意思を委ねることによつてそれらの必要事項の解決をはからねばならぬ。それはしたがつて、「多數意思の一意思への服從の形態」といはれうる。かゝる服從の形態はまた「みづからの服從する一意思に抗はざる各個人の間の契約による義務」(註4)としてあらはれる。かゝる結合關係はホッブスによつて union (註5)として規定されてゐる。勿論この場合一意思は個的なるものではない。「多數人の契約によつてかれら全體の意思として承認されてゐる一人格 person」(註6) である。かゝる如くにしてつくられかゝる如く解されたる union はまた city or civil society (國家)(註7)なる言葉であらはされる。此の統一されたる意思人格は從つて「平和の維持・共同防衛に對して各個人の凡ての力、及び機能を用ひうる」(註8)かくてこゝにわれわれは統一ある社會的構造體としての國家が觀念される。さらにホッブスは國家以外の團體をもみのがしてはゐない。「總ての國家は」とホッブスは述べてゐる「國家人格であるとはいへすべての人格が國家なのではない。なぜかなら多くの人民が國家の許可をうけてなんらかの事をなすために結合するであらう場合があるからである。これらは例えば商人のつくる會社やその他多くの契約團體の如き團體人格である」(註9)。これまでいはれし person (人格)なる語はローマ法の person の意味卽ち權利の複合體またはかゝる權利の主體、所有者――個人であらうと團體であらうと――の意味に觀念しうるであらう。從つて「一人の人間の人格は人間としての個人的存在から分離される。Unus homo sustinet plures personas」(註10)(一人の人間が多數の人格をもつ)。ホッブスの言葉に明らかに意味せられをる如く、ホッブスは國家以外の團體の併存を觀念してゐる。そしてこの團體においてはその「構成員は會社の意志に、單純に、總ての事において服從する」のではない。勿論國家の規定する條件においてのみその存立は許與される。「かかる社會形態は國家の下位の團體である(註11)。

かくて成立せる國家は一つの共同權力として顯現しなければならない。「契約は劍なくしては單なる言葉であり人を保全するなんらの力をもたぬ」(註12)。われわれの前提によれば事實、國家はかくの如きものとしてのみ存立の意味を持ちえた。ホッブスは國家の形成に就いて包括的な次のやうな言葉を示してゐる。卽ち「外敵の侵入及び相互の危害を防ぎ勞働により、地上の產物により、みづからを養ひ、滿足した生活をなしうるやうな共同權力建設の唯一の方法はみづからのすべての權力・强力を個人または集會——そは多數の發言によつてかれらのすべての意思を一つの意思に歸一しうる——に與へること、卽ち個人または集會にかれらの人格を表示することを約束し各人はかれらの人格を表示するものが共同の平和・安寧に關する事柄をなしまたはなさしめらるゝことは何であれその發頭人であることを認め、そして各人の意思、判斷をそのものに一任することである。これは同意または和合以上である。それは各人の契約によつて恰も余は余みづからを規制する權力を汝もまた汝の權利をさうするといふ條件でこの人間またはこの集會に讓渡し凡ての行爲を委任すると言ふ意味でつくられた同一人格のうちにおける、かれら總ての眞の統一である。かくの如く一人格に統一された大衆は國家(Commonwealth)またはラテン語で civitas と呼ばれる」[註13]。こゝにおいて國家なる、平和を維持し外敵を防禦しうる、レヴィアタンが、「生ける神」[註14]なる尊稱をうけながら生誕したのである。この共同の權力を讓渡されたるものはその權力に對する恐怖を力として總ての人間の行動を規制する。權力の讓渡は全的である。讓り受けるや否やその者は神の地位を獲得する。それは「國家のエッセンス」である。一方、然し乍ら發頭人は常に大衆であり國家の意思はかれらみづからの意思であり、勿論神意などではなかつた。そしてまた、その目的は大衆の平和及び共同防衛なのである。この場合 salus populi といふ言葉を思ひ[註15]起すべきであらう。かゝる人格を持つ者は主權者といはれ、眞の大衆の、「代表者」であるといはれる。

さらにホッブスは國家の起源を二つに分類してゐる。卽ち設立によるいはゞ

政治的國家 (A political commonwealth by institution) と取得による國家 (A commonwealth by acquisition) である。(註16) 前者は主權者から保護を受けうる確信の下に任意にそれに服從するものであり後者は自然力例えば征服による場合を意味する。勿論ホッブスの前におかれてゐる國家は設立せらるべき國家であつた。

われわれが既に知れる如く、ホッブスにおける國家の形成は「各人と各人との關係」でありその多數者による契約的過程である。從つて少數者又は家族の如き集團間の結合關係ではない。「少數者においては何れかの側に少數の加はることによつて充分に勝利をうべき力の利をつくる」が故に。(註17) また國家は漠然たる群成的大衆でもない。かゝる場合においては、ホッブスによれば、「個々の判斷、個々の欲望」に依存し「かれらの力の最善なる使用、適用に關する意見が分裂してゐる」(註18)が故に相互間の葛藤か、または統制ある少數集團により歸服せしめられる。かくては國家は成立し能はぬ。

かれは、論理的にはいはれる如き統治契約(Herrschaftsvertrag)における人民と支配者との國家構成要素としての二元的分裂を克服した。かゝる形態はまた同時に一つの史的過程でもあつた。卽ちそれは「服從契約を、萬人の萬人に對する鬪爭の自然狀態から脫出せんとする最初の結合契約のうちに入れることによつて、個人と個人との契約を以て人民と支配者との間の契約に代え」(註19)、いはゞ統治契約より社會契約への發展の過渡的統一の觀念形態として前者を克服しつゝまた後者によつて廢棄されたる一の過程であつた。かゝる意味において社會契約論者たるロック、ルソウに對するかれの反動性をまた服從契約論者たるモナルコ・マッヘンに對する進步性を把捉しなければならない。われわれは左に些かの史的展望を試みてホッブス契約思想の本質的構造を明かにしようと思ふ。ホッブス契約思想の前段階に對する標識はかれが個人と個人との結合によつて國家を基礎ずけしこと、及びかゝる個人と個人との結合關係を以て國家そのものの基礎ずけとなせしことである。(註22)

　支配者の人格と人民の人格の二元的對立の思想は中世社會にモナルコマッキから發展しきたるものであるが、近世初期の民族國家における統一形成の過程には矛盾するにいたつた。したがつて自然法學者たちは單一なる國家人格の概念を發展させて古い二元的對立を克服しようとしたのである。ホッブスもその例外ではない。

しかしながら思想の個人主義的限界を越えることができないがために、自然法思想家は眞實には國家人格の觀念を達成することに成功しなかつた。すなはちかれらはたかだかあるひは人民の人格を、あるひは支配者の人格を誇張しえたにすぎなかつた。この不成功においてもホッブスは例外でない。即ち述べし如く、かれは國家を巨怪レヴィアタンに比較し詳しく生物との比較を呈示したのであるが、このオルガノロギー的契機は車輪やバネで動かされる一つの機械に變形して終ひ、この怪物は人工的に工案され、巧みに組みたてられた自動器械となつた。自然法思想の段階においては所詮オルガノロギー的國家人格の概念は、ホッブスの絕對主義性格においてすら不可能であつた。すなはちホッブスはあらゆる點においてその絕對性を制限されることなき主權＝支配者人格の概念をつくつて、この支配者のうちに、而してそのうちにのみ國家人格を獲得しうると論ずるのである。

自然法の不可避的命令による契約によつて、支配者の權威・意思・行爲は人民の權威・意思・行爲として考へられる。支配者はかくていはゆるPersona representativaとしてあらはれ、集團の人格はかれなくしては成立し能はない。支配者を離れては國家は個人の單なる脈絡なき集合――雜然たる群集である。だから universitas の意味は少しもなくなる。國家の人格は單一でなければならぬ。その支配者は頭腦以上である。これはレヴィアタンの魂そのものである。

かくて偉大なる自動人形の人工的生命から persona artificialis が成生し persona civitatis の名稱のもとに國法の中心となるのである。

このように集團人格のあらゆる形態が代表される個人に分解される。すべての人民の權力意志が契約によつて支配者に讓渡されるといふ觀念によれば社會は究局の分析においては個人の法的關係に過ぎない。單なる法的連鎖以外に團體といふものは存在することができない。いはば個人の權利を主樞とする共同關係であつて國家その他の種々の集團の間になんらの區別が跡ずけられないであらう。國家自體にしても、societas perfectissima にすぎない。そしてこの法的連結が權利の法的主體に變形し、かくて法的な集團人格が形成される。これ法學的世界觀としてのこの思想の論理過程であり、有機的全體の社會觀が生まれずに、個人主義的なそれが生れた基礎である。

ホッブスにおけるあらゆる集團人格の觀念の形成の努力にもかかはらず、絕對王政に規定ずけられたかれの體系においては、全體としての社會の存在の觀念從つて社會全體としての構成員に對する主權の觀念はついに發見することができなかつた。

もつとも絶對主義的政治形態の持つ半封建的殘滓——家父長的社會——は、副次的にオルガノロギーの契機を藏してゐる。しかしこれとて「全體としての國家」概念には適用されることがないのである。「レヴィアタン」百三十七頁に述べてゐる。あたかもある建物がその粗材としての石の形の不齊なることにより相互に各々補ひ合つて成立する如く、人間の個性の種々性は相俟つて社會を構成する。從つて堅くて目的に使はれない石を建築者が捨て去る如く、頑固にして社會性に適應しないものは社會から除外される。(なんらの政治的權力なき勞働者・日傭人・手工業者の政治領域からの除外)

社會はficta personaの概念をうち捨てゝより、みずからの眞の姿を探ねて、道德的・法的人格に達した。そして自然法學者が集團的統一・代表的統一の概念を發見したものゝ、この統一は結合した個人にすぎず、個人の存在とコインサイドすることにおいてのみ集團の法的人格は存在を主張しうるにすぎない。固有の獨立の社會的全體の存在及びその權力・意思は、現實に行動する個人の前に否定され、構成員相互の法的關係に還元され、集團人格としての法的人格は個人關係に念まれた法的結果を示す形式概念にすぎない。これでは獨立の生命ある集團は認識さるべくもない。從つてこそ純粹に機械的な社會觀がうまれたのである。

とはいへ中世的オルガノロギーを完全に粉粹することこそが自然法的個人主義思想の歷史的意味であつた。自然法のうちに「社會的全體」の觀念がないのはむしろ當然であらう。全體としての社會概念が生まれるにはそれに應じた社會的客觀條件の變化が必要であつた。

すなはち市民制社會が變革的性格を失つて、みずからを支配的階層に据えたとき、そのときこそはあらゆる誹難を自然法思想にあびせて、中世的オルガノロギーのジンテーゼを提示したのである。そのときはすでに市民社會も法學的世界觀から解放されて、いはゆる社會を科學的に認識しようとするまでにたちいたつたのである。ホッブスにおける國家概念の契約的モメントを歷史的に分析してみよう。

一般に國家の起源を人間の契約的結合に見る思想は既に古代ギリシャに存在してゐた。プロタゴラスは國家の起源を人間の自己集合と考え、プラトーは人間は自由意思による同意によつて不正なる行爲に對してみづからを守るべきことを取り決めたという思想をソフイストより發展せしめた。特にエピキユール派の思想家は機械的、原子論的立場から、社會的な原子としての元來分離せる個人の相互的損害に對して安全を期するためになされたる契約によつて國家を成立せしめた。(註21) かゝる思想は中世紀においては愈々支配的となつた。法學はいはゆる lex regia に現はれたる思想から政治權力の契約的發生の認識にその源泉を求めた。ゲルマン村落共同體の組織に關する知識及び選擧侯の現象、國會と君主との關係などが此の思想を支配的ならしむる因由の一つでもあつたであらう。十六・七世紀、Monarchomachen はその革命的立場をこの契約思想によつて築きあげようとした。凡ての Monarchomachen に共通なる要素たる rex と populus とを對立せしめる統治契約の思想においては、國家は二つの單に弛き契約の紐帶によつて結びつけられた二部分に分裂する。從つて近代的意味における統一的國家の概念はなほ存立しえなかつた。當時における國家生活の事實的關係そのものがかかゝる統治契約思想を因由し、事實かゝる統一的國家の概念は人間の思惟的意識にまでのぼらなかつたのである。[註23] 卽ち國家構成體が公的＝法的團體から機械的に組成されてゐる如く、國家理論そのものもまた現實的に國家を機械的構造に於て結合する二つの契約體なる認識を獲得したのであつた。もつともこの二つの對立物を相互概念として把握することによつて微かながら統一國家の概念がなかつた譯ではない。[註24] 然しそれは嚴密の意味の、統一國家の概念とは本質的に異なる歷史的限界をもつものであつた。さらに、Monarchomachen における統治契約說は國家そのもの〻基礎づけを問題としてゐるのではなくして、卽ち國家の成起を契約によつて認識しようとするのではなくして、單に支配者の權力をそれによつて制限せんとする實踐的意圖をもつものとして特徵ずけられうる。[註25] 國家なる社會形態の認識へはなほ遠き實踐性はこの思想の若さを物語るものであらう。支配者に對する popnlus も單に漠然と unvevsitas として觀念されゐるかに思はれる。[註27] それ自體の結合關係の問題は少くも意識にはのぼつてゐなかつた。ボーダンにおいては、この統治契約の觀念が自然法としてあらはれる。自然法の一の命題たる、契約は拘束するといふ命題によつて君主もまた人民との間の契約によつて拘束されねばならない。ボーダンにおいては絶對主權の制限の根據として自然法があげらたのであるが、かれのこの契約觀念のうちには當時におけるいはれる如き Wahlkapitulation (選擧誓約)が潛入してゐたであらうと解せられる。(註27) かゝる契約による君主權の制限も一つの muta obbgatio として結局實踐的には君主の自己制限に終るに過ぎないであらう。かれにおいても、かゝる意味においては、Monarchomachen と異るところを見出しえない。一方かれは國家を「多數の家族及び共同財産の主權のもとにおける法秩序」(註28)と定義することによつてなほ國家そのものの基礎ずけの問題においては、身分的封建體制の蔭にかくれてゐる。こゝでも支配の形態の問題が提起されてはゐるが、家族なるその時代の必然的社會形態が漠然ととりあげられて人間の國家的結合關係卽ち國家の社會的構造については殆ど把握されてゐない。ギルケは「アルトジウスは本來的な社會契約論の創造者として觀察されねばならない。かれは總ての人間の共同生活は結合者の契約に依存するといふ思想をその政治•社會體系の構成原理にまで高めたが故に」(註29)と述べてゐる。然しながらアルトジウスにおいてもまたボーダンの場合におけると同じく國家の構成要素は都市または一つの政治的團體としてのプロヴィンツであつた（註30）。然もかれは明らかに「國家の構成員はその限界内に住む個人では全然なくして（傍點筆者）都市、プロヴィンツなどのより小なる corporation の契約的結合である」ことを述べ「そしてアルトウスはこの點を再三力説（註31）」してゐるのである。

當時におけるなほ封建的な國家生活の現實的構成要素たりし都市と地方における行政團體たるプロヴィンツをとりあげし點は將に彼の封建的體制を觀念する立場に相應する。人間における共同的結合關係の最終の單位、窮局の構成要素たる個人の發見こそが近代市民制社會及びその理論體系の最初の出發點でなければならない。われわれは社會契約說がそれに歴史的に先行する統治契約說よりみづからを區劃する唯一の本質的標識としてかゝる個人の觀念をとりあげるであらうし、また事實それこそが社會契約說のその後の理論的發展に對する唯一の功積でもあつた。社會契約說における個人の發見はその後の社會科學をして、社會の明瞭なる概念を構成するに役立つたのである。從つてわれわれはアルトジウスにおける社會契約の觀念の既述の意味においての素朴性の故に、むしろホッブスにおいてかゝる觀點からすれば本來的社會契約の本質的特徵の一面を(全部ではない)見うるのである。即ち國家を個人と個人との結合によつて成起せりとなせる點、及び國家なる社會を個人結合の統一意思とせる點、かゝる點においてはホッブス的契約說は歷史的に、市民制社會の理論形態發展の本質的動向の一段階として、次の時代への思惟的連鎖をもつ。かゝる點よりみれば、專制主權に對して人民の主權を唱導することによつて市民的要素の理論形態を代表せる、ホッブスの同時代人たるミルトンを凌駕してゐるであらう。ミルトンにおいてはアダムの原罪說に依つて惡をなすにいたりし人間から出發して次の如くに說く。即ち「凡ての人間は共同の盟約によつて、各人相互の利害を拘束したり、かゝる同意を攪亂したりする者に對してみづからを共同して防ぐことに同意した。これによつて、市、邑、團體が成立した。」「凡ての者の誓約が充分な拘束力なきことが分つたので、平和及び共同の權利を侵したものを强力及び刑罰によつて抑制するなんらかの權力を制定するの必要を感じた」(註34)かくて權力が發生する。そして王は法律によつて正義を行ふことを條件として人民から服從をうける。權力は常に人民の手の中にある。かかるミルトンの理說においては明瞭な國家概念をつかみとることは出來ない。權力が平和の抑制力となること、市邑などが同意により成立せること、權力がかゝる市邑を構成する人民にあることが語られゐるのみで、かゝる結合の諸聯關が客觀的關係として把握されてはゐない。ミルトンにおける理論的モメントは國家の結合關係よりも、むしろ市民的要素の革命的、實踐的な方面にあつた。かれは熱情的ではあつたであらうが科學者の冷靜を持たなかつた。自然法の分野においては後の思想家によつてその鼻祖と仰がれたグロテュウスは國家契約説の分野においては體系的な思想家ではなかつた。かれはその著 Libri Tres De Jure Belli ac Pacis に次の如く述べてゐる。「契約に從ふのは自然法の原則である故に、(何となれば人と人との間においては相互に義務を負はすなんらかの方法の存在が必要であつた。そしてそれ以外には自然的な方法は想像されえないが故に)此の理由からして一國の國法が生じたのだ。ある集團と結合し、または、個人或ひは少數者に服從したものは明らかに約束したか或ひは契約の性質から約束したものと解せられるが故に、暗默裡に前者の場合には多數の大衆に、後者の場合には權威を讓與されたものに、同意したものと解されねばならない(註33)」。この論述においても契約主體の二の對立構成の前提によつて、古い統治契約説における國家二元論に逆もどりしてゐるのを見るであらう(註34)。

かくてわれわれは上來歷史的に先行する統治契約說に對するホッブス契約說の進步性を、また同時代者たる社會契約論者に對するかれの社會契約說そのものの特徵的發展から見ての進步性を檢討することによつて、契約論者たるかれの思想史的な優位性を指示した。事實かゝる思想は市民制的社會構構の最も成熟せるこの國の地盤の上にこそ咲くべき必然性をもつてゐたのである。然らばホッブス契約說がそれに後續するロックによつていかに批判的克服をうけたかを見よう。ロック的批判はまた現實の客觀構造そのものゝ自己批判の上に依據したことは勿論である。近代市民社會體制が中世的制體をあらゆる自由なる個人に分解して以來初めて個人と個人との結合による統一ある近代的概念たる社會誕生の前提が生起した。かゝる意味においてホッブス的理論はまさしく市民制的基礎の上にあるものと理解されうる。然しながらかれにおいては個人の結合の全體的統一としての國家ではなくしてなほ第三者としての支配者が對立せしめられてゐる。かれにおいて觀念せらるゝところに從へば、「多數意思の一意志への服從の形態」が國家なる結合形態であり、「みづからの服從する一意思に抗はざる各人間の契約による義務」を國家の構成員は負擔しなければならなかつた。こゝでは平等にして自由なる結合ではなくして服從する結合である。あますところある聯繋ではなくしてあますところなき連繋である。ホッブスにおいては全體が個に統一され、ロック、ルソウにおいては、個が全體に統一される。すでに述べし如くロックにおいては國家形態においても依然としてその構成員は自然權を有しまた自由なる契約を結びえた。ルソウにおいては「凡ての者が聯繋しながらにも拘らずみづからにのみ强ひ依然として自由である結合の形態」(註35)が國家として捉へられた。ホッブスにおいては支配者に服從することによつてあらゆる自由を失ふ個人があらはれる。主權者の權力がむき出しに個人にふりかゝる。凡ての自由を奪はれて專制的な權力の下にある社會。われわれはこゝにすでに封建的體制を眼前に見うるであらう。Liberté ! それこそは近代市民體制の合言葉である。かくてわれわれはホッブスが市民社會の基礎に立ち乍らなほその上に專制的封建の遺制を築きゐるを知るであらう。この國における專制王朝はいはれる如き啓蒙專制として、市民體制への過渡的形態である。かゝる客觀構造の理論的體系化としてのホッブス的市民社會も怪物レヴィアタン——封建の頭――によつておしつぶされてゐる。かゝる怪物を現實的には八八年が、觀念的にはロックが、だがしかし乍ら甚しく妥協的な仕方で、拂ひのけた。(註36) ルソウにいたつて契約說はロックの單なる發展として明瞭なる市民社會體制の理論的武器として可成り徹底した體系にまで發展せしめられた。

上來ルソウの立場の個人主義的性格を、一應、無規定に述べて來たが、かれの volonté générali と la volonté de tous との關係についての把握には甚だしい動搖が存在するのである。ジャネエはルソウを以てフランス革命における人權宣言の精神的ウルヘーベルと規定し、他方エリネックはルソウを個人の總ての自由權の原理的反對者と考へ、ホッブスと同じくかれも服從契約を同時に承認してゐることを指示した。(註36) かく、ルソウは一方においては個人主義的性格を他方においてはホッブス的絕對主義の性格を押印された。フォルレンダーも「一般にルソウにおいては個人主義と國家全能との間の動搖が見える。(註37)」と述べてゐる。

ルソウに從へば個人は共同意思の現實的分擔者として獨立の市民であるが、この共同意思へ服從するものとしては臣下に他ならない。

ところでかく、個人が二重の性格を持ちながらも、「若しも、共同意思が一の個人に對して汝が死することは有利であるといふならば彼は死ななければならない。何となれば彼がその時まで生きてきたのはこの有利であるといふ條件に於てであり、且つ彼の生命は單に自然の一の恩惠のみでなく、國家の一の條件附贈與だからである。」[註38]といふ共同意思——消極的規定においてはこれは國家を意味し、積極的には主權者、他の同樣な團體と比較すれば權力と呼ばれる——の絕對主義的性格は如何なる本質のものであらうか。

共同意思は共同の利益を目圖するが故に、また共通に妥當する法として、共同的である。かれに從へば法とは「一般的利益の對象についての共同意思の、公的な・嚴肅な宣言である。」[註39]

ところでこの共同意思の擔荷者は誰であるか。人民である。共同意思は支配者と被支配者とが聯繫することによつて實定法の現實性または可能性となる。然しこの連繫は具體的な意思內容の統一ではなく、意思原理卽ち總ての者の幸福の統一である。

この共同意思の擔荷者としての人民は甚だしく抽象的なものであつて、個人の結合關係を呈示するものではなく、法の擔荷者としての道德的・法的性格を與へられてゐるに過ぎない。即ち理念的に人民の意思の調和が觀念せられてはゐるが現實的には各利益の抗爭が存在する。ルソウの道德的パトスは個人の不可侵の權利・自由の分野を否定し、その前には總ての社會的集團、黨派、階級又は身分は同等の水準におかれる。故に彼は議會政治を拒否する。議會政治は各黨派と結びつくが故である。從つて共同意思は代表されることができぬ。それは多數者の意思ではなくして、國家において人格として表出される全體性である。全體性といつても、個人に對立してそれ自體生命ある統一的社會的全體として把握されてゐるわけではない。

「算術の例解的に確められた個人の平均値に他ならぬ。(註40)」

かくの如くにして共同意思は何ら社會的全體としてのオルガノロギー的性格を有する譯でもなく、それかといつてスピノザにおける如く社會的手段規範として、組織として政治的に把握されてゐる譯でもない。

「ルソウは全體の安寧を目圖する共同意思と私的利益から出發する個別意思との軋轢に對して宗敎に訴へたのである。(註41)」

また「共通の利益卽ち時代的變化にも拘らず、全體的にも、個別的にも、人民の安寧を確保し促進することに志向する全人民の切なる要望を表はすべき、この全體意思の中には或る種の神祕性がある。（註42）」とも言はれたのである。

かくて「政治と道徳の結合、國家の國家原理による制約が與へられ、衆民政は單に「徳の統治」（註43）としてのみ可能であり、それが立法者の努力すべき目的である。かれが國家的教育を强張するもいはれなしとしない。

この故に、volonté générale への個人の服從をエリネックの如くにホッブス的絶對主義の視角から見ることは許されないであらう。それは何ら社會的・外的に强制しうる主權體――ホッブスの如く――ではないのである。讓渡することも、分割することも、代表されることも出來ない共同意思は決して政治的なものではない。極言することを許されるならば絶對者たる神の理念にすら比喩さるべきものであらう。ルソウにおける個人主義的と絶對主義を質的に同系列に並存せしむることによる比較が、兩主義の間を或は前者に或ひは後者に動搖してゐるかの如く思惟せらるるのであるが、現實と理念、政治と道徳又は宗教の領野の差異の存することを見逃がしてはならぬ。かれが哲學的に、唯物論と觀念論との間をうろついてゐることを思ひ見る時はかかる理解は尚ほさらに明確にせられるであらう。

ルソウが感情を理性に對してより強くとりあげてゐることは、まさに、かれの「啓蒙に對する對立、ロマンティクとの結合」(註44)を意味してゐるのであつて、かかる規定はこの共同意思についてのかれの立場にも適用されうるであらう。ルソウの進歩的なる一面がロマンティケルとしての一面によつて抹殺されてゐるかかる事態をわれわれはかれの社會的規定の小市民的性格に依存せしめようと思ふのである。

市民社會の理論的代表者としてかれは封建的特權身分に強く反對する。故に市民社會の基礎的要請たる個人の自由權を主張するのであるが、當時、新しく生れた市民社會のうちには續々として特權的要素が現はれた。これに對して小市民としてのかれの地位は一應かかるものに對立して、個人の利益のためにのみ奉仕することを觀念することができずに、その特權的利益を共同の理念の下に制約することを主張したのであつた。然も同じ小市民的地位は市民社會における基礎的設割を持つ地位ではなく、中途半端な寄生集團であるが故に現實社會的に國家を自らの地位のための形態として認識しうる筈がないであらう。小市民は市民社會に於ける物質的地位を缺如してゐる。從つて、この共同的制約は觀念の世界に逃避して、宗教的または道德的理想に過ぎないものとなつたのである。

かくてかれの「理想國家はかれにとつて、また、農業、手工業、おくれた工業が近代的階級對立を生ぜしめなかつた農民及び小市民のスヰスの小民主政に過ぎないのである。」(註45)

かれのロマン主義の物質的規定がゲンフの狀態によつて裏ずけられてゐるではないか。

かかるロマンティクの契機——國家を道德・宗教の領野として把握した——はホッブスが自然法を道德の原理として理解したことを思ひ合せる時、なかなか興味あることである。

物質的基底を缺如せる理說が決して現實を正當に把握しえずに、道德の宗教の世界に憧れるといふことを二人の偉大なる思想家が示して吳れたからである。かくてMonarchomachen以後の契約說が市民社會體制の理論形態として人民主權、民主政へと客觀的構造の現實の歷史的發展の線に沿ひて進みたる一方、王朝的封建的現實形態が市民體制によりて搖り動かされつゝ存在しきたりし形態に沿ひて王權神授論がその理論的支柱として素朴なる神學的粉飾のもとに存在しきたりし動向、まさに對立せる二つの動向の交錯點にホッブスの體系が立つてゐるともいはれえよう。かゝる反動性と進歩性をみづからのうちに包藏するところにホッブスの理念の本質の秘密がかくされてゐる。從つてかれの契約說へはロックへの發展の理論的な鎖の一環としての意味を持ちながら、かれの主權論はつひに殆んど思想の歷史の分野からは忘れられ遠く時代の波にさらはれて終つた。たゞいはれる如きPhilosophical Radicalsによつて議會の全能の根據ずけのために拾ひあげられ、それはまたそれでホッブス的體系から切り離された修正されたた仕方においてさうされたに過ぎなかつた。とはいへ最近時にいたつて、ホッブス說がなんらかの形でとりあげられるにいたつたのは、まことに歷史といふものは正直なものだといふ觀を深くする。現在のような時期にはホッブス思想のなかからなにか都合のいい部分、恐らく個人主義に對する修正面のみがとりあげられうるであらう。

（註1） De Cive. P. 64.　（註2） Leviathan. P. 53.

(註3) De Cive. P. 68. (4) ebenda

(註5) ebenda.

(註6、7、8) De Cive. P. 69. レヴアイサンにおける commonwealth 國家である。

(註9) ebenda.

(註10) Green, Principl s of potlitical obligation. 1927. P. 61.

(註11) de Cive, P. 70.

Tönnies,Thomas Hobb s. Leben und Lehre. 1925. 3te. vermte. Aufl. Anm. 135: テーニスはこゝで Brockdorff がその書において本文の意味をホッブスに見出してゐるのを指示してゐる。ホッブス思想のうちに嚴密なる意味の社會の概念を見出すのはかれの個人主義的本質の抹殺であつて、正しくない。

(註12) Leviathan, P 154. (13) ibid, P.P.152—158. (14) ebenda.

(註15) ibid. P. 159. "Representative," これは近代的代議制とは區別される。やはり persona の意に解すべきである。

(註16) ebenda. (17) ibid P. 154. (18) ibid. P. 155.

(註19) Gierke, Johannes. 1929. S. 86.

(註20) Vgl. Tönnies, ibid. S.237. G. Jellinek, Allgemeine Staatslehre. 1922. 3. Aufl. S. 204.

(註21) Jelliek, a. a. O. S. 202.

(註22) Gierke, a. a. O. S, 77.

(註23) Treumann, Monarchomachen. 1895. S. 16. S. 58.

(註24) a. a. O. S. 17. (25) a. a. O. S. 62. (26) a. a. O. S. 55.

(註27) Rehm, Geschichte der Staatswissenschaft. 1896. (Handbuch der öffentlichen Recht. Einleitungsband) S. 229.

（註28）Bodin, De la République I. 1. Vgl. Bluntschli, Geschichte der neueren Staats. S. 31.

（註29）Gierke, a. a. O. S. 99.

（註30）Althusius, Politika. 1614. 3ed Chap. 11. sec. 1. Cf. Dunning, Political theories from Luther to Montesqieu. 1928. P. 63.

（註31）ebenda

（註32）Vaughan, History of political philosopby. Vol. 1. 1925. P. 13. (cited from Milton's Tenure of King and Magistrates.)

（註33）Grotius, De Jure Belliac Pacis Libri Tres. Vol. II. Trasl. BKI. 1925, P. 15.

（註34）Treumaun, a. a. O. S. 58. Vgl. Jellinek. a. a. O. S. 207.

（註35）Rousseau. ibid P. 109.

（註36）A. Menzel, Wandlungen in der Staatalehre Spinoza's. 1898. S. 24 更に Jellinek, a. a. O. S. 213. 參照

（註37）K. Vorländer, Geschichte des Philosophie II. Bd. S. 224. 1927.

（註38）Rousseau, Contrat social.

（註39）G. Salomon, Allgemeine Staatslehre. 1931. S. 124.

（註40）Gierke, Das deutsche Genossenschaftsrecht 4 Bd. S. 434

（註41）Salomon, a. a. O. S. 125.

（註42）Höffding, Rousseau und seine Philosophie. 1867. S. 135

（註43）Salomon, a. a. O. S. 127.

（註44）Salomen, a. a. O. S. 120.

（註45）Salomon, a. a. O. S. 127. ルソウについての詳論は他の機會に讓つて、ここではホッブスとの比較のみにとどめる。

第五章　ホッブスの絶對主權說の現實・社會的規定

ホッブスは語る。（以下レヴヰアタン十八章の拔粹）

かくて平和と保護を目的として各人が總ての行爲・判斷の權利をみづからその代表者たる個人または集會に委託することによつて成立せられたる絶對主義的權力はそのもとにみづからが構成單子をなせる人々に對してなんらの義務を負擔するものではなく、反對にかかる構成單子そのものがあらゆる負擔の源泉だと考へえらるるにいたつた。（A）

だがこの主權的存在の窮局の存立條件が、かへつて各個人の自己保存・個人的利益の增大、そしてその本質的條件たる平和への要請のうちに見識されねばならないことも止目すべきである。（B）

主權におけるA・B二つの契機――人民を負擔の源泉とするのと、人民に利益を與へるのと――はあきらかに矛盾してゐる如くに思はれるであらう。しかしこのホッブスの一見矛盾に見える命題こそが、かへて歷史的絕對主義の本質を鮮やかに反映してゐるのである。

卽ちAbsolutismにおいては、厖大な數を占める小手工業者・小獨立生產者が軍備擴張のための增稅の擔稅者であつた。農民は地租賦役を、都市市民は人頭稅・營業稅の直接稅及び飮料・穀物・肉類・食料品その他生活必需品に對する間接稅を負擔しなければならなかつた。ホッブスが負擔の源泉と考へたのはまさにこれらの諸階層である。絕對主義の直接の經濟政策がいはゆるマーカンテイリズムであることは人の知れるところであらう。この政策は特權を製造業者や商人に賦與し、その租稅を免除して助成金をあたへ、保護關稅を設けることであつた。ホッブスが人民の負擔と利益の矛盾せる契機を提示したのは、一方における負擔と同時に一方における補助をその政策とする絕對主義重商政策を觀念化したものにすぎないことはあきらかであらう。

主權的存在のもとにたつ個人個人の全體は、契約的前提のうちに包攝される內容に違反する如き、——それ以前の契約にはなんら拘束されず、また、すでに契約的に國家の生起せる以上は更に新なる——契約をなすことによつて、主権的存在の許與なくして、他の者に服從することを許されぬ。すでに、主權者のなしまたはなすべく適當だと判斷することを承認すべく契約的に、從つて自然法的に拘束されおるが故である。契約は個人相互間のそれであり主權的存在と個人とのそれではないが故に主權的存在の側における契約の違反はありえないであらう。この故に、主權的存在の權利喪失を云々することによつて、その構成員たる個人は權力への服從からとき放たれるといふが如きことはありえない譯けである。主權的存在は契約の當事者ではない。各個人、各個人が第三者たる主權的存在に服從を誓約せるまでのことである。然しながらこゝにおけるそれの意味は個人結合によつて成立せる全體の力としての主權的存在ではなく、いひかへれば、社會のうちから出てきながら、しかも社會の上にたつルソウ的觀念ではなく、社會外的第三者による支配的形態としての主權的存在と個人との關係である。從つてこゝに民主制的代議制的觀念が許容されないのは當然である。

この主權者を契約當事者と考へないことはいかにも絕對主義的政治形態にふさはしいことである。即ちこの政治形態は少くとも外見的には、互ひに戰ひあふ市民階級と封建貴族とが殆とんど均勢を保つ結果、兩者から獨立せる形態をとつてゐるのである。直接にはいづれの階級部門へも左袒しない、かかる形態の法的・抽象的表現として、契約說におけるこの特殊的なホッブス型を理解するならば契約形式を云々する混亂から脫しうるのであらう。ホッブスは語り續ける。かくて大多數によつて同意された主權者に對してはそれに不同意のものといへども、いまや他の者に同意しなければならぬ。さもなければかれは、なんらの不正なくして他のものによつて破滅せしめられる。かれは秩序の外にあるからである。(農奴・職人・日傭賤民の折伏がこの政治形態の重要なる契機をなしてゐる)國家は倫理的目的を實現する理念ではなく、常にそれに謀叛する要素をもみづからのうちに包攝する、しかも反抗の要素も、必然には、反抗しえずに主權的存在の權力に服從しなければならぬ。ホッブスにおける國家機構は從つて相對立する要素の構造體ではなく、共同審判者としての主權的存在の形態、——支配は保護を內容とする意味においてのみそれは支配たるをえ、服從を伴ひうる形態——である。總ての審判者としての主權がまづ存在しなければならぬ。秩序こそが國家の本質的樣相である。審判者としての主權的存在は人民一般の

Personaであり、その總ての行爲及び判斷は人民により委ねられたるものであり、人民こそがその發頭人なる故に、主權的存在の行動がその人民に對して侵害することはありえない。從つて「主權者による侵害をかこつものはみづからがその發頭人たるところのものをかこつ」ことになり、それは矛盾であるといはれうる。「みづからに對して侵害を與へることは不可能である」(一六三頁)從つて主權的存在に對する人民の刑罰權の行使は、「みづからの侵害せる行爲に對して他人を罰する」結果とならねばならない。勿論人間としての主權者が「不〻平なる行爲をなすことはありうる。然しながらそれは本來の意味における不正でも權利侵害でもない。」

かくの如き主權の中樞的權利內容は、かくて、次の如くに規定される。國家目的が國內平和及び外敵防禦である故にかゝる目的達成の手段を判斷しそれを實行に移す權利が主權者に與へられる。而して、ホッブスによれば、あらゆる行動は人間の思想からでてくるが故に、言論、出版のよりよき統制は勿論主權機能として持たれる(註1)。さらに財貨の享受及び行動の限界に關する原則を設立することによつて、個人間の軋轢を規制卽ち人民の所有關係及び行動の善惡、合法、違法、一括すれば立法機能が主權者に歸屬する。司法權——實定法及び自然法、また事實に關する葛藤をとりあげ裁定する權能。宣戰和平の權。——戰爭が公共の利益になるかならないかの判斷、戰爭が必要なる場合の徴兵徵租の權能。兵權の主權のもとにおける統制は特に必要とされる。それのみによりても主權者を主權者たらしめうるが故である。これについては他の場所でこう述べてゐる。「ミリティアの權力は事實上全主權である」「立法權そしてげにありとしある權力は兵權のうちに包括される(註2)。」まことに絶對主義的政治形態におけるマーカンティル諸政策を遂行する公力機關が常備軍であつたことをひとはここに思ひおこすべきであらう。こゝでは兵權は法の實行の强力的基礎として觀念された。その他官吏任免權、賞罰權、位階勳等授與權。かゝるものが主權の機能として考へられた。兵權なくしては法の執行なき故司法權は無力であり、貨幣調達權なくしては兵を養ひえず、言論の支配なくしては叛亂を惹起する。

この主權に歸屬せる諸權利は分割讓渡を許されない支配體制の緊密なる一環をなしてゐるのである。分離しえない、また分割されえない主權のこの偉大なる權威の前には人民の權利はなんら存在の根據を持たぬ。かゝる主權の存在形態、卽ち國家形態がなんであらうと主權そのものゝ性質には變りがないのである。

「わたしの考へによれば」とホッブスは主權の絶對性について述べてゐる「理性及び聖書の兩者から主權が君主にあれ人民にあれ少數者にあれ、人の想像しうる限りの大きさを持つものである。そしてかくも無制限な權力について多くの惡い結果を想像する人があるかも知れないが、主權のない各人の各人に對する永遠の爭ひの結果はもつとひどく惡いのである。」續けて述べてゐる。「國家においては、人民の服從契約の破毀さへなければ大なる不都合は起らないのである。そして主權の餘りに大きいことを考へそれを小さくしようと思ふ者は、その主權を制限しうる權力卽ちより大なる權力にみづから服從しなければならない。（註3）」ホッブス的觀點においては、國家はそれが如何なる形態であらうと、絶對制主權をその本質的屬性とすることによつてのみ存立の價値をもつ。それは人間生活にとつては不可避的また不可缺的存在でなければならぬ。かくの如くに一般化され普遍化された絶對主權も、述べし如く實は專制王朝の絶對國家の一般的理論化に他ならなかつた。專制王朝は事實その絶對主權を以てのみその存立の根據としてゐた。然もそれは形式上は少くとも都市市民と地方貴族との均衡の上に存在するが故に社會からは獨立せる外觀をとる。兩要素の不均衡を破滅せざることのみが、現實的に專制機構の存立を全うせしむる所以であつた。そこにおいては人民に自由あることによつて、また主權體制の分割あることによつて、忽にその均衡は破られ、體制は動搖するであらう。

故に人民における服從のみが、――もしかゝる體制の維持存續が永遠の人類の平和と看取さるゝならば、――かゝる國家體制の唯一の存在可能であり、從つてまた目的でなければならぬ。事實ホッブスは國家の解體を誘引する契機として「總ての私人がその財產にたいして絕對的な所有權を持つ」、しかも「主權者の權利を排除するやうな」所有權を持つことを數へてゐる。（註4 a）なるほど各人は相互に對しては各人の自由に所有權を享受しうるであらうが、主權はそれを保護するものである故に、所有權の主權による干涉は當然である。われわれはかゝる規定のうちに、當時における現實的な專制主權の樣相たるマーカンテイル政策における保護助長主義を觀知しうるであらう。すでに敎會財產の沒收はヘンリー八世以來行はれてきたことであり、また獨立黨員がピューリタン革命を通して獲得せる土地は王政回復後王の手によりて更にとりあげられ、土地貴族の手に渡された。一方自由なる所有權の行使こそが、市民社會における理念であり、ロック的、ルソウ的觀念形態であるにもかかはらず、ホッブスの時代においてはそしてホッブス的觀念においては所有權の自由は絕對に許容されてゐない。ホッブスの體系の絕對主義政治形態そのものに相應してゐることを知りうるであらう。「國家を形成し維持する手段は算術、幾何の如き法則にある。テニスの如き實際的なるものにのみよるのではない。(註4b)」國家は推理的に計算されてあらはれる解答であつて、便宜的にどうにでも動かしうるものではない。專制王朝は從つてホッブスにとつては2+2=4の式の如くにしてまた幾何學的な定義から出發して形成されしものである。疑ひえない眞理として結論として觀念された。然しながらそれが斷じて算術的に結論されざる、歷史的に變化する、從つてホッブス的國家が當時におけるステュアート專制王朝の模型に過ぎないことは——ホッブスにおいてはたとひそれが人間本性の姿と見えようと——如上ところどころあきらかにせる通りである。ホッブス的國家はその幾何學的方法によつて知りえた、——歷史的方法を知るべき段階にはゐなかつたが故に——現實國家である。

「ホッブス體系の最惡の部分は國家に積極的機能を認めないことである。レヴィアサンは警官であり教師ではなく、」「かれの國家が不可避的な惡である(註5)」のも上來の意味において明瞭に理解されよう。ホッブスの最惡の部分は客觀構造そのもののの本質上、いはれる如き不可避的な惡でなければならない運命を擔はされてゐたのである。

警察官たるこの國家においては主權者は法に服從することはありえない。何故かなら「法に從ふことは國家卽ち主權者に從ふことであり、みづからに從ふことであるから。(註6)」主權者は自然法に服從するにすぎない。然し、自然法に服從するとはいへ主權者の不正行爲は自然法の意味する不正と異なることによつて、主權者の行爲は正當ずけられてゐるのである。(註7) ホッブスにおいて最も强調されてゐるのは權力分割の不當である。國家の權力の分割は國家の解體を意味する。分割された權力は相互に破壞しあふが故に。從つて混成政體(制限君主制)もまた必然的に排はされる。「それは獨立の一國家ではなく三つの獨立の黨派であり、代表する人格は一つでなく三つである」「それ故王が人民の人格を持ち、國民議會もまた人民の人格を持ち更に此の議會が人民の他の一部の人格を持つならば、國家は一人格でも一主權者でもなく、三人格であり三主權者である。(註8)」かゝる國家形態こそは一六八八年の革命後、王權と議會派の妥協によつて――それは事實上都市市民と地方土地貴族の安協に終つた――成立せる王、上院、下院の構成形態であつた。既に充分に成熟せる市民制社會の(だが封建的大土地貴族を破壞さすべく充分には成熟せざりし)支配權への參加による專政主權の制限であつた。ロックは立法權の主位性(議會の、從つて都市市民の)を主張し、執行權の(王の)主權の制限的行使を强張することによつて、かゝる權力の分立形態の國家を、八八年の革命を理念化した。ホッブス的專政主權からロック的制限君主政への一原則の理論的發展は都市市民の勢力の現實的擴張であつた。ホッブスにおける反都市的モメンとは、都市の違常なる發展に伴つて、それ自身の領域から、軍隊及びその費用を支出するにいたることの結果を國家を危うするものに數へてゐることに表出されてゐる。(註9)

絕對主義者としてのホッブスが、その理念化せし專政王朝の構成要素の一側の――然も王朝を崩壞さすことによつてみづからの支配を確立せんとした革命的勢力――發展に反向するは必然的な仕方であつたことは注意されねばならない。かゝる點にこそホッブスの專制王朝擁護に基く反動性が潛んでゐるのであり、從つてレヴィアサンのうちにクロムウエル支配體制の觀念體系を看取せんとする立場をわれわれは排斥するのである。例へばリップスは特にホッブスの理論體系と現實的、政治黨派との聯關を究明せる著書において、クロムウエルの、國家と敎會に對する關係の問題、大學の改良に關する問題に對する政策及び外交政策とホッブスとの類似性をあげ、次の如くに述べてゐる。「ホッブスはそのレヴィアサンのみならず他の著書もまたかれの學說を實現しうる政府のためにのみ書いた。それは王でもなくピレスビテリアンでもなく、インディペンデント及びクロムウエルであつた。(註10)」さらにエーゲルは述べてゐる。「平穩と安寧を造るために武力に支持されて、無秩序の眞只中に現はれたレヴィアサンは、クロムウエルの政府である。(註11)」然しながら敎會組織の變革、國家權力への服從及び、スコラ哲學の强力な地盤として作られた敎會的大學の改良は、すでに宗敎改革以來專制王朝が封建的體制の破壞を目途として企てしものであつた。啓蒙的專制王朝は封建的體制の解體の上に立つ體制である。從つてかゝる政策はクロムウエルの、みの政策ではなく、テユードル王朝以後の、かゝる國家體制の必然的な政策である。ホッブスがフランスより一六五一年、逃走せる王の側近の僧侶の迫害に耐へえずしてイギリスに歸り、すでにクロムウエル支配下に服從せるデヴォンシャイア伯のもとに來りて、クロムウエル支配のイギリスに平和な生活を送つた（註12）といふ事實が恰度その年に出たレヴィアサンとの聯繋の糸をたぐらうとしがちではあるが、われわれは當時におけるクロムウエルの政治的立場を見るときかかる觀點に味方する譯にいかぬ。王黨員にもまた急進的ピユーリタンにも受け入れられず「神が余と汝等の間を裁くであらう。」と捨獨白を投げて議會を解散した（註13）かれは、二重の性質の社會的役割を持つてゐたのである。かれは市民的內亂の正眞の市民階級の指導者であつたが故に、一方封建的王黨の清掃を主目的とすると同時に他方、下からの貧農・小市民・勞働者の行き過ぎた、尖鋭な革命運動をも鎭壓しなければならなかつた。從つてクロムウエル支配は社會的基底においてはヨーマンリーと「神の民」たる一部の都市商人の支配であつた（註14）。かれがこの內亂における下層階級の急進的な要求が市民階級に對して對立するほどに擴大した瞬間には王黨派と妥協しなければならなかつた。クロムウエルの王に對する態度が他のプューリタンの急進派とは反對に甚だ穩かなりし事實(註15)はかかるクロムウエルの掛引に過ぎず、かつホッブスをしてクロムウエルに好感を持たしめたのもかかるクロムウエルの掛引による革命の一歩退却が行はれた時期のことであらう。かれはフランスに亡命せる王黨員たる僧侶の迫害を、また王政回復後すら僧侶の迫害をうけてゐた。(ホッブスが哲學においては唯物論。無神論といふ當時の最も進歩的觀念の上に立つてゐたことを留意すべきである然し一方彼は一六四〇年、議會派の彈壓をおそれてフランスに逃げたのであつた。クロムウエルは市民階級支配の政府の首腦者として徹底的な市民政策をとつた。かれが武力的獨裁者たりしことは當時反革命が諸々に起り、侮るべからざる勢力を持ち、更に下からの革命を鎭壓しなければならなかつた事を考ふれば、別に不思議ではない。革命政府がその成立を見た許りの時に個人的獨裁となるのはかかる必要から必然的なものである。かかるかれの革命的任務の故にこそ、市民階級がその地歩を占めるやかれは最早や役割を終つたのである。かれは激しい非難の的となつた。クロムウエルとホッブスとを結びつける立場はかかる獨裁の點に着目するが、われわれが上來述べてきた如く、全然社會的基底を異にするのである。かれの思想は時の專制王朝の表現であつた。が、本質的に半封建的土壤の上に立つこの政治形態(現實的には王を首班とするが故に)において、かれが王に同情してゐるのはむしろ當然といふべきであらう。さらにわれわれが繰返し述べ來りし如き專制王朝は市民社會體制と封建的體制の過渡期的均衡の上に立つてゐた。かゝる限りでそれは進歩的であり同時に反向的であつた。故に先述せるかれの都市の勢力の擴大が以て國家の危機を誘引するとなせる見解は明らかに反市民、從つて當時においては反向的であつた。かれの市民階級に對する嫌惡は Behemoth の隨所に現はれてゐる。クロムウエルの政策は都市市民の一部を以て神の民と呼んでこの階層のための政策がかれの立場であつた。故に先のクロムウエルとレヴィアサンの對照は明らかに誤謬であらう。ある意味では即ち形式的に見ればクロムウエルの獨裁形態がそう思はしめるが、にもかゝはらずそれは內容的には市民階級的ヒユーリタン支配であり、ホッブスにおいてはむしろ、全く逆に、支配的な土地貴族的王政の主權であつた。

上來われわれはホッブスにおける進歩性、反動性を云々してきた。專制王朝そのものゝ過渡期的形態は、その體系化としてのホッブスの思想の矛盾からかれの思想の進歩性、反動性がよく問題にされる。例えばフォレンダーは「かれは一見恐らく見えたであらう如き單なる反動家ではない」(註16)と述べ、クノウは「多くの新しい國家論者がホッブスを、單に王政の利益のみを辯護する根からの反動家と考へるのは正しくない。かれの議論は君主專制主義の是認を目的としたのではなく、國家の全能を指摘せんとしたのである。何となればかれは、一般の幸福に對して反抗する特殊の利害を壓服し、確固たる國家の統一及び人民の統一を確保するためには、これが極めて必要だと考へたからである(註17)。」「單なる反動ではない」といはれる意味をわれわれはそれがいはれる如き「啓蒙的專制」であつたといふ事情においてのみ理解しようと思ふ。ホッブスの思想は、專制王朝的體制が議會派をその胎内に持ち然も、それがそのうちから發展して支配權にまで立ち到りえない段階の政治形態である。當時の專制王朝が、封建的、身分的專制支配ではなかつたことはもちろん當然である。それはいはれる如き國民的統一の國家であつた。從つて、かゝる國民的國家が歷史的に進歩的であつたといふ意味で進歩的であつた。

テーニスはホッブスの說が貴族及び市民の思想とも矛盾してゐたこと、その特徴的命題は「國法の唯一の基礎は全民衆の一致的意思」だといふこと、君主制においても民衆が王であること、「君主絶對制でなく國家絶對制がホッブス體系の眞の意味であり內容である。」民衆は凡ての國家において支配者である。(註18) 君主制においても民衆は一人の人間の意思を通じて意思するが故に民衆が支配者なること。從つてホッブス說は修正された形ではあつたが、ルッソウの自由の上の秩序なる思想によつて更生されたこと、ホッブスの君主制は par la volonté du peuple の國家であること等が述べられた。(註19) これによるとホッブスの民主主義的思想が少し許り形を變へはしたが、ともあれ、ルソウへの發展の系列のうちに入れられてゐる。「社會的に平等權を持つ個人の上に立つ唯一の國家權力の全說は正眞の市民的なものである」(尤も當時及び後の市民階級が獲得しえたものとは甚だ違つてゐたが從つてホッブスの市民的國家論は獨特なものであるといふ。勿論契約的前提の上に立つが故に、ホッブスにおいては君主は人民の同意の上に立つてゐる。從つて形態的には明らかに民主主義的と考へえられるであらう。然しながらわれわれは人民の同意を前提とする君主政と人民が主權者である民主權とを混同してはならぬ。さらにこのことは國家人格に關するところで述べしことにより既に明瞭であらう。ホッブスみづからも明らかに述べたように、(註20)「權力を主權者たるべき者に自然的な仕方で讓渡するといふことは不可能なる故に、讓渡したといふことは反抗權を放棄したといふことに過ぎない。」當時の專制體制が國民的統一の上に立つてゐたが故に、その君主制が存在した限り國民一般の暗默の同意があると觀念されたに違ひない。ホッブスに體系化された現實は卽ちこれ以外の事情ではない。われわれがルソウにおいて見るところは、「各人の總ての自然權の讓渡は全社會」(註21)へである。ホッブスにおいてはある第三者たる個人または集會である。この差異は單なる言葉の上ではなく一つの歷史的な差違である。ルソウは更に、個人の社會的な「二重關係卽ち個人に對する主權體の一員として、主權に對する國家の一員として」(註22)の關係を述べてゐる。こゝにおいては個人は主權者であると同時に人民である。ホッブスにおいては個人は服從以外に何者もない。かゝる差異の抹殺は許されぬ。個人の自由なる意思と個人の主權とは實に市民社會體制が封建體制からかちえたものであつた。個人の主權の確立あつて始めて市民社會體制はみづからの足の上に立つたのである。ホッブスにおける體系には反對になんらの個人主權を見ることは出來ないではないか。ホッブスはすでに王政回復後に書きし Behemtoh において市民的革命的議會派に對してあらゆる嘲笑と侮蔑を以て報ひた。「長期議會を構成するものたちの大部分の罪惡愚行のカタローグをあげる必要はない。それよりも大きな惡行は世界中にない。」(註23)そして、處刑されし王の稱讃の後に「かくてこの國はデモクラシーに或ひはむしろ寡頭政に轉化した。」と嘆じてゐる。かくて「無制限なる君主の權力を專ら一般的契約から導くことは完全に諸意的であり證明されざる前提に依存するといふこと見拔くにはさして異常なる洞察力を須ひぬ。むしろこの社會を契約から說明する根本思想の首尾一貫せる發展は、民主主義的組織に進まない限り、もつと自然的に、自由意思によつて構成された權力の制限に進んだであらう。」それ故に、當時ホッブスと同一の黨派性に立つものはかれの出發點に反對し、反對者は出發點には贊成しながら、それから演繹されし結果に反對した。そして、「契約によつて基礎づけられた國家の全支配樣式を人民の意思に從つて處理する又は變へる權利を人民に對して要求した當時の反ホッブス的思想の發展から見てホッブスの思想はルソウ的でないことを意味する。」(傍點筆者)而して「ロック及びシドニーはホッブスの手からその武器をもぎとつて、それを

ホッブス自身に向けようと試みた」のであつた。(註24)

さらにわれわれはかれにおける國家と經濟關係の觀念に移る時かれの重商主義(絕對主義の經濟政策)が明かとなり、かれが衆民政のイデオローグでないことが明かとなるであらう。かれは「陸」と「海」とを「共通なる母の二の胸」と呼んでゐる。そして神の恵みたる自然の外には「勞働」と「勤勉」をあげてゐる。「勞働もまた利潤のために他の物と同じやうに交換される商品である」。(商品法則)國法なくしては所有の區別はない。從つて、土地の分配は主權者による。而して土地の所有者は他人に對して排他的に使用權を有するが、主權者を排除しえない。すべて、私有財産は本來主權者の專制的分配から生ずる。かかることが市民社會のイデオログの言葉にあるであらうか。さらに金及び銀は物質そのものからその價値を有してゐるが故に、その價値は人間の力によつては變へえない特權を持つてゐる。「金及び銀はあらゆる場所の商品の共通なる尺度である。」そして、それは國家を動かし、必要な場合には外國にまで手をのべさす特權を持つ。かくてそれはあらゆる物の共通なる價値尺度であり、人から人へ、國から國へと流通し、「血液」に例へられる。さらにかれは國家は不利益を防ぐために貿易をなすべきことを述べ、植民地は國家の子供として規定される。そして一方には運輸業によつて、他方には外國からもたらされし材料の製品を販賣することによつて有力となつた小國の例をあげてゐる。まことにホッブスは絶對主義政治形態の政策を支持する典型的マーカンテイリストであつた。

さらにかれは資本制生産の本質を萌芽的にではあるが次のやうな言葉で述べてゐる。「大都市は、反抗が苦痛にかこつけて起る時は、必然的に反抗に味方するに違ひない。苦痛は租税であり、それは市民卽ち私的利潤をその職業とする商人にとつては當然に不倶戴天の敵であるが故である。かれらの唯一の誇りは賣つたり買つたりの智恵で法外に裕福になることである。」商人は貧乏人に職を與へることによつて國家に最も利益するといはれることに對して、ホッブスは答へる「この利益は貧民をして商人に依つて決められた價格でかれらの勞働を賣ることを余議なくせしめる」ことに由來するに過ぎないと。「だから貧民は多くは、紡織その他の勞働よりもブライウエル(感化院)で働く方がもつといゝくらしができたに相違ない。」(註25)そしてかゝる貧民階級がかれらの力を賴んで反抗のまつさきの煽動者であることが述べられてゐる。かれの市民階級に對する反感がここに現はれてゐると同時に當時におけるマニュファクテュアにおける勞働の過度の賃銀の低率が語られ、かゝる無產市民の反抗の危險が述べられてゐる。かゝる意味においてホッブスは市民階級を嫌惡した。そして金融的貿易商人こそがマーカンティリズムにおいて利益するにもかゝはらず、ホッブズがマーカンティリストであつたことは矛盾である。そしてこれこそ絶對主義政治形態の矛盾なのである。半封建的土壤の上に商人資本の發展を表すこの形態はその一面の封建制的性格のゆえに資本の發展をある程度で制約しようとすると同時にある程度までは商人資本を發展させねばならない。これのホッブスへの反映として市民的變革的內亂におけるかれの反動性は理解すべきである。

(註1)　ミルトンがあらゆる自由のうち特に良心に從つて自由に知り、語り、論ずる自由を與へよと叫んで市民的體制の要求を表現したとはまさに反對であることの注意。
Cf. Gooch, Political Thought from Bacon to Halifax. 1929. P. 101.

(註2)　Behemoth. P. 264. P. 290.

(註3)　Leviathan. PP. 194—195.

(註4 a)　G. Jaeger, Der Ursprung der modernen Staatswissenschaft und die Anfange des modernen Staats.(Arch. f. Geschichte d. Philo. 1901. 14.N.F. 7 S. 599)

ホッブスは「傳統的法律體系の最も有力なる殘滓たる所有權の概念を中世的禁欲的思想からではなく、近代的前提から分析した。プロレタリアートのためにする權力説と所有權の解體との結合は現代の唯物論的國家論の最も有效な思想である。この思想が社會主義的民主主義的發展論的思想と結びつくことによつて、ホッブスの個人主義的絶對主義的、機械論的體系とは異なるとはいへ」と述べて、ホッブスに於ける絶對主義とプロレタリアート獨裁觀とを結びつけてゐる。これはまさしく歴史性の抹殺である。われわれが繰返し述べたように、ホッブス的主權こそがその自然法的契約思想の進歩性にも拘らず、かれの反動性を基礎ずけるものである。勿論、當時における專制王朝の本質が、二の要素の對立的均衡にあるが故に、それが封建的社會に對して甚だ進歩な意義を有してはゐた。にもかゝはらず、市民社會に對する反動を本質とする。かゝる矛盾の形態においてのみ、ホッブスの本質は理解される。

（註４ｂ）Lev. P.P. 195—196.

（註５）Gooch, ibid P. 54.

（註６）Lev, P. 312.（７）Lev. P. 163.（８）Lev. P. 318.

（註９）Lev. P. 321. こゝにホッブスが特に都市がみづからの武力の組織を持つことを國家體制の破滅の一要素としてゐることは意味あることであるが更にかれは續けて諸他の團體について述べてゐる。即ち「多くの團體はいはゞ、人間の腹の中の蟲と同じように大きな國家の腹のなかの小さな國家である」かゝる團體はレヴエラー派より封建的僧侶を含む一國の政治的目的を持つた集團であつたことを思へば意味なしとしない。

（註10）Juluis Lips, Die Stellung des Thomas Hobbes zu den politischen Parteien der grossen Englischen Revolution. 1927. S. 88. ホッブスの現實的な政治的意義の問題はしばしば問題となる故、こゝに少しく述べよう。

（註11）Jaeger, a. a. O. S. 563.

（註12）W. P. Sorley, Hobbes and contemporary philosophy. (Cambridge History of English literature. Vol. VII. P. 287.

（註13） Macaulay, History of England. Vol. I. 1856. PP. 127—128.

（註14） Dietz, A. political and social history of England. P. 271.

（註15） Gooch. English democratic ideas. in the 17th centuries. 1927. P. 194.

（註16） K. Vorländer, von Machiavelli bis Lenin 1926. S. 63.

（註17） Cunow, Die Marxsche Geschichts-und Staatstheorie. 1. Bd. 1923. S. 85.

（註19） Tönn es, Neue Zeit. 36Bd. S. 422. 1896—97. 2Bd. S. 783.

（註20） De Cive. P. 70.

（註21） Rousseau, ibid. P. 109.

（註22） ibid, P. 300. （23） Behemoth. P. 357.

（註24） Mohl, Geschichte u. Literatur der Staatswisseuschaften. IBd. 1855. S. 231.

（註25） **Hobbes, Behemoth, PP. 320—321.**

總　括

以上においてわれわれが理解した點は、まず、啓蒙期自然法思想を一律に非歴史的に觀念することは許されないといふことである。市民社會が封建體制の胎内でみずからを發展せしめつつあつた段階と、もはや封建體制に依存することがむしろ桎梏となりこれの廢棄のみが主なる目的となれる段階と、――この歴史的發展の段階に應じて、自然法思想はそれぞれの特殊規定を擔ふ。前者はすなはちAbsolutism又は「啓蒙的專制」の段階といはれる。ホッブスの思想がかかる基底の上に立つことを理解した。後者は市民社會體制の確立または充分なる力を持てる段階としてスピノーザが代表してゐる。われわれはかゝる差別を絶對主義と個人主義といふ言葉で表現した。絶對主義は個人の權利の自由の絶對的否定であり、個人主義は個人の權利・自由の絶對的肯定である。それは又君主主權、個人主權とも言はれる。

かくて社會の構造はスピノーザにおいては、個人と個人との、個人の利益のための意志的結合の單なる總計として考へられた。個人から獨立の存在としての統一的社會の概念はなんら存在しなかつた。ホッブスにおいては一見社會的な有機體としてのモメントを持つかの如く見えるがそれでも代表人格としての支配者が考へられるだけで、やはり全體としての社會の概念は餘地を持たず、個人の人格がその背後に毅然として立つてゐた。かくて絕對主義と個人主義とは本質的に市民社會の生成の線に沿ふ二つの段階の思想的反映であることが明かにせられた。すなはち絕對主義はそれ自體が市民社會の所産である。といふよりも市民社會がみずからの母體の發展を强行的に促進するための槓杆でさへあつた。從つて絕對主義と個人主義とは本質的に對立するものではなく、市民社會の發展の未成熟の、成熟のといふが如き差別を持つ歷史的過程に他ならない。スピノーザ、ホッブスの思想の同一性と差別性とはかゝる基底から明瞭に理解される。かくて封建的イエラルシイ型態に對立する市民社會型態の發展の時代たる啓蒙期における社會觀は個人主義を以て貫かれてゐることが理解され、從つて統一的生命を持つ社會の概念は存在しえなかつた。

さらに「孤立的個人」の範疇はその結合關係を契約行爲のうちに觀念することに

よつてのみ、かへつて個人が個人として存在しうる關聯が理解された。

市民社會においては各個人は商品の擔荷者として、交換過程を通してのみ相互に結びつき關係する。かゝる現實的關係の法的抽象がとりもなほさず自然法思想の持つ契約說的モメントなのである。かくて社會は、この思想においては、「個人と個人との法的關係の總計」と觀念される。

かくの如く社會を法的視角のもとに觀察する形態は此の時代にとつては必然的なものであつた。

此の時代は「誰が政治的權力を持つべきか。敎會及び後には絕對主義と結びついた封建貴族か。または新しい富の創造者、所有者たる新時代の擔荷者か。ということが問題なのである。」(註1)

即ち個人の利益・權利の主張を樞軸とする市民社會そのものの法的確認こそが、この時代の市民社會の要請である。かかる市民社會の要求に應じてその思想も法學的形態をとる。したがつて「反對科學」としての自然法思想は必然的に法學的社會觀でなければならない。この意味でブリンクマンがこの反對科學のうちに社會學の起源を見ようとするのは正しくない。學としての社會學が成立するためには社會關係として見る實證主義の精神をこそ必要とするのではなかつたか。(コントを見よ)自然法思想における法學的世界觀はその法學的觀點の故に國家と社會との區別を知らない。といふよりも、なんら社會を知らないのである。個人と學としての社會學が成立しうるためには、集團生活が、全體として、個人とは別に、それ自體の構成法則と運動法則とを持つことが呈露されねばならない。

自然法思想における如く個人の單なる連結のみがやつと考察の範圍である時に、個人と個人との內的紐帶は全然把握されず、單に一面的、抽象的にしか把握されない時に——どうして社會自體の法則を發見しうるであらうか。

社會に對する科學が法學的觀點から前進するためには科學は、その「反對科學」たる性格を揚棄しなければならない。そして、そのことは市民社會が變革的性格を揚棄する、またはしなければならない段階に相應ずる。その段階においてはもはや社會は個人のために存在するものではない。むしろ、個人こそが社會の各層として、社會全體の目的實現のために、それに依存しなければならない。かかる社會觀が、まことにオルガノロギーにふさはしいことに想到しても驚くべきことではないであらう。從つて、ウィーゼが、シュパンのカントとフイヒテとを社會學の建設者と見てゐるのに反對して、「獨自的な社會學に特に多大の影響を及ぼした思想家をドイツ哲學者の中より選ぼうとするならば、先第一に擧げらるべきはカント若くはフイヒテではなく實にヘーゲルであらう」(註2)といへるは、オルガノロギーを社會學の成立の本質的契機とするわれわれの立場から、その限りで、正しい。

プラトンに社會學の起源を求めようとするポール・バルトについてはもはや言及を要しないであらう。社會に關する科學が法學的制約から離れて社會學として存立しうるためには社會學は法則の發見を實證的に行はんとする實證主義と結びつかねばならない。みづからの社會を批判せんとする要請こそが社會學成立の基本的な契機の一つである。從つて社會が現實の構造において把握されることを要する。實證主義の精神はまさにかうした關聯に適應するのである。かくて社會學の起源が自然法以後のオルガノロギー說に求められるに應じて、國家理論もまたオルガノロギー說をとる。

かくの如く自然法的社會觀が一方において社會學として、他方有機體的國家論として、その法學的性格を失つてゆくのに對照して、自然法思想は社會觀であることを止めて專ら法學の世界に引込んで終つた。自然法思想が歴史法學によつてその歴史的使命を揚棄されはしたが、後れたる獨において變形されて再びとりあげられた。ドイツは市民社會體制の發展の現實的地盤を缺如してゐたが故に、フランス革命をば觀念上に變革した。ヴォルテール的性格のカント化こそがそれを最もよく呈露してゐる。

カントにおいては自然法思想は理想法と現實法との對應の形で、理想法は觀念上の當爲規範として、その啓蒙的契機にもかかはらず、かれの觀念論體系と抱合することによつて、變形されたのである。

シュタムラーはカント、フィヒテの觀念論的自然法思想について、それが理性法 Vernunftrecht とも呼ばるべきものなることを述べて、續けて言ふ。

「かくて發見された法(歴史的に制約されたる素材を原理的に加工した卽ち正當なる選擇によつて發見された)は定立された權威から獨立にそれ自體强制價値を持つものではなく、それは單に觀念上の原型に過ぎない。」(註3)(傍點筆者)

またこうも述べてゐる。

「正義とは個別的法意欲の純粹共同の理念へ向ふ傾向である」(註4)。

このようにしてカント以後自然法思想は一つの社會觀であることを止めて、法規の拘束力の基礎ずけの問題に向つた。このことは實定法學としての解釋學——いはゆる法律學——を一方において成起せしめ自然法思想は法律哲學に轉身して、解釋學の理論的基礎ずけを任務とするに到つた。法律學は法律の基礎に社會があることをすら忘却して、法規の體系の中に閉じ込つて終つた。

かくて自然法的國家觀は十九世紀を通じてオルガノロギー的國家觀に代替せられ、一方社會を全體として把握せんとする社會學の生誕を要請したのであつた。個人主義から全體主義への聲が擴大されていつた。

（註1） Oppenheimer, System der Soziologie. 2 Bd. S. 51.
（註2） Wiese, Soziologie. 1926. S. 17.
（註3） Stammler, Rechts-und Staatstheorien der Neuzeit. 1925. S. 45.
（註4） a. a. O. S. 50.

（終り）

昭和十年八月十一日印刷
昭和十年八月十五日發行

政學科研究年報（第二輯）

編輯兼發行者　臺北帝國大學文政學部

印刷者　白井赫太郎
東京市神田區錦町三丁目十一番地

發賣所　東京市神田區神保町二丁目
嚴松堂書店
電話九段(33)（四一三五 四一三六
四一三七 四一三八）
振替口座東京六五五六